LA FILLE DE RENNY

Née en 1885 à Toronto (Canada), Mazo de la Roche a passé son enfance au milieu des vergers et des animaux, dans un domaine de l'Ontario qu'elle devra quitter pour Toronto à la mort de son père. Sensible, timide, détestant la ville, elle a eu très tôt le goût d'écrire.
En 1927, son troisième roman lui apporte gloire et fortune. C'est Jalna, dont le succès est si grand que le public réclame une « suite ». Ainsi naît la célèbre chronique des Whiteoaks en seize volumes, où se retrouvent bien des traits de sa propre jeunesse.
Après douze ans passés en Angleterre (1930-1942), Mazo de la Roche retourne au Canada où elle meurt en juillet 1961.
Elle laisse huit autres romans, des nouvelles, des pièces de théâtre et une monographie sur le port de Québec.

Le jeune Maurice Whiteoak doit se rendre en Irlande pour recueillir un héritage : une grande propriété — grande du moins selon les normes du vieux continent sinon celles du Canada et du domaine familial de *Jalna*. Il rêve d'en faire reine sa cousine Adeline. Toute la famille sourit à ce projet, sauf Renny qui trouve que sa fille a bien le temps de penser au mariage et Adeline elle-même qui a simplement envie de voir le monde.

Ce n'est donc pas comme fiancés que les deux cousins prennent le bateau, chaperonnés par leur oncle Finch. Et quand Adeline tombe amoureuse de l'Irlandais Fitzturgis, Maurice ne peut que ronger son frein. La situation s'embrouille de telle sorte que Finch accueillera presque avec soulagement le télégramme le rappelant avec sa nièce au Canada.

Car à *Jalna* non plus les choses ne sont pas allées toutes seules. La lutte de Renny avec Clapperton, sa bête noire, n'est que la plus marquante des péripéties qui ont bouleversé la vie du domaine pendant l'absence des voyageurs. Mais tout finira bien quand même pour les Whiteoaks.

Ce volume est le quatorzième de la fameuse « saga » de *Jalna*.

ŒUVRES DE MAZO DE LA ROCHE

Aux Éditions Plon :

LA NAISSANCE DE JALNA.
MATINS A JALNA.
MARY WAKEFIELD.
JEUNESSE DE RENNY.
LES FRÈRES WHITEOAK.
L'HÉRITAGE DES WHITEOAKS.
JALNA.
LES WHITEOAKS DE JALNA.
FINCH WHITEOAK.
LE MAÎTRE DE JALNA.
LA MOISSON DE JALNA.
LE DESTIN DE WAKEFIELD.
RETOUR A JALNA.
LA FILLE DE RENNY.
LES SORTILÈGES DE JALNA.
LE CENTENAIRE DE JALNA.

Les ouvrages sont classés ci-dessus suivant leur ordre chronologique dans l'histoire de la famille Whiteoak. Ils ont été publiés en anglais de 1927 à 1954 dans l'ordre suivant : *Jalna, Whiteoaks of Jalna, Finch's Fortune, The Master of Jalna, Whiteoak's Harvest, Young Renny, Wakefield's Course, The Building of Jalna, Whiteoak's Heritage, Return to Jalna, Mary Wakefield, Renny's daughter, The Whiteoak brothers, Variable Winds at Jalna, Centenary at Jalna, Morning at Jalna.*

Hors collection :

TROIS PETITS DIABLES, roman.
TROIS PETITS DIABLES, album.
PORTRAIT D'UN CHIEN, roman.

Dans Le Livre de Poche :

LA NAISSANCE DE JALNA.
MARY WAKEFIELD.
JEUNESSE DE RENNY.
L'HÉRITAGE DES WHITEOAKS.
JALNA.
MATINS A JALNA.
LES FRÈRES WHITEOAK.

LES WHITEOAKS DE JALNA.
FINCH WHITEOAK.
LE MAÎTRE DE JALNA.
LA MOISSON DE JALNA.
RETOUR A JALNA.
LE DESTIN DE WAKEFIELD.
LES SORTILÈGES DE JALNA.

LE CENTENAIRE DE JALNA.

MAZO DE LA ROCHE

La fille de Renny

ROMAN TRADUIT DE L'ANGLAIS
PAR HÉLÈNE CLAIREAU

PLON

Cet ouvrage a été publié en langue anglaise
sous le titre :

RENNY'S DAUGHTER

I

APPROCHE DU PRINTEMPS

Pour deux hommes très âgés le salon n'aurait pu être
plus douillet. Les bûches de bouleau, après avoir gaiement flambé, s'étaient réduites en une masse incan-
descente qui, bientôt, s'effondrerait; il faudrait sous
peu remettre du bois sur le feu; à côté de la cheminée, un vieux panier en était plein. Par la fenêtre,
on voyait le soleil de février étinceler sur de longs
glaçons, et les gouttes qui en tombaient régulièrement
martelaient sur l'appui de la croisée une chanson
agréable. L'heure du thé était proche.

Les deux vieux frères, Nicolas et Ernest Whiteoak,
l'attendaient avec impatience; c'était celui qu'ils pré-
féraient de leurs légers mais fréquents repas.

« Quelle heure est-il ? demanda Nicolas en tournant les yeux vers la pendule en bronze doré de la
cheminée.

— Quatre heures un quart.

— Quoi ?

— Quatre heures un quart.

— Hum ! je me demande où ils peuvent tous être.

— Moi aussi.

— L'hiver se tire.

« — Oui, c'est la Saint-Valentin [1].

— J'ai reçu une lettre de saint Valentin ! fit la voix enfantine de leur petit-neveu Dennis, étendu à plat ventre avec un livre sur la carpette du foyer.

— Ah ! tu as reçu une lettre ! s'écria Ernest. Et sais-tu qui te l'a envoyée ?

— Non. C'est un secret. Mais je crois que c'est Adeline. »

Il se leva. Debout entre les deux vieillards, il avait l'air d'un svelte rejeton entre deux vieux chênes. Le chandail vert qu'il portait accentuait la pâleur de son teint clair, la blondeur de ses cheveux plats et le vert de ses longs yeux étroits.

« J'ai toujours trouvé que ces yeux étranges le défigurent plutôt, dit Ernest en un français hésitant. Ils sont vraiment trop verts. Les yeux de sa mère étaient évidemment verdâtres, mais pas de ce ton-là.

— J'ai compris tout ce que vous avez dit, annonça Dennis, en anglais.

— Eh bien, qu'est-ce que j'ai dit ? demanda Ernest.

— Vous avez dit que mes yeux sont trop verts. Plus verts que ceux de ma mère.

— Je suis désolé, dit Ernest. Je te fais mes excuses. J'oublie que tu n'es plus un tout petit garçon.

— J'ai eu neuf ans à Noël.

— Je me rappelle mes huit ans; on les a magnifiquement fêtés dans cette même maison.

— Quel âge avez-vous maintenant, oncle Ernest ?

— Quatre-vingt-quatorze ans. Ça doit te sembler bien vieux, non ?

— Oui, assez...

— Pourtant, je me souviens de mon huitième anniversaire comme s'il avait eu lieu le mois dernier. Il

---

1. Dans les pays anglo-saxons, occasion de l'équivalent de nos « poissons d'avril ».

faisait un beau temps de printemps et j'avais un costume neuf pour la circonstance. En courant au-devant
des premiers invités, j'ai trébuché et je suis tombé
dans une flaque que la pluie de la nuit avait laissée
dans l'allée; ma veste et mon col de dentelle ont été
aspergés d'eau boueuse.

— Votre col de dentelle !

— Oui. Les petits garçons n'étaient pas habillés
comme aujourd'hui, à cette époque. »

Ernest aurait aimé continuer à parler du passé,
mais la porte s'ouvrit et une jeune fille entra. C'était
la fille de l'aîné des neveux des deux vieillards, Renny
Whiteoak. Elle les embrassa l'un après l'autre.

« Vous êtes d'une élégance, les oncles ! s'écria-t-elle.
Dieu vous bénisse !

— Nous nous sommes bichonnés pour le thé et nous
sommes fatigués de l'attendre », marmonna Nicolas.

Adeline caressa les cheveux gris en brosse que les
années n'avaient pas clairsemés.

« J'aime vos cheveux, oncle Nick, dit-elle. Ils ont
l'air si compacts. »

Immédiatement Ernest sentit le pinçon de la jalousie. Lissant de la main ses cheveux blancs et rares,
il dit :

« Je ne sais pas comment cela se fait, mais ton oncle
Nicolas, à voir sa chevelure, semble ne jamais y
passer la brosse.

— C'est qu'il la passe dessus et non au travers, dit
Adeline. Un de ces jours, je vais m'y attaquer et je
vous montrerai combien il peut être beau. »

Nicolas leva sur elle un regard plein d'adoration. Il
prit l'une de ses minces et fortes mains et l'appuya
contre sa joue.

« Tu es sortie, dit-il, je sens sur ta main l'odeur de
l'air glacé

« — Oui; je viens de promener les chiens. Je meurs de faim.

— Voilà le thé ! » s'écria Dennis.

Par la porte qu'Adeline avait laissée ouverte, arrivait, portant un plateau, un homme maigre et petit, aux cheveux gris coupés ras, et dont le visage blafard exprimait une résignation mêlée d'agressivité.

« Bravo ! Beaucoup de pain beurré et de la confiture de mûres ! s'exclama Adeline. Je crois que les tartines de beurre sont mon aliment favori. »

Elle en prit une et se mit à la manger. Dennis étendit aussitôt la main pour- en faire autant.

« Halte-là. jeune homme ! fit Adeline, la bouche pleine. Que j'aie de mauvaises manières est une chose; que tu sois mal élevé est tout différent ! » La mère d'Adeline entra dans le salon. Elle était au début de la cinquantaine et sa calme maîtrise d'elle-même résultait de longues années d'efforts. Le sourire de ses lèvres ne se reflétait pas dans les limpides profondeurs de ses yeux bleus. Elle s'assit derrière la table à thé et se mit à remplir les tasses.

« Est-ce que je peux passer les plats ? demanda Dennis en s'approchant du plateau.

— Si tu fais très attention à ne rien renverser.

— Où est Renny ? demanda Ernest.

— Il est dans son bureau, dit Wragge, le domestique. Il fait ses comptes, mais il a dit qu'il allait venir tout de suite.

— Merci », dit Alayne Whiteoak d'un ton qui congédiait l'homme.

Cependant, il ne partit pas sur-le-champ; il s'attarda, remettant un fauteuil à sa place, ajustant un rideau, vidant un cendrier dans la cheminée, comme s'il restait exprès pour irriter Alayne. Quand, enfin, il se fut retiré, elle dit :

« Je voudrais tant que Renny soit à l'heure de temps à autre.

— Il a ses comptes à faire; il ne peut pas s'interrompre au milieu », dit Adeline, défendant comme toujours son père.

Afin de rompre la tension survenue entre la mère et la fille, Ernest dit :

« Le feu a besoin d'une bûche.

— Je vais la mettre ! » s'écria Dennis.

Il souleva la plus grosse du panier et la jeta dans l'âtre où elle fit jaillir une gerbe d'étincelles et fut aussitôt léchée par de petites flammes avides.

« Bon garçon ! » dit Nicolas. Il porta la main en avant pour prendre sa tasse, mais, ayant mal calculé la distance, il la heurta et renversa le thé brûlant sur le tapis.

« Quel maladroit je fais ! s'exclama-t-il, et, tirant son mouchoir de sa poche, il commença à éponger le tapis.

— Si tu appliquais ton esprit à surveiller tes mouvements comme je le fais, dit Ernest, tu ne renverserais pas les choses.

— Je ne peux pas appliquer mon esprit à rien, marmotta Nicolas; il m'en reste trop peu.

— Oncle Nick ! s'écria Adeline. Vous avez un esprit merveilleux ! Ne vous occupez pas du tapis. Je vais chercher un torchon.

— Tenez, voici une autre tasse de thé, oncle Nicolas », dit Alayne.

Mais, en le versant, ses mains tremblaient d'irritation, et elle se disait : « Sois patiente. Il ne sera plus bien longtemps parmi nous. »

Adeline revint avec un torchon et une cuvette d'eau; Nicolas et Dennis la regardèrent avec un vif intérêt nettoyer la tache.

Le petit malheur était à peine réparé que Renny Whiteoak entra, accompagné d'une bouffée d'air froid.

« J'ai pensé que vous aimeriez avoir un peu d'air frais, dit-il; il fait terriblement chaud, ici.

— Je t'en prie, ne laisse pas cette porte ouverte, s'écria sa femme. Nous allons geler.

— Je serais certainement obligé de me retirer dans ma chambre », dit Ernest.

Nicolas gardait le silence; il pensait au thé renversé, bien qu'il en eût une autre tasse pleine devant lui.

« Dehors, on dirait le printemps, dit Renny. Les oiseaux gazouillent; cela vous ferait du bien de respirer l'air pur. »

Debout à côté de la table à thé, il les regardait tous en souriant, grand, robuste, ses cheveux acajou grisonnant à peine aux tempes, son visage coloré animé par un sourire taquin.

Alayne songea : « Comment peut-il avoir l'air tellement plus jeune que moi alors qu'il est beaucoup plus âgé! Ce n'est pas juste... Et pourtant, si, ce l'est, car il possède la faculté de faire ce dont je suis incapable : trouver en lui-même sa propre joie, comme un païen qu'il est. »

Elle se leva et, de sa démarche gracieuse, alla fermer la porte de la maison. Quand elle revint à sa place, Renny s'assit et prit Dennis sur ses genoux. « Combien souvent je l'ai vu avec un enfant sur les genoux! songea Alayne... Un enfant sur les genoux, ou à cheval; ce sont les deux aspects sous lesquels je l'imagine le plus aisément. Je n'aime pas particulièrement les enfants et pas beaucoup les chevaux, mais Renny m'enchante encore. » Elle remplit une tasse de thé et la lui tendit avec un sourire.

Nicolas avait recouvré sa bonne humeur. Il y avait

un gâteau délicieusement moelleux qui sortait du four
et il le savourait. Les quelques dents qui lui restaient,
heureusement cachées par sa moustache tombante, ne
pouvaient plus mâcher que des aliments mous. Il dit :

« Il est grand temps que notre jeune fille connaisse
un peu le monde. Je le disais à Ernest il y a moins
d'une heure.

— Je partage tout à fait votre opinion, oncle Nick,
dit Adeline.

— Ce qu'Adeline aurait dû faire depuis plusieurs
mois, dit Alayne, c'est aller dans une université. Comme
vous savez, je désirais vivement l'inscrire à Smith.

— Jamais entendu parler de cet endroit, déclara
Nicolas. Où est-ce ? »

Depuis la guerre, Nicolas était devenu violemment
antiaméricain. Personne ne savait pourquoi. Il ne prenait nullement la peine de cacher son sentiment, n'arri-
vant pas à se souvenir qu'Alayne était Américaine
bien qu'on le lui rappelât sans cesse. Et elle avait
beau vivre au Canada depuis plus de vingt-cinq ans,
elle était toujours très consciente de son origine.
Abonnée aux périodiques les plus intellectuels des
Etats-Unis, elle se tenait au courant de ce qui s'y passait sur la scène politique. Les remarques du vieillard la piquaient rarement, mais celle-ci, pour une
raison obscure, la blessa.

« C'est le collège universitaire féminin le plus
connu du continent, dit-elle.

— Jamais entendu parler », répéta-t-il et il vida
bruyamment sa tasse de thé.

L'épouse bien-aimée d'Ernest avait été Américaine;
aussi dit-il :

« Je me souviens des descriptions que ma chère
Harriet m'a faites de sa vie à Smith; elles étaient à
la fois instructives et amusantes. »

Nicolas se souleva dans son fauteuil pour jeter sur son frère un regard sceptique.

« Jamais entendu Harriet parler de cet endroit, dit-il.

— Je suis moi-même diplômée de l'Université Smith, dit Alayne avec un peu d'acrimonie.

— Ha ! répliqua le vieillard; cela explique le seul défaut que vous ayez. »

Alayne ouvrit des yeux interrogateurs.

« Un air de supériorité, ma chère. »

Alayne rougit et dit :

« Il est remarquable que je l'aie conservé après avoir passé plus de vingt ans à Jalna. »

Renny se mit à rire et déclara :

« Mais c'est un fait; c'est vrai, tu sais !

— Adeline a passé son bachot avec mention, dit Ernest; il est grand dommage qu'elle n'ait pas poursuivi ses études dans une université.

— Je n'en avais pas envie, dit Adeline. Je veux dire : ce n'est pas mon genre.

— Mais tu te trompes, insista son grand-oncle. Sinon tu n'aurais pas aussi bien réussi tes examens.

— J'en sais suffisamment à présent, répliqua Adeline.

— C'est en quoi tu montres ton ignorance, dit Alayne. Si tu aspires à une carrière quelconque... Mais — elle haussa légèrement les épaules — nous avons déjà discuté maintes fois cette question. Je sais que tu considères la vie à Jalna comme une carrière suffisante pour toi; j'espère seulement que tu ne le regretteras pas.

— Sois tranquille, dit Renny. Elle ne le regrettera pas. Elle est la fille de son père. Aucun des garçons n'a aimé les chevaux autant qu'elle. »

Il parlait souvent de ses frères comme s'ils étaient

ses fils. En réalité, il n'avait qu'un seul fils, un garçon de près de quatorze ans, pensionnaire dans une école préparatoire.

« La vérité, dit Adeline, est que je meurs d'envie d'aller en Irlande avec Maurice. »

Nicolas avait fini son thé; son menton s'était incliné sur sa poitrine et il faisait un petit somme. Il s'éveilla brusquement, averti par son subconscient qu'on venait de dire quelque chose de vraiment intéressant.

« Quoi donc? quoi donc? demanda-t-il. L'Irlande? Qui va en Irlande? »

Le mot « Irlande » suffisait à le tirer du sommeil, car c'était d'Irlande que sa mère était originaire; elle y était souvent retournée et vantait son île natale comme le plus beau des pays; elle en avait conservé le langage coloré et, bien qu'elle ne s'entendît pas avec ses parents irlandais, elle avait toujours prétendu qu'ils étaient, par l'esprit et l'éducation, supérieurs aux Whiteoak.

« L'Irlande, répéta Nicolas, nous n'y avons plus un seul parent vivant, actuellement, excepté le vieux Dermot Court.

— Il y a des années qu'il est mort, oncle Nick, et qu'il a légué ses biens au jeune Maurice. Vous ne vous en souvenez pas? dit Renny en regardant avec anxiété le visage du vieillard. Maurice va ce printemps en Irlande revendiquer son héritage.

— Ah! oui, ça me revient! Et c'est une très belle propriété. J'ai beaucoup fréquenté Dermot, jadis. Il avait les meilleures manières que j'aie jamais vues à aucun homme. Qui dis-tu qui doit aller en Irlande?

— Moi! dit Adeline en lançant sur son père un regard audacieux.

— J'aimerais tant que tu essaies d'être moins agressive, dit Alayne.

— J'essaie. Mais tu n'imagines pas combien c'est difficile. »

Parcourant de ses yeux enjôleurs le cercle des adultes :

« Ce sera pour moi une merveilleuse occasion de voir le monde. Vous savez, à cause de la guerre, je n'ai jamais été nulle part. Je ne connais rien de la vie en dehors de Jalna, n'est-ce pas ?

— Ce que tu devrais faire, dit Ernest avec un sourire malicieux, c'est épouser Maurice et aller en Irlande en voyage de noces. »

L'idée du mariage d'Adeline déplaisait à Renny. Il s'attendait à ce qu'elle se mariât un jour, mais il situait ce jour dans un avenir encore éloigné. Il considérait sa fille comme une enfant et ne voulait lui voir épouser que le compagnon idéal — si toutefois celui-ci existait. A son avis, elle et Maurice ne se convenaient pas; il n'était même pas sûr que Maurice éprouvât pour elle autre chose que l'affection d'un cousin. Alayne, par contre, était convaincue de l'inclination de Maurice pour sa fille, et il lui semblait que si l'on pouvait les trouver mal assortis, c'était parce qu'il était plus sensible, d'une nature plus délicate qu'Adeline. La jeune fille, avec son amour passionné de la vie à la campagne, des chevaux et des chiens, son intérêt tardif pour les choses intellectuelles, n'avait jamais été, pour sa mère, une compagne agréable. Alayne avait été surprise et contente qu'elle fût une aussi excellente élève, mais c'était apparemment pour se prouver à elle-même qu'elle réussissait dans tout ce qu'elle entreprenait; une fois acquises les connaissances que lui offraient les livres et les professeurs, elle ne s'y intéressait plus, et cette attitude avait déçu Alayne. Aussi ses espérances d'avoir un jour un compagnon intellectuel ne reposaient-elles plus que sur

son fils Archer, lecteur omnivore et brillant élève,
dont l'intelligence impressionnait ses maîtres. Adeline
aimait les vieux romans romanesques de la bibliothèque qui avaient, en grande partie, appartenu à
l'arrière-grand-mère dont elle portait le nom, et Alayne
imputait surtout l'intérêt d'Adeline pour ces ouvrages
au fait qu'ils avaient été maniés et lus par l'aïeule au
portrait de laquelle elle ressemblait d'une façon si
frappante. Elle avait dévoré les vieilles collections de
Boy's Own et les livres de Talbot Baines Reed empilés
dans un coin du grenier. Récemment, sa mère l'avait
surprise lisant *Tom Jones.* « Tu aimes ce roman ? »
avait demandé Alayne, qui elle-même le détestait,
sauf pour sa valeur de « classique » d'un genre. « Oh
oui ! avait répondu Adeline. C'était une belle époque !
Je voudrais avoir vécu en ce temps-là ! » « Eh bien,
ne le donne pas à Archer », avait dit Alayne. « Bien
sûr que non, avait aussitôt répondu sa fille, mais il
en sait probablement plus long que tu ne l'imagines... »

« Oui, répéta Ernest, épouse ton cousin et va en
Irlande pour ton voyage de noces.

— Elle ferait mieux de ne pas me parler d'une chose
pareille, dit Renny.

— Ce me serait difficile tant que Maurice ne me
l'aurait pas suggérée, dit Adeline en riant.

— Allons, allons donc », fit Ernest, taquin, en
secouant la tête.

Elle rougit et dit :

« J'ai envie d'aller en Irlande pour m'amuser, pas
en voyage de noces.

— Il n'y a pas de plus grand amusement », grommela Nicolas... mais un regard d'Alayne l'empêcha de
continuer.

« Je veux aller en Irlande, dit Dennis de sa voix
aiguë. Ma mère était Irlandaise.

— Vraiment ? s'écria Adeline. J'avais toujours cru qu'elle était Américaine, comme la mienne. »

Nicolas frappa du poing le bras de son fauteuil :

« L'ignorance de ces enfants est incroyable ! déclara-t-il. La mère de Dennis était une Court; une bonne vieille famille irlandaise; elle n'avait rien d'américain.

— Je ne suis pas ignorant, dit Dennis; je savais qu'elle était Irlandaise.

— Mais elle est morte aux Etats-Unis, n'est-ce pas ? demanda Adeline.

— Oui », répondit brièvement Renny. Puis il demanda : « Qui t'a mis dans la tête d'aller en Irlande ?

— Eh bien, j'y suis allée une fois avec toi; je ne me suis jamais autant amusée de ma vie.

— Tu as dit que tu n'étais jamais allée nulle part, observa Dennis avec sévérité.

— Ne sois pas impertinent, dit Nicolas, et il mit une tranche de gâteau dans la main du petit garçon.

— Ce que je voulais dire, reprit Adeline, est que la guerre ne m'a pas permis de retourner en Irlande. Oh ! j'ai tellement envie d'y aller avec Maurice, et je ne vois pas ce qui m'en empêcherait.

— Si la mère de Maurice y allait comme elle en avait l'intention, rien ne s'y opposerait, en effet, dit Alayne, mais il ne lui est pas plus possible qu'à moi de s'absenter.

— Je ne vois pas pourquoi il serait inconvenant pour deux jeunes cousins de faire un voyage ensemble.

— Ce serait extrêmement inconvenant, dit Ernest, à moins que... »

Il ne pouvait détourner son esprit de ce projet de mariage.

« Nous parlons sans cesse d'aller en Irlande, marmotta Adeline, et personne n'y va jamais. »

Ernest lui tapota le genou :

« Maurice est son propre maître, à présent, dit-il. Nous verrons ce qui se passera. Tu seras peut-être en mesure de partir avec lui dans des conditions qui satisferont tout le monde.

— Est-ce de moi qu'on parle ? » fit une voix, de la porte.

Tous se retournèrent pour regarder Maurice Whiteoak.

II

LES COUSINS

C'ÉTAIT un jeune homme svelte et gracieux, au visage sensible, contrastant avec son père, Piers Whiteoak, devenu lourd et corpulent avec l'âge, et qui regardait le monde avec un air de défi. Encore enfant, Maurice avait été envoyé en Irlande, invité par Dermot Court, parent riche et âgé qui en avait fait son héritier. Il était mort, au bout de cinq ans d'une vie commune qui avait été très heureuse pour tous les deux et les avait fortement attachés l'un à l'autre. Maurice était revenu chez les siens en étranger, grand garçon de dix-sept ans timide et fier, financièrement indépendant de son père, mais toujours aussi vulnérable à ses sarcasmes.

« Nous étions en train de dire combien nous voudrions pouvoir t'accompagner en Irlande, Mooey, lui dit Nicolas.

— Surtout ta cousine Adeline, ajouta Ernest.

— Je serai ravi de vous recevoir tous, dit Maurice. Vous seriez les bienvenus à Glengorman. »

Dennis lui porta le plat de gâteaux et dit aimablement :

« Prends-en un.

— Du pain beurré d'abord, merci », dit Maurice.

Il prit une tartine et vint s'asseoir à côté d'Adeline.

« Ton oncle Ernest et moi ne reverrons plus jamais l'Irlande ni l'Angleterre, dit Nicolas.

— Hélas, non ! opina Ernest avec un soupir.

— Quelle absurdité ! s'écria Renny. Vous pourriez y aller n'importe quand, maintenant. Le changement vous ferait du bien.

— Il paraît que les voyages sont très peu confortables à présent, dit Ernest; on emploie même à leur sujet le mot d'austérité — un mot que j'ai toujours eu en horreur.

— Je ne savais pas que tu en connaissais le sens, dit Nicolas.

— Il est extraordinaire, répliqua Ernest, que tu te plaises à minimiser ce que j'ai enduré pendant la guerre. Je me suis passé de nombre de commodités auxquelles j'étais habitué, n'est-ce pas, Alayne ?

— Certainement, oncle Ernest.

— Une fois arrivé en Irlande, vous aurez tout ce que vous voudrez, dit Maurice.

— C'est très gentil de ta part, dit Ernest en se penchant en avant pour tapoter le genou de son petit-neveu. Vraiment très gentil. Eh bien, j'y réfléchirai. Mais, tu sais, je vais avoir quatre-vingt-quinze ans ce printemps. C'est un peu vieux pour voyager. Enfin, si tu veux quand même de moi, Mooey...

— Mais bien sûr », dit Maurice.

Il aimait particulièrement ce vieil oncle qui avait toujours témoigné de la bonté et de l'indulgence pour les traits de son caractère dont s'irritait son père; Ernest avait compris qu'il préférât les livres aux chevaux et avait encouragé son attachement pour Adeline.

« Vas-y, Ernie, et tire ta dernière bordée ! fit,
avec un gros rire, la voix de Nicolas, demeurée
singulièrement forte malgré son grand âge. Vas-y et
transmets mes tendresses aux femmes que nous
avons connues là-bas tous les deux... s'il en reste sur
terre. »

Adeline combla par son rire l'abîme d'années qui
la séparait de Nicolas.

« Je parie qu'il y en a, oncle Nick, dit-elle. Je
parie qu'il y a plus d'une vieille dame solitaire, en
Irlande, à qui un message de vous ferait plaisir.

— Eh bien, dit-il, je ne les reverrai plus jamais.

— Nous avons célébré ta majorité par une bien
belle réception ! » dit Ernest à son petit-neveu ; puis,
après une pause il ajouta : « Le dernier des Whiteoak
qui ait hérité une fortune le jour de ses vingt et un
ans, a été Finch. Je me rappelle si bien la fête que
nous avons donnée pour lui ! Il y a eu un dîner et
un bal. Finch a fait un discours. Il était très énervé.
Après le départ des invités, nous sommes restés longtemps à causer et à boire, lui, Piers, toi, Nicolas, et
moi. C'est alors que Finch a suggéré que Nick et moi
fassions un séjour en Angleterre à ses frais. Et maintenant, voici que ce cher Mooey offre de nous emmener
en Irlande !

— Vous avez pris tous les quatre une assez belle
cuite, ce soir-là, dit Renny. Vous vous en souvenez ?
J'ai été réveillé par vos chants ; je suis descendu et
je vous ai mis au lit. »

Les deux vieux frères éclatèrent de rire au souvenir
de cette bonne soirée. Le jeune Maurice les regarda
avec anxiété. L'idée de payer leur voyage en Irlande
ne lui était pas venue à l'esprit. Adeline, le voyant
décontenancé, lui adressa un sourire narquois. Il l'ignora
et dit :

« J'ai de nouveaux disques assez bons. Veux-tu venir chez nous les entendre ?

— Très volontiers », dit-elle.

Elle se leva, s'étira un peu et demanda :

« Personne n'a besoin de moi ? »

Personne n'avait besoin d'elle, et elle gagna le hall avec Maurice.

« Tu es venu en voiture ? demanda-t-elle.

— Oui.

— Je m'en doutais. Espèce de flemmard.

— Tu ne peux exiger qu'un type s'amuse à patauger dans la boue jusqu'aux chevilles !

— Tu pourrais porter des bottes en caoutchouc.

— Tu n'aimes pas la voiture ?

— Bien sûr que j'aime la voiture. Mais je crois qu'une bonne marche te ferait du bien. Tu es mollasson.

— Tu es tout le temps à me critiquer », dit-il avec rancune.

Adeline rit et ils se bousculèrent en passant du hall à la véranda. L'antagonisme et l'attraction luttaient entre eux. « Si seulement elle était différente, songea-t-il, je pourrais l'aimer de tout mon cœur. » Et elle se dit : « Si seulement il était différent... » Mais elle ne pensa pas à l'amour. Il l'aurait voulue semblable aux femmes dont il caressait l'image dans sa solitude. Physiquement, elle lui paraissait parfaite; son sourire l'enchantait. Mais pourquoi gaspillait-elle ses charmes et ses sourires auprès de ceux qui ne les appréciaient pas ? Car Maurice se croyait seul capable de les apprécier. Il était sûr qu'elle souhaitait qu'il ressemblât davantage à son père, son oncle Renny; un jour, il le lui avait dit : « Non ! grands dieux ! avait-elle répliqué. Tenir tête à un seul homme de son genre me suffit ! » « Tu m'aimerais cependant davantage si j'étais comme lui », avait-il insisté. « Je n'en veux pas plus d'un de son espèce », avait-elle répété.

Il dit :

« Est-ce que tu ne vas pas mettre une jaquette, un manteau quelconque ? Tu vas geler.

— Oui, je crois que je ferais mieux de me couvrir. »

Elle retourna dans la maison et revint avec un paletot. Des pigeons s'envolèrent du toit et essayèrent de se poser sur ses épaules; les bras levés pour se protéger contre cette démonstration affectueuse, elle courut à la voiture et y monta en hâte; Maurice la rejoignit d'un bond et claqua la portière. Les pigeons tournoyèrent au-dessus de la voiture qui démarrait et ils allaient regagner le toit quand un gros glaçon étincelant se détacha de la gouttière et tomba sur le perron avec un bruit de verre brisé. Les pigeons s'envolèrent en direction des écuries, leur plumage luisant au soleil.

Maurice était heureux d'avoir Adeline auprès de lui dans la voiture : il lui semblait l'avoir mieux à lui, lorsqu'il était ainsi, seul avec elle. Ses cheveux acajou, satinés, lui auréolaient le visage de leurs ondulations; son nez et son menton qui, plus tard, prendraient la forme accentuée du profil de son arrière-grand-mère, présentaient encore les courbes pleines de la jeunesse; sa bouche parut dénoter, aux yeux de Maurice, une humeur exceptionnellement douce. Consciente du regard qui la scrutait, elle se tourna vers lui et sourit.

La voiture cahota dans une ornière de la route enneigée; les deux jeunes gens sursautèrent sur le siège.

« Je déteste l'hiver, s'écria Maurice.

— Je croyais que tu aimais le ski.

— En effet. Il allège la monotonie du froid et de
la neige du dehors et celle de la chaleur sèche des
maisons. J'étais fait pour un climat tempéré, humide,
doux et vert. J'aime bien les gens tranquilles.

— Les gens comme moi ?

— Je ne t'aime pas de cette façon, Adeline.

— Que penses-tu de mon voyage en Irlande ? s'em-
pressa-t-elle de dire.

— J'ai toujours eu l'intention de t'y emmener »,
répondit-il.

Elle laissa échapper un petit grognement de surprise
et d'exaspération.

« Tu es l'être le plus prétentieux que je connaisse !
s'exclama-t-elle. Tu as l'air doux, et tu parles doucement, mais, au fond, tu es terriblement vaniteux. Je
suppose que c'est d'avoir vécu en Irlande avec ce
vieux cousin Dermot. Il t'a horriblement gâté; tout le
monde le dit.

— Eh bien, et toi ? Tu es une enfant gâtée, tu
sais.

— Moi ? J'ai été élevée très sévèrement. »

Maurice engagea la voiture dans l'allée de la maison
de stuc gris.

« Maman et papa sont sortis », dit-il.

Il jeta un coup d'œil sur Adeline pour voir si elle
était heureuse ou désappointée d'apprendre qu'elle
serait seule avec lui. Elle ne manifestait rien. Elle
avait simplement l'air content à l'idée d'écouter un
nouveau disque. Ils entrèrent dans le salon confortable où se révélait nettement la lutte d'une femme
unique contre quatre mâles pour la conservation de la
fraîcheur des cretonnes, de la rondeur des coussins,
de la fermeté des capitonnages. Elle n'avait été ni
tout à fait vaincue ni tout à fait victorieuse. C'était

une longue pièce étroite dont le pick-up et la disco-
thèque occupaient l'un des coins.

Adeline émit un sifflement et dit :

« Mazette ! que de disques ! Ils ont dû coûter un
joli denier !

— Je m'amuse à les collectionner. C'est une occupation comme une autre.

— Je t'aurais cru suffisamment occupé par tes études
universitaires. »

Maurice haussa légèrement les épaules :

« Oh ! je ne travaille pas tellement. Et rappelle-toi
que je me remets à peine d'une forte attaque de
grippe.

— Tu attrapes facilement les maladies, n'est-ce
pas ? »

Maurice crut discerner un certain mépris dans sa
voix, et il répondit promptement :

« Pas plus que la majorité des gens. Tu es presque
trop bien portante, toi. »

Adeline rit :

« Il faut bien que l'un de nous deux soit robuste,
dit-elle.

— Que veux-tu dire au juste ? demanda-t-il avec
un vif intérêt.

— Rien, si ce n'est que la nouvelle génération ne
peut se permettre d'être délicate et élégante.

— Je ne suis pas délicat, répliqua-t-il, mais tu crois
que je le suis parce que je n'ai jamais été féru de
chevaux et de sports.

— Tu te froisses quand je suggère que tu es délicat,
et cependant tu m'as dit, à l'instant, que j'étais bien
portante.

— Pardonne-moi, Adeline, dit-il en l'entourant de
son bras. Je ne te voudrais différente pour rien au
monde. »

Quelque chose dans sa voix rendit Adeline sensible à leur isolement dans la maison. Elle se détacha de lui et tourna le bouton de la radio. La voix d'un chanteur s'éleva, pleurnicharde, suppliant sa bien-aimée de lui céder.

Les deux cousins, le visage dénué d'expression, gardèrent les yeux fixés sur la radio. Quand la chanson fut terminée, Adeline dit :

« Imaginer qu'on puisse céder à... *ça !*

— Je crois que tu ne sauras jamais ce que signifie la soumission.

— Je ne le crois pas non plus », répondit-elle avec sérénité.

Maurice ferma la radio et ouvrit le pick-up. Il y mit la valse de la Sérénade pour cordes de Tchaïkowsky. Adeline se dit qu'elle comprenait cette musique-là, très différente de l'abomination que la radio venait de leur infliger, différente aussi de la plupart des morceaux joués au piano par l'oncle Finch quand il venait à Jalna. Debout devant la fenêtre, elle contemplait les branches noires et dénudées des arbres, chacune d'elles soulignée par une bande de neige, et se détachant sur le ciel qu'embrasait le couchant.

« Cette musique me rend heureuse, dit-elle à la fin. Je serais capable de voler, de danser comme un ange en l'écoutant.

— Tu danses effectivement comme un ange.

— Merci.

— Voudrais-tu danser maintenant ?

— Je croyais que j'étais venue ici pour entendre des disques.

— Nous pouvons faire les deux.

— Commençons par les disques. »

Maurice passa successivement plusieurs disques classiques. Elle accorda à chacun d'eux une attention impartiale.

« C'est Tchaïkowsky que je préfère, dit-elle.

— Je le pressentais. C'est drôle que tu n'aies encore jamais entendu ce disque.

— Nous ne sommes pas amateurs de disques à la maison.

— Adeline, veux-tu danser ?

— Non. Je n'y suis pas disposée. Sauf en imagination. »

Il lui offrit une cigarette et ils s'assirent côte à côte sur le canapé.

« Je ne peux pas te dire combien je suis ému à l'idée de retourner en Irlande, dit-il. Tu sais que j'aurais dû y aller pour ma majorité, mais ma mère était malade. N'aimerais-tu pas venir me voir, dans ma propre maison ?

— Bien sûr que si ! Nous en avons toujours eu le projet. Je persuaderai Daddy d'y venir, lui aussi. Tu verras que j'y réussirai. »

D'une voix rêveuse, Maurice reprit :

« Tout va changer, à partir de maintenant. Je serai mon propre maître. Tant que je demeure sous le toit de mon père, j'ai conscience de son autorité. »

Adeline eut un petit grognement sympathique, puis elle dit :

« Mooey, tu n'as pas changé du tout depuis que tu es revenu, sauf, naturellement, que tu es devenu adulte.

— Les années que j'ai passées en Irlande ont été les plus heureuses de ma vie, dit-il du ton d'un vieillard qui se rappelle le passé.

— C'est une chose très étrange que tes parents ont faite : que de t'envoyer si loin vivre avec un vieux cousin au quarante-deuxième degré. Tu aurais pu mourir du mal du pays. Je suis sûre qu'à ta place, c'est ce qui me serait arrivé.

— J'ai été assez malheureux, au début.

— Mais tout s'est arrangé par la suite, puisqu'il t'a laissé toute sa fortune.

— Adeline, tu es une sale petite matérialiste.

— Non, pas du tout. Je regarde simplement les faits en face. Toi, tu vis dans une sorte de rêve. Tu te plais à faire semblant de ne pas tenir à l'argent, mais tu l'aimes autant que n'importe qui. »

Une voiture apparut dans l'allée. Un moment plus tard, la porte de la maison s'ouvrit et Piers Whiteoak, sa femme et le plus jeune de leurs enfants, une toute petite fille pénétrèrent dans le vestibule en tapant le dallage de leurs pieds couverts de neige, tandis que jappait un petit chien. L'enfant et le chien entrèrent en courant dans le salon. Adeline aimait particulièrement cette petite fille; elle la souleva et l'embrassa.

« Te rappelles-tu, demanda-t-elle à Maurice, que, quand Bébé est née, nous avons décidé, toi et moi, de ne jamais nous marier, mais de toujours rester amis et de l'avoir pour enfant ?

— Je n'ai jamais rien décidé de pareil. C'est une idée absurde.

— Ce serait un moyen de nous éviter beaucoup d'ennuis.

— Ne dis pas de bêtises.

— Comment, Mooey, fit Adeline en ouvrant des yeux tout ronds, je croyais que c'était chose convenue ? »

Piers et Pheasant entrèrent dans la pièce. A quarante-quatre ans, Piers avait gardé son teint frais et tout l'éclat de ses yeux bleus. Pheasant, de deux ans plus jeune, était aussi svelte qu'une jeune fille, et ses yeux semblaient toujours interroger, mais elle ne

savait pas elle-même quelle question ils posaient. Ni
l'amour dévoué qu'elle donnait à Piers ni celui qu'il
lui conservait fidèlement n'y répondait.

« Tu as arrêté ta voiture de telle manière que la
mienne n'a pu atteindre le perron et que ta mère a
dû patauger dans la neige pour en faire le tour, dit
Piers à son fils,

— Oh ! je vous demande pardon ! » s'écria Maurice
avec contrition, mais sa voix trembla d'irritation devant
la colère de son père.

Fièrement, la petite fille annonça :

« Daddy a porté Bébé dans la maison. Bébé n'a
pas marché dans la neige. »

Pheasant s'assit en face de Maurice et d'Adeline.

« Où croyez-vous que nous sommes allés ? demanda-
t-elle. Chez les Clapperton ! C'est la famille la plus
étrange qui soit ! J'ai presque pitié de ce vieux type.
Je ne crois pas qu'il se soit rendu compte à quoi
il s'engageait quand il a épousé cette fille bizarre et
pris chez lui ses toquées de sœurs. La maison est
comme une ménagerie, remplie d'animaux de toutes
sortes. Il y en a partout. Quel désordre ! Et ce pauvre
Mr. Clapperton a l'air d'un chien battu.

— Il m'a paru de mauvaise humeur, dit Piers.

— J'aimerais me cacher dans un coin de cette
maison, continua Pheasant, et apprendre ce qui s'y
passe.

— Pour commencer, dit Adeline, il leur est impossible d'avoir des domestiques. Les bonnes ne veulent
pas y rester. C'était la plus jeune des sœurs qui faisait
la plus grande partie du ménage; depuis qu'elle a
épousé le neveu de Mr. Clapperton et qu'elle est partie
avec lui aux Etats-Unis, les choses sont allées de mal
en pis. Ni Mrs. Clapperton ni Althea ne sont capables
de faire grand-chose.

— Ils ont maintenant une « personne déplacée » qui ne sait qu'une douzaine de mots d'anglais, dit Pheasant. Tu ne devineras jamais ce que Mr. Clapperton m'a dit tout bas, Piers.

— Qu'est-ce qu'il t'a dit ?

— Qu'il avait l'intention de reprendre la construction de son village modèle au printemps !

— Comment ? Il a promis d'y renoncer pour faire plaisir à sa femme !

— Je crois qu'il est las d'essayer de lui faire plaisir. En tout cas, c'est cela qu'il m'a dit.

— Renny ne le permettra jamais.

— J'espère qu'il pourra l'empêcher, mais, pour ma part, je ne vois pas grand inconvénient à un joli petit village modèle. »

Avec une grimace de dégoût, Piers s'écria :

« Un joli petit village modèle à côté de chez nous ? Merci ! Ce grouillement de gens indésirables et d'enfants hurlant du matin au soir ! Notre propriété perdrait de sa valeur en un rien de temps.

— Il y a une terrible pénurie de maisons », dit Maurice.

L'idée du village lui était extrêmement désagréable, mais une hostilité qu'il ne pouvait maîtriser lui inspirait de s'opposer à son père.

« Qu'on en construise ailleurs; la place ne manque pas, dit Piers avec véhémence.

— Si Mr. Clapperton se met à construire un tas de maisons à notre porte, Daddy les démolira de ses propres mains, et je l'y aiderai », dit Adeline.

Et se levant, très droite, elle ajouta :

« Je vais rentrer pour en parler à Daddy et aux oncles. »

La petite fille se cramponna à elle :

« Non, non, reste avec Mary, Adeline !

— Je reviendrai demain.

— Reste souper, dit Piers.

— Je souperai avec vous demain, si vous le voulez bien. »

Pendant le trajet du retour à Jalna, Maurice dit avec irritation :

« Pourquoi a-t-il fallu qu'ils rentrent justement quand nous nous amusions si bien, tous les deux ! »

Il avait le sentiment que s'il était demeuré seul avec Adeline, la barrière qui les séparait aurait pu tomber. Leurs tête-à-tête étaient fréquents, mais ils lui laissaient toujours cette même impression d'échec, d'incapacité de se mettre étroitement en contact spirituel avec elle. Parfois, il se disait qu'il en serait toujours ainsi, qu'ils ne seraient jamais l'un pour l'autre que des cousins, des amis, mais pas des amants. Il cherchait à se persuader certains jours que l'obstacle à leur parfaite entente était l'extrême jeunesse d'Adeline. Elle était, à bien des égards, très jeune pour son âge, tandis qu'il se sentait plus mûr que ses parents. Il savait, qu'aux yeux de son père, il n'était qu'un blanc-bec assez exaspérant et que sa mère le considérait toujours comme son petit garçon. Maurice avait la certitude qu'Adeline ne se développerait jamais dans le sens qu'il souhaitait, aussi longtemps qu'elle vivrait à Jalna. Il était étranger à ce milieu et désirait l'en éloigner avec lui; s'il pouvait l'emmener en Irlande, tout serait changé. Elle avait, de son côté, la plus grande envie d'aller en Irlande, mais pas en vue de rien modifier.

Dans le salon aux rideaux fermés sur la nuit, Renny et ses deux vieux oncles étaient assis tout près les uns des autres devant le feu dont la lueur faisait d'Ernest un camée fragile, et de mystérieuses cavernes des yeux

de Nicolas; elle miroitait sur sa chevalière massive
et soulignait la vigueur fortement colorée du visage
de Renny. Adeline les regarda tous trois avec la
sombre expression de celui qui apporte une nouvelle
propre à effacer les sourires.

« Mr. Clapperton recommence, dit-elle.

— Recommence quoi ? demandèrent les trois
hommes en chœur.

— Son village. Oncle Piers et tante Pheasant reviennent de chez lui, et il leur a dit qu'il allait
reprendre son projet au printemps.»

Ernest frappa le bras de son fauteuil :

« Il ne peut pas le faire, s'écria-t-il d'une voix
que brisait la colère. Je ne le permettrai pas ! »

Mettant sa main en cornet à son oreille, Nicolas
demanda :

« Qu'est-ce que c'est ? Que fait encore cet horrible
individu ? Il maltraite sa pauvre jeune femme, je
parie ? »

Adeline vint se percher sur le bras de son fauteuil.

« Non, oncle Nick... C'est bien pis. Il parle de
construire de nouveaux bungalows. Son village modèle,
vous savez ?

— Mais il y a des années que nous l'en avons
empêché ! »

Renny eut un rire bref :

« Il revient perpétuellement à sa marotte, mais
sa femme ne veut pas en entendre parler et il est
complètement sous sa coupe.

— C'est exactement la position qui lui convient,
dit Nicolas.

— Ne te fie pas trop à cela, dit sentencieusement
Ernest. La question vaut d'être élucidée. Dis-lui que
je ne le permettrai pas.

— Il se fiche bien de toi, répliqua Nicolas.

— Le jour où il est venu s'établir dans le pays a été un jour néfaste pour tout le monde, dit Renny. Je ne peux pas le souffrir. Je crois que je vais aller le voir sans plus tarder. »

III

UN TRIO DANS L'INTIMITE

QUAND Piers et sa femme eurent quitté Vaughanlands, les trois personnes qui y habitaient gardèrent un moment le silence, chacune d'elles étant occupée par des pensées que démentait son calme apparent. Eugène Clapperton, un homme aux cheveux gris, songeait, figé dans une attitude rigide : « Pourquoi ai-je dit à Mrs. Whiteoak que j'allais me remettre à bâtir ? Gem y est opposée. mais il me *fallait* le lui dire. Cela m'a donné l'impression d'être redevenu mon propre maître, et je ne tolérerai pas qu'elle m'empêche de réaliser mon rêve. Dieu ! quand je pense à tout ce que j'ai fait pour elle ! Quelle ingratitude ! J'en suis malade. Dire que sans moi elle ne serait pas en état, aujourd'hui, de faire un pas ! De quel luxe je l'entoure ! Elle qui était pauvre comme un rat d'église ! Si seulement je savais ce qu'elle a dans la tête. Ingratitude et vanité. On dirait que la maison lui appartient. Elle se plaît à me mettre dans mon tort, à me rendre ridicule. Si seulement je ne l'aimais pas, je ne souffrirais pas autant ! Mais elle ira trop fort; mon endurance elle-même a des limites. »

Il souriait légèrement; ses yeux étaient vides d'expression et il tenait croisées ses minces chevilles. Sa

femme songeait : « Qu'est-ce qu'il racontait tout bas
à Pheasant ? Quelque sotte vantardise; mais elle en
paraissait ennuyée. Qu'est-ce qui pouvait lui donner
cet air anxieux ? Je voudrais qu'il s'en aille et qu'il
nous laisse le feu, à Althea et à moi. Sa présence
m'irrite. Sa façon de tenir ses jambes, de frotter l'une
contre l'autre ses mains sèches... et pourtant, si elles
étaient moites, ce serait horrible ! Je n'aime pas ses
mains; il a les doigts trop courts; le pouce est gros-
sier... Quand je serai seule avec lui, je lui ferai dire
ce qu'il a dit à Pheasant Whiteoak. »

Blonde et d'une sveltesse éthérée, Althea, assise
dans un coin sombre de la pièce, se disait : « Je crois
que j'ai entendu bouger la tortue. Quelle émotion si
elle est réveillée ! Je suis contente de l'avoir apportée
dans cette pièce chaude; elle a suffisamment dormi.
Ici, elle est bien. Ce salon est la pièce de la maison
que je préfère, et elle serait belle si je pouvais la débarrasser de ces hideux tableaux et les remplacer par de
bonnes peintures. Ce porteur d'eau oriental... ce naufrage sur une côte invraisemblable... ces vaches dans
ce pré répugnant... Je les brûlerais tous volontiers, et
Eugène avec eux ! » Elle eut un petit rire.

« Puis-je vous demander ce que vous trouvez si
amusant ? lui demanda son beau-frère.

— La tortue. Elle s'éveille. Est-ce que vous ne l'en-
tendez pas ? »

Un bruit léger s'élevait d'une petite caisse posée
à l'extrémité de la pièce.

« Vous avez apporté cette bête dans la pièce la
plus agréable de la maison ! s'écria Eugène Clapperton
avec colère.

— C'est la plus agréable pour elle aussi. Il y fait
toujours chaud. Elle a eu froid assez longtemps.

— Je n'aime pas du tout cet animal. »

Althea se tourne vers sa sœur :

« La tortue ne fait aucun mal, n'est-ce pas ?

— Aucun. Je l'adore. »

Les deux jeunes femmes se levèrent et coururent à la caisse où le bruit continuait, Althea glissant de son long pas silencieux, et Gemmel faisant claquer sur le parquet ses hauts talons. Elles se penchèrent sur la caisse; Althea enleva d'un geste tendre la flanelle qui enveloppait la tortue. De petites pattes verdâtres sortirent de la carapace à la recherche d'un point d'appui; une petite tête serpentine se montra et un bâillement découvrit une cavité rose. La bête était de la taille d'une soucoupe.

« Oh ! l'amour ! » s'écria Gemmel.

Althea tenait avec ravissement la tortue entre ses longues mains blanches.

« Tu as dormi si longtemps, murmura-t-elle. Maintenant, tu as faim. Je vais te donner un pissenlit; j'en fais pousser en haut, dans une caisse. Surveille-la, Gem, pendant que je vais lui chercher à manger. »

Elle quitta le salon sans bruit et ils ne l'entendirent pas monter l'escalier. Elle avait déposé la tortue par terre et celle-ci commençait, avec une lenteur préhistorique, à traverser la pièce.

« Je n'aime pas que des animaux rampent sur mes tapis, dit Mr. Clapperton.

— Oh ! Eugène, je la trouve délicieuse.

— Moi, elle me dégoûte. Tous ces animaux que ta sœur apporte dans la maison sont détestables. Il y a eu cet énorme ver qui a déposé son cocon dans un rideau, et au printemps, il en est sorti un papillon qui a pondu des œufs, et ces œufs sont devenus des asticots ! Il y a eu le nid de jeunes putois; il y a les souris qui dansent, et le crapaud...

— Personne ne pourrait raisonnablement se plaindre

de toutes ces bêtes, sauf des putois, et nous nous en
sommes débarrassées.

— Mais pas de leur odeur. »

Il regarda avec dégoût la tortue s'approcher de lui
et recula les pieds en disant :

« Enlève-la !

— Oh ! que c'est drôle ! fit-elle, riant. Quel
tableau ! »

Il lança un coup de pied à la tortue qui roula sur
son dos. Althea revint, tenant un pissenlit entre ses
doigts. Elle poussa un cri d'effroi et s'agenouilla auprès
de la tortue qui battait faiblement l'air de ses pattes.

« Pauvre chérie ! s'écria-t-elle et elle la redressa.
Oh ! Eugène, comment pouvez-vous être aussi cruel ? »

Elle regarda haineusement son beau-frère qui lui
rendit son regard avec usure.

« Je ne lui ai pas fait de mal, dit-il.

— Si, elle est blessée.

— Sottise ! »

Althea offrit le pissenlit à la tortue qui, ouvrant
une large bouche, y engloutit la fleur avec un petit
bruit sifflant. Tous trois la regardèrent manger, fas-
cinés. Puis, n'ayant nullement souffert du coup de
pied, la tortue reprit sa marche prudente.

« Je désire, dit Eugène Clapperton avec fermeté,
que vous montiez cette bête dans votre chambre et
que vous l'y gardiez, de même que tous vos autres
animaux.

— C'est entendu, répondit-elle d'une voix tremblante. Et j'y resterai moi aussi. »

Elle ramassa sa tortue, sa couverture de flanelle et
sa caisse et s'enfuit.

Après son départ, il y eut un silence, gêné et furieux
de la part du mari, furieux et amusé de la part de
la femme. Au bout d'un moment, il dit :

« Cette fille m'exaspère tellement que j'en dis plus
que je le devrais. Elle vous rendrait fou.

— Tu le savais quand je t'ai épousé.

— Ce n'est pas amusant d'être marié avec la famille
de sa femme, répliqua-t-il avec amertume. Tu m'as
imposé deux sœurs anormales.

— L'une d'elles est partie, et Althea se mariera
un jour.

— Je voudrais bien savoir qui l'épouserait, dit-il
avec un rire méprisant.

— Oh ! elle a eu des occasions, mais elle n'est pas
comme moi, de celles qui sautent sur la première.

— J'ai été la bonté même envers toi, n'est-ce pas ? »
Elle le regarda, froidement silencieuse.

« N'est-ce pas ? répéta-t-il. J'ai fait beaucoup de
choses pour toi avant notre mariage, et autant depuis
lors. J'ai renoncé à cause de toi à bâtir le village de
mon rêve, et je l'ai regretté.

— Est-ce à ce sujet que tu marmottais avec
Mrs. Piers ?

— Marmotter ? tu dis que je marmottais ?

— Eh bien, tu ne lui parlais pas d'un ton ordinaire.

— Je ne peux même pas choisir ma façon de parler
dans ma propre maison !

— Je te demande pardon, Eugène, dit-elle pour
l'amadouer ; j'aurais dû dire que tu lui parlais à voix
basse. J'ai saisi quelques mots qui m'ont fait deviner
que tu reprenais la question du village.

— Je disais simplement à Mrs. Piers combien je
regrettais l'abandon de ce projet. Tu n'aurais pas dû
m'y faire renoncer.

— Mais, mon cher, tu m'as demandé ce qui me
ferait le plus de plaisir comme cadeau de mariage, et
je t'ai dit tout de suite que ce serait de ne plus jamais

jamais voir de nouvelles petites maisons défigurer le domaine. C'est vrai, non ?

— Oui.

— Et tu m'as donné ta parole de cesser de bâtir; c'est vrai ?

— J'ai été un idiot. Ce village avait été mon rêve. En outre, ç'aurait été une bonne affaire; une très bonne affaire, et un avantage pour la communauté.

— Un avantage ! dit-elle avec un rire moqueur. Tu te serais attiré la haine de tout le voisinage.

— De toute façon, les voisins ne m'aiment guère. Je n'ai jamais été en harmonie avec eux. Et aujourd'hui, je me sens déplacé dans ma propre maison. Cette tortue y est plus à son aise que moi. Cette grande brute de chien grogne dès qu'il me voit. Je ne comprends pas pourquoi Althea tient à avoir ce grand danois.

— Elle a toujours préféré les animaux aux gens.

— Elle aime certainement ce chien plus qu'elle ne m'aime. »

Mrs. Clapperton vint s'asseoir sur le bras du fauteuil de son mari et lui caressa la nuque.

« Pauvre vieux chou », dit-elle.

Il tenait la main devant la rondeur de la poitrine de Gemmel et les battements de son cœur le troublaient, le remplissaient d'un désir sensuel.

« Oh ! Gem ! soupira-t-il. Je voudrais tant que tu aies un bébé. Les choses seraient toutes différentes si tu avais un bébé.

— Tu me suffis comme bébé », dit-elle en lui appuyant plus fortement la tête contre son sein.

Apaisé, calmé, il ne bougea plus et ne dit rien pendant un moment. En haut, le chien se mit à aboyer.

« Je n'ai encore jamais eu de chien dans la maison,

dit Eugène Clapperton d'un ton maussade. Je n'ai jamais aimé les chiens. Chaque fois que je rencontre Renny Whiteoak, je suis agacé par les chiens qui l'entourent.

— Oui, dit Gem, un bouledogue, un chien de berger et un terrier écossais. Ils sont délicieux.

— Pas pour moi. Je trouve les chiens assommants depuis leur naissance jusqu'à leur mort. Pourquoi cette brute fait-elle un bruit pareil ?

— Althea s'apprête à l'emmener en promenade; il est excité.

— Il aboie d'une manière parfaitement insupportable, c'est tout ce que je peux dire. »

Les aboiements devinrent de plus en plus forts au fur et à mesure qu'Althea et le chien descendaient l'escalier. Quand ils atteignirent le hall, le bruit était assourdissant. Althea passa timidement la tête dans le salon et dit quelque chose qu'on ne put entendre. Les aboiements retentirent au-dehors, puis ce fut le silence.

« C'est ainsi que nous devrions être toujours : seuls tous les deux. »

Elle se leva et arpenta la pièce avec nervosité.

« J'ai été très sot de te faire une telle promesse, dit-il.

— Eh bien, tu l'as faite et elle doit être tenue. »

Elle avait maintenant ce qu'il appelait son « visage boudeur », mais, quelle que fût son expression, elle le séduisait.

« Je pourrais te faire observer qu'en m'épousant tu as promis de m'obéir. As-tu tenu ta promesse ?

— Oh ! celle-là ! » s'écria-t-elle avec mépris.

Il s'ensuivit l'une de leurs interminables discussions. Un auditoire invisible aurait pu croire, tant elle semblait dépourvue d'objet, qu'ils discutaient pour passer

le temps. Althea et son chien rentrèrent de leur promenade et montèrent silencieusement à l'étage. Puis
le crépuscule d'hiver tomba et Gem alluma l'électricité. Il y avait un réflecteur spécial sous le tableau
représentant un naufrage; son ciel sinistre et ses
vagues aux crêtes blanches dominaient à présent la
pièce. Eugène Clapperton le considéra avec satisfaction; après une vie passée dans des bureaux, la vue
de ce paysage lui apportait un sentiment de paix et
de mâle puissance; il ne s'en serait séparé pour rien
au monde. Le nom de l'artiste, un peintre de l'époque
victorienne au nom oublié, ne signifiait pas grand-
chose pour Eugène Clapperton. Il avait acheté le
tableau à une vente mobilière aux enchères et, dès
l'instant de son acquisition, c'était devenu, dans sa vie,
une chose importante.

Les lumières n'étaient allumées que depuis quelques
minutes quand un coup de sonnette à la porte d'entrée
fit sortir en hâte de la cuisine la réfugiée polonaise
qui servait de bonne. Elle vint annoncer Renny
Whiteoak. Eugène Clapperton, content de cette interruption d'une conversation ennuyeuse, tout en s'in-
quiétant un peu des raisons de cette visite, se leva
de son fauteuil, tout engourdi. Il regarda sa femme
donner la main au maître de Jalna, jaloux de la
voir toucher aussi naturellement la chair d'un autre
homme.

Ils parlèrent du temps et de la prochaine arrivée
du printemps. Ce fut alors que Renny observa :

« On construira beaucoup cette année et c'est certainement très nécessaire. Beaucoup de gens n'arrivent
pas à trouver un toit.

— Très vrai, très vrai, dit sentencieusement Eugène
Clapperton. Je trouve que l'entassement des gens est
très néfaste, pour l'hygiène comme pour la moralité.

— Espérons que ces projets de lotissements épargneront nos parages. »

Il y avait dans l'accent de Renny quelque chose de presque menaçant.

« Je suis tout à fait d'accord que des constructions dans notre voisinage pourraient être regrettables.

— *Pourraient être ?* répéta Renny avec véhémence. Dieu sait qu'elles l'ont été et qu'elles le sont encore. Une grande partie de cet admirable pays est abîmée... entre le déboisement et les bâtisses !... Vous rappelez-vous les chênes et les pins magnifiques massacrés rien que pour donner de l'ouvrage à l'entrepreneur qui a élargi la route ? Mais non; c'était avant votre arrivée ici.

— Triste, très triste, dit Eugène Clapperton avec sympathie. J'ai toujours aimé les beaux arbres. »

Sa femme le dévisageait sans rien dire. Il continua :

« Le village modèle auquel je songeais devait être un village plein d'arbres et de fleurs. De jolies petites maisons habitées par des gens agréables.

— Vous avez construit trois petites maisons, et vous n'avez guère eu de chance avec vos locataires.

— Ils paient leur loyer.

— Oui. Mais l'un d'eux boit et se rend odieux. Le second a des enfants braillards et une femme sans soin. L'autre fait marcher sa radio toute la journée et une partie de la nuit.

— Vous semblez en savoir très long sur mes locataires, dit Eugène Clapperton avec une pointe de jalousie.

— Oui. Ils habitent à un jet de pierre de mes écuries. En fait, nous sommes devenus très bons amis. Mais ils ne devront pas être plus nombreux. Vous m'avez donné votre accord à ce sujet. »

Un sourire se dessina sur le visage de Clapperton.

Il saisit l'un de ses genoux osseux entre ses mains étonnamment fortes et grossières.

« Chaque homme, dit-il, se propose un idéal quelconque et s'y attache, plus ou moins, toute sa vie. Le mien a été la philanthropie. Je désirais gagner beaucoup d'argent afin de pouvoir aider les autres. J'ai essayé de mettre cet idéal en pratique, colonel Whiteoak. »

« Espèce de vieux fumiste », pensa Renny, mais il sourit avec une amabilité apparente, et Clapperton poursuivit :

« Je ne vais pas vous énumérer tous les bienfaits que j'ai dispensés aux autres. Vous connaissez l'un d'eux... »

Et il adressa un tendre sourire à sa jeune femme qui intervint alors pour la première fois dans la conversation :

« Personne ne saurait oublier, dit-elle d'une voix haletante, que c'est grâce à toi que j'ai subi l'opération à l'épine dorsale qui m'a permis de marcher. Tu as tout payé, n'est-ce pas ?

— Je t'en prie, ne mêle pas l'argent à cette question, Gemmel. Tu m'as remboursé mille fois en devenant ma femme, se hâta-t-il de dire.

— Mais l'argent y a quand même joué un rôle, protesta-t-elle.

— Il en joue un dans toutes les bonnes œuvres. »

Renny les contemplait avec curiosité et se demandait comment elle parvenait à le supporter.

« J'ai mon idéal et vous avez le vôtre, reprit Clapperton. Le mien est d'aider les autres; le vôtre est... »

Il hésita et passa la main sur sa chevelure grise.

« ... De m'occuper de mes affaires, acheva Renny.

— Eh bien, si vous voulez. J'allais dire que votre

idéal est de conserver le domaine de Jalna tel qu'il était quand votre grand-père l'a constitué il y a cent ans.

— Vous avez raison.

— C'est long, cent ans. Il faut tenir compte des changements qui se produisent dans notre civilisation », dit Eugène Clapperton en tapant des pieds sur le tapis comme s'il dirigeait la marche de la civilisation.

Fronçant les sourcils, le maître de Jalna dit :

« Je n'ai pas une très haute opinion de la civilisation. Nous sommes allés à la guerre nous battre pour elle et à notre retour dans nos foyers, avonsnous trouvé les choses en progrès ? Nullement. Les maisons qu'on bâtit sont de plus en plus de médiocre qualité; les marchandises sont une camelote aux noms de plus en plus ronflants. On ne peut plus circuler agréablement à cheval sur les routes à cause des camions et des automobiles. Grâce à Dieu, j'ai dans ma propriété assez de chemins pour faire un temps de galop quand j'en ai envie. A l'intérieur de mes grilles, je conserve les choses comme elles étaient. »

Eugène Clapperton cessa de tambouriner des pieds sur le plancher comme si au seul nom de Jalna, la marche du progrès s'était arrêtée, et il dit :

« Je vous admire d'agir ainsi. Mais ma propriété est ma propre affaire. Et ce que j'y édifie ne regarde que moi. »

Il posa sur sa femme un regard autoritaire; il sentit surgir en lui une puissance nouvelle.

« Mais, Eugène ! s'écria-t-elle. Tu as promis, tu as promis !

— Qu'est-ce que j'ai promis, Gem ? Que je resterais longtemps sans recommencer à construire. Et il y a longtemps, maintenant.

— Pas même quatre ans.

— Ah ! mais quatre ans peuvent paraître longs, ma petite fille. Tu seras fière et contente de voir mon projet de construction se réaliser. »

Renny Whiteoak ne savait trop comment parler à cet homme. Il n'avait qu'un désir, celui de l'injurier, mais il maîtrisa sa colère, et dit :

« Eh bien, si Mrs. Clapperton n'est pas capable de vous influencer, je ne peux espérer le faire.

— Personne ne peut m'influencer. Ma décision est prise. »

Avec un frémissement, Eugène Clapperton se rendit compte que, cette décision, il ne l'avait prise que depuis l'entrée de Renny dans son salon. « Cet homme-là, se dit-il, stimule mes qualités combatives; c'est un adversaire digne d'être vaincu. »

« La maison que vous habitez, dit Renny, a été construite avant Jalna. Mr. Vaughan, qui l'a bâtie, se retournerait dans sa tombe s'il apprenait votre intention d'élever des rangées de vilaines petites maisons sur sa terre. Il y a déjà dans la région trop de ces maisons et de hideuses usines. Naguère, c'était l'une des plus belles contrées de la province.

— Vous répétez ce que j'ai déjà entendu, répliqua Eugène Clapperton.

— La vérité est, dit Renny, que toutes ces phrases sur l'idéal et les rêves ne sont que du boniment. Ce qui vous inspire est la simple cupidité. Vous savez que ces bungalows de pacotille rapportent beaucoup d'argent, et c'est ce que vous voulez. »

Mr. Clapperton se mit à trembler de tout son corps. On voyait ses genoux tressaillir sous son pantalon rayé. Renny s'excusa d'un regard auprès de Gemmel Clapperton, dont le sourire oblique était un curieux mélange d'indulgence et d'approbation. La porte du hall s'ouvrit et le grand danois, qui l'avait poussée comme l'eût fait un homme, s'avança en direction de Renny. Eugène Clapperton espéra qu'il allait lui sauter dessus, l'effrayer tout au moins par l'un de ses grondements propres à vous glacer le sang. Mais le gigantesque chien se dressa debout, posa une patte sur chacune des épaules de Renny et lui scruta le visage.

« Ne craignez rien », dit Gemmel en se précipitant pour saisir le collier du chien.

Il grogna.

« Laissez-le », dit Renny, en repoussant doucement sa main.

Il leva son dur profil aquilin vers le museau du danois, qui lui passa sa langue humide et chaude sur le front.

« Je ne l'avais encore jamais vu donner à quelqu'un des marques d'amitié ! » s'exclama Mrs. Clapperton.

Son mari lui jeta un regard courroucé en disant :

« Quitte cette pièce, je te prie. J'ai à dire au colonel Whiteoak quelque chose qui ne se dit pas devant une dame. »

Renny se leva et le chien laissa retomber ses pattes de devant sur le parquet avec un bruit sourd.

« Il n'y a pas à répondre à ce dont je vous ai accusé, dit-il. Vous savez que c'est vrai. »

Etranglée par la rage qu'il s'efforçait de dominer, la voix de Clapperton dit :

« Il n'y a pas un mot de vrai dans ce que vous dites ! L'argent m'indiffère. J'en ai autant qu'il m'en faut. Je ne suis pas comme vous, colonel Whiteoak, toujours à court. D'après ce que j'ai entendu dire, il est peu de choses que vous ne feriez pas pour vous procurer quelques dollars de plus. »

Sa femme s'empressa de sortir de la pièce. Les deux hommes demeurèrent face à face.

« Vous avez raison, dit Renny. Et pour l'instant. je vous tordrais le cou pour presque rien. »

Il regarda en souriant le visage gris d'Eugène Clapperton et quitta la maison.

IV

HUMPHREY BELL

La nouvelle lune, brillante et froide comme de la glace, avait l'air d'être perchée sur la branche dénudée du chêne. Mais, en fait, c'était un petit hibou qui s'y tenait et qui fixa Renny Whiteoak de ses yeux dorés au moment où il apparut sur le chemin couvert de neige. Le temps s'était refroidi et la neige qui avait commencé à fondre formait maintenant une croûte dure que ses lourdes bottes faisaient craquer. En sortant de chez Eugène Clapperton, il avait traversé un champ et s'était engagé dans le boqueteau où se dressait la petite maison appelée Ferme aux Renards parce que des gens qui élevaient des renards y avaient habité autrefois. Plus tard, elle avait été occupée par Gemmel et ses sœurs. C'est là qu'Eugène Clapperton l'avait connue. Ensuite, la maison était restée vide un certain temps. Elle appartenait à Renny et il ne la considérait pas du tout comme les bungalows que construisait Eugène Clapperton, mais comme une agréable petite demeure isolée au milieu d'un terrain boisé, dont les locataires devaient être sympathiques, le loyer qu'ils payaient important peu. En vérité, il préférait que le loyer fût bas, parce que, pour une

raison mystérieuse, moins il était élevé, plus la petite
maison faisait étroitement partie de Jalna.

Depuis six mois, la Ferme aux Renards était louée
à un ancien combattant, Humphrey Bell. Il y vivait,
mais il n'avait pas imprimé sa personnalité sur les
lieux d'une façon appréciable. Elle était si insignifiante
qu'elle avait été impuissante à effacer les marques
laissées par les locataires qui l'avaient précédé. Ç'avait
été d'abord deux femmes, une mère, que Renny avait
aimée, et sa fille, qui avait aimé Renny. Puis, pendant les brèves années de leur tardif mariage, l'oncle
Ernest et sa femme, et ensuite les trois sœurs dont
l'une avait épousé Eugène Clapperton. Les visages de
ces anciens locataires paraissaient toujours regarder
par les fenêtres; Renny revoyait entrer et sortir les
silhouettes de toutes ces femmes et, en pénétrant dans
la maison, il croyait encore entendre les voix douces
et musicales des trois sœurs galloises, l'accent précis
de la Nouvelle-Angleterre de la femme de l'oncle
Ernest, cette charmante petite vieille qui lui avait été
si chère, les voix de Clara Lebraux et de sa fille Pauline !... Les voix de ces six femmes résonnaient à ses
oreilles comme des cloches lointaines.

Evidemment, personne n'était sorti de la maison
pendant la journée, car la croûte de neige ne portait
aucune empreinte de pas, sauf, sur l'appui de la
fenêtre de la pièce du devant, celle des petites pattes
des oiseaux en train d'y picorer des miettes. En dépit
de la lumière jaune répandue par cette fenêtre éclairée,
la maison, simple cube auquel on avait ajouté deux
pignons, isolée parmi les arbres et la neige, avait l'air
de répugner à toute intrusion.

Néanmoins, dès que Renny eût frappé, la porte
s'ouvrit et Humphrey Bell l'accueillit avec un plaisir
évident. Bien que la pièce fût surchauffée, il ne parais-

sait pas avoir trop chaud dans son épais chandail de
laine grise. C'était un jeune homme petit et mince
mais si admirablement proportionné qu'il aurait été
presque imposant sans ses cheveux incolores. Au premier abord, on l'aurait pris pour un albinos s'il n'avait
eu des yeux d'un bleu limpide et qui supportaient
bien la lumière.

« Ah ! c'est vous, colonel Whiteoak ! s'écria-t-il.
Précisément l'homme que je désire voir !

— Ne m'appelez pas « colonel », dit Renny; la
guerre est finie

— Je suis content que vous me disiez cela; je déteste
tout ce qui est militaire.

— Néanmoins, vous vous êtes bien battu, et vous
avez passé pas mal de temps dans un camp de prisonniers. »

Bell poussa un fauteuil auprès du sien et les deux
hommes s'assirent devant la fenêtre d'où l'on voyait
l'ombre bleue d'un pin que la lune projetait sur la
neige. Derrière eux, en dépit de son mobilier bon
marché, la petite pièce donnait une impression de
confort; c'était peut-être parce que Bell était si heureux d'y vivre. La guerre l'avait détourné de la voie
qu'il avait primitivement suivie. Fils d'un médecin
d'une ville du Nouveau-Brunswick, il avait quatre
sœurs, beaucoup plus âgées que lui; son père, dont il
était le favori, le destinait à la carrière médicale. Cette
profession ne l'attirait pas, mais il n'avait pu résister à
la volonté des six personnes qui l'entouraient, toutes
plus autoritaires que lui. Quand la guerre avait éclaté,
il était étudiant en médecine de première année.
Malgré tout ce que sa famille fit pour l'en dissuader,
il apprit le métier de pilote à une époque où la vie
moyenne d'un aviateur était extrêmement brève. Son
devoir eût été de se joindre à une unité du service de

santé : de l'avis de ses sœurs, n'importe quel emploi
sur terre ou sur mer était préférable à l'aviation. Au
bout de cinq mois de vol, son avion avait été abattu
et il avait passé le reste de la guerre prisonnier en
Allemagne. Dans la claustration du camp, parmi des
hommes dont un grand nombre eussent été odieux à
sa famille, il se découvrit lui-même. Après la guerre,
il voulut vivre aussi loin que possible de cette famille.
Il avait beau aimer ses parents, l'atmosphère de la
ville où il aurait dû s'établir et devenir l'adjoint de
son père lui semblait suffocante. Son retour parmi les
siens leur avait apporté un désappointement pénible.
Il déçut même les trois beaux-frères qu'il avait acquis
pendant son absence, quoiqu'ils ne l'eussent jamais vu
auparavant. Il sentait peser sur lui les regards de
neuf personnes désappointées et se demandait ce qu'il
allait faire. « Ai-je l'air d'un médecin ? Puis-je inspirer
confiance aux clients ? » songeait-il et, humblement, il
comparait ses qualités à celles du solide caractère de
son père. Il souhaitait échapper à l'enserrement qui
l'étouffait, mais il ne savait pas comment s'y prendre.
Soudain, une issue inattendue s'était offerte à lui. Un
vieil ami de la famille, célibataire, était mort en lui
léguant une somme suffisante pour lui permettre de se
suffire à lui-même s'il était économe. Il résolut de se
rendre dans quelque endroit éloigné, aux Antilles ou
au Mexique, et d'essayer d'écrire. Il écrirait quelque
chose qui ferait comprendre à sa famille qu'il avait
eu raison d'abandonner l'étude de la médecine. S'il
s'était avéré incapable de rien écrire qui valût d'être
imprimé, il avait quand même bien fait de renoncer
à la médecine. Il était allé à Boston et y avait entendu
Finch Whiteoak jouer du piano dans une série de
concerts. Il l'avait ensuite rencontré chez un Néo-
Brunswickois qui habitait à Boston. Le jeu de Finch

l'avait tellement ému qu'il redoutait d'être déçu par
cette rencontre. Eprouver de petites déceptions lui
était encore plus douloureux que d'en infliger de
grandes aux autres. Mais Finch Whiteoak fascina Bell.
Il trouvait à ses yeux gris-bleu quelque chose d'ins-
piré et ne pouvait détacher ses regards des longues
mains du pianiste. A son contact, il se surprit parlant
librement, exprimant avec joie les pensées jusqu'alors
renfermées en lui-même. Après ses années d'écolier,
ses années de soldat et de prisonnier, les projets de sa
famille l'avaient entouré d'une clôture en fil de fer
barbelé, puis, le désappointement des siens l'en avait
isolé, creusant entre eux et lui comme un sombre et
profond fossé — maintenant, il était libre et ne savait
que faire de sa liberté. Il était comme un homme
embarrassé de choisir où planter le jeune arbre qu'il
porte entre ses bras.

A l'écart des autres invités, il avait dit à Finch :

« J'ai songé à me rendre aux Antilles, au Mexique
ou même dans une île du Pacifique. Je me suis dit
que mon argent y durerait plus longtemps et que je
pourrais écrire... découvrir à quoi je suis bon. »

Cet aveu l'avait déchargé d'un grand poids.

« Vous ne seriez pas longtemps bon à grand-chose,
dans une île du Pacifique, avait répondu Finch. Vous
épouseriez une indigène, vous auriez un tas de gosses,
et vous deviendriez de plus en plus paresseux. Vous
êtes un Nordique et vous avez besoin d'air froid et
de vent.

— Vous avez peut-être raison, avait murmuré Bell.
Mais il faut que j'aille dans un endroit où la vie n'est
pas chère.

— J'ai une idée ! s'était écrié Finch en repoussant
sa mèche. Mon frère aîné possède un vaste domaine
dans l'Ontario. On n'y est évidemment pas aussi loin

du monde que dans une île des mers du Sud, mais une bonne partie de ses deux cents hectares est composée de bois. Des arbres magnifiques. Aimez-vous les arbres ?

— Je crois que oui.

— Eh bien, il y a là-bas, complètement cachée au milieu des chênes et des pins, une petite maison que mon frère loue volontiers très bon marché au locataire qui lui plaît. Personne ne vous y dérangerait, à moins que vous ne le vouliez.

— C'est le genre d'endroit que j'aimerais, avait dit Bell, très agité.

— Vous pourriez l'essayer. Cela ne vous conviendrait peut-être pas du tout et mieux vaudrait peut-être ne pas le risquer », dit Finch.

Il jeta un coup d'œil à sa montre; il était fatigué et il y avait d'autres personnes qui attendaient pour lui parler : une jeune pianiste désireuse d'épancher son âme.

« Mais j'ai envie de le tenter. Je ne suis nullement décidé à me rendre dans une île.

— L'endroit dont je vous parle n'offre rien de pittoresque, dit Finch en se levant. Il est simplement d'une tranquillité idéale pour quelqu'un qui en a besoin pour écrire; vous en trouverez de semblables n'importe où, à la campagne. »

Bell n'avait pas osé dire qu'il serait heureux de s'établir là où il aurait parfois l'occasion de voir Finch, mais il avait demandé :

« Vous passez une partie de l'année dans ce domaine ?

— Oh ! oui », avait répondu Finch, déjà très loin par la pensée.

Au lieu de dire, comme il en avait envie : « Je vou-

drais être près de vous », le jeune Bell avait demandé :
« Quel genre d'homme est votre frère ? »

Soudain, Finch était rentré dans le salon et, avec
un petit rire, comme provoqué par un souvenir doux
au cœur :

« Il a plus de soixante ans, mais il est le meilleur
cavalier que je connaisse. Il est roux et, à ma connaissance, il n'a pas un seul cheveu blanc. Vous pourriez
ne pas l'aimer. Il y a des gens qui ne l'aiment pas.

— Mais vous l'aimez ! Je le vois ! » s'était écrié Bell
avec chaleur.

Un sourire avait éclairé le visage de Finch :

« Il a été un père pour moi », avait-il dit.

Et maintenant, Bell ouvrait la porte de la Ferme
aux Renards comme un maître de maison, chaussé de
vieilles pantoufles de feutre gris, et il offrait un fauteuil à Renny Whiteoak en le plaçant de façon qu'il
pût voir la fragilité des ramures des pins et des chênes
chargées de neige se détacher sur le ciel rouge du couchant. Il y avait seulement six mois qu'il habitait à
la Ferme aux Renards. Depuis que la guerre avait
fait de son enfance une époque si lointaine, si différente qu'il s'en souvenait à peine, ces six mois étaient
devenus pour lui les plus heureux de sa vie. Ce premier hiver, très doux, il le passait confortablement,
savourant la solitude de sa petite maison des bois,
jouissant d'être séparé de sa famille, libre de se faire
de nouveaux amis qu'il ne voyait pas plus souvent
qu'il ne le désirait. Il s'était occupé à écrire trois nouvelles, toutes trois refusées par deux éditeurs. Elles
attendaient, dans le tiroir de sa table, qu'il se décidât
à les proposer à un troisième. Il n'était pas pressé et
n'avait pas grande confiance en ses capacités. Ou
peut-être sa présente manière de vivre lui semblait-elle
tellement agréable qu'il redoutait de la modifier ?

Quand Renny Whiteoak venait le voir, il avait l'habitude de mettre les deux vieux fauteuils face à la fenêtre, se réservant celui dont les ressorts étaient distendus. Il apportait deux verres de whisky à l'eau et ils s'installaient pour une bonne heure de conversation. Ces visites avaient lieu deux fois par semaine et, une fois par mois, Bell dînait à Jalna.

« Eh bien, dit aimablement Renny, comment va la littérature ? »

Il était la seule personne à qui Bell eût parlé de ses espérances, et cela sous le sceau du secret. La confiance du jeune homme flattait Renny. Il l'écoutait lui lire ses histoires d'un air grave et judicieux. Il les trouvait bonnes, bien qu'elles contassent de bizarres, voire de macabres aventures, qu'il n'aimât pas ce genre, et souhaitât, à part lui, que Bell choisît des sujets moins étranges et témoignant davantage de vertus viriles.

« Comment marche le travail ? demanda-t-il quand ils furent assis, leur verre à la main.

— Si vous appelez ça du travail, dit Bell avec un sourire de mépris sur son petit visage.

— Un travail rudement difficile, à mon avis, dit Renny. Je détesterais m'y attaquer. »

Bell se leva d'un bond et s'approcha de la cheminée.

« Voilà tout ce que j'ai fait aujourd'hui, dit-il en apportant à Renny un nœud d'une branche de cèdre d'une forme spéciale qu'il avait sculpté de manière à représenter un tamia; l'attitude en était à la fois si audacieuse et si craintive que Renny rit de plaisir en caressant la figurine.

— C'est excellent, dit-il, c'est parfait. Là, il y a du talent ! »

Ce sous-entendu involontaire provoqua chez Bell une légère grimace.

« J'aime bien ma ménagerie, dit-il en désignant une douzaine d'autres petits animaux de bois alignés sur la cheminée.

— Pourquoi n'essayez-vous pas de sculpter une tête d'homme ? demanda Renny.

— J'aimerais sculpter la vôtre... si j'en étais capable, dit Bell en jetant un regard admiratif sur la tête qui se dressait si hardiment au-dessus de maigres épaules.

— Eh bien, et le vieux Clapperton ? dit Renny en riant. Je voudrais que vous trouviez un nœud de bois particulièrement laid pour y sculpter sa tête sinistre. Dieu ! que ce type-là m'est antipathique !

— Quelle est sa dernière manifestation ?

— Il a recommencé à me raser avec son idéal et ses rêves. Inepte vieil hypocrite !

— Et quel est l'objet de ses rêves ?

— De nouveau son village modèle. Je vous ai raconté comment sa femme l'a persuadé d'y renoncer. Maintenant, il caresse cette idée de plus belle et, je le crains, la prend très au sérieux.

— Etes-vous allé le voir ?

— Je viens de chez lui.

— J'ai l'impression que sa femme et sa belle-sœur le maintiennent joliment à sa place.

— En effet. Mais il commence à s'en fatiguer. Il a trop longtemps été son propre maître autrefois. Il devient rétif.

— Quand je le rencontre, j'ai toujours envie de faire demi-tour. Il détonne ici. Il y est déplacé. Si nous nous en débarrassions ? dit Bell avec un sourire malicieux.

— Je le voudrais bien, répondit Renny.

— Je ne le vois jamais sans qu'il me mette à rebrousse-poil, dit Bell en frottant vigoureusement ses

cheveux filasse comme pour les lisser dans le bon sens.
L'autre jour, il m'a conseillé de consulter un psychiatre. Il me prétend déprimé par suite de la guerre.
J'ai failli lui dire que je ne suis déprimé que lorsque
je suis avec lui.

— Je finirai par le faire partir d'ici », dit Renny,
mais sans grande conviction.

Par la fenêtre, ils virent approcher Adeline. Elle
portait un chandail blanc et une jupe gris clair. Il
tombait de gros flocons de neige, et ceux qui s'étaient
posés sur sa tête y formaient comme une couronne de
fleurs blanches. On eût dit que l'un des jeunes bouleaux argentés, refusant de demeurer enraciné dans
la terre, s'était mis à marcher légèrement à travers
le bois. Ils la virent, dans le pâle crépuscule, placer
presque symboliquement les pieds dans les empreintes
de ceux de son père.

« Elle m'a suivi, dit Renny avec satisfaction.

— Il faut que j'aille lui ouvrir, dit Bell en se levant.

— Laissez-la attendre. Cela lui sera égal. »

Elle s'appuya contre un chêne, les bras croisés,
comme préparée à attendre.

Bell arpentait la pièce avec nervosité. Il marmotta :
« C'est tellement en désordre. »

Il avait toujours espéré qu'elle viendrait, et maintenant qu'elle était là, il ne se sentait pas prêt. Renny
lui facilita les choses. Il tapa sur la vitre. Adeline
tourna la tête et sourit, puis, touchant d'un geste
rapide d'abord sa poitrine, puis le tronc de l'arbre,
elle lui fit comprendre qu'elle l'attendrait très volontiers dehors. Mais Renny frappa de nouveau le car-
reau, lui fit un signe de tête et passa dans le petit
vestibule pour lui ouvrir la porte.

Bell parcourut la pièce d'un regard affolé; il aurait
voulu la transformer de manière à surprendre et à

charmer Adeline, mais elle gardait un air étriqué et médiocre : « Comme moi », songea-t-il.

Le père et la fille entrèrent ensemble. Leur ressemblance était si frappante que l'on ne pouvait imaginer un autre homme engendrant une fille pareille, quoiqu'elle eût le teint et les traits infiniment délicats, alors que le visage basané de Renny était modelé comme à grands coups d'ébauchoir.

Bell avait allumé l'électricité; à sa lueur crue, que n'adoucissait aucun abat-jour, ses cheveux et ses cils prenaient des reflets d'argent, mais ses yeux bleus souriaient d'un chaleureux accueil.

« Entrez, entrez », dit-il, en s'efforçant de dissimuler son émoi.

Ils se serrèrent la main, puis les yeux d'Adeline tombèrent sur le tamia que Renny tenait toujours à la main. Si Bell souhaitait la charmer, il y avait réussi.

« Oh ! » s'écria-t-elle, et quand Renny lui passa la statuette, elle la tint debout à une certaine distance pour en goûter l'ensemble, puis, la rapprochant de son visage, elle l'embrassa en murmurant :

« Je n'ai jamais rien vu d'aussi délicieux !

— Regarde, dit Renny, il en a fait d'autres. » Et il indiqua la collection de petites sculptures rangées sur la cheminée.

« Quels amours ! s'écria Adeline en les examinant. Mais c'est le tamia que je préfère.

— Vous l'aimez mieux que l'écureuil ? demanda Bell.

— Beaucoup. Les écureuils ont des visages froids, de froids yeux jaunes, mais le petit tamia a les doux yeux d'une biche.

— Gardez-le, s'il vous plaît, dit Bell.

— Vraiment ? »

Elle était sincèrement ravie, et elle s'attarda un

moment derrière son père pour remercier Bell encore
une fois. Il les regarda disparaître dans le bois maintenant presque obscur. De retour dans son living
room, il appuya son front au manteau de la cheminée
en se disant :

« Imbécile. va ! Satané crétin ! »

Puis, il regarda fixement dans la glace le visage
d'un jeune homme aux sourcils froncés qui lui rendit
son regard sévère et tout haut, il dit :

« Je ne me laisserai pas séduire par elle. Je ne
céderai pas à son charme. Ce n'est pas comme si
j'avais quelque chose à lui offrir. Bon Dieu ! un tamia
sculpté ! Elle l'aime plus que moi... Elle ne se doute
même pas de ce qu'elle me fait éprouver... »

Il retourna devant la fenêtre et vit que le bois tout
entier avait à présent pris conscience du clair de lune.
Chacun des plus petits rameaux projetait son ombre
sur la surface de la neige. Son chat émergea des
arbres, leva la tête vers la fenêtre, un reflet de lune verdâtre dans les yeux, et miaula silencieusement sans
remuer sa queue engourdie par le froid. Il alla lui
ouvrir la porte en se disant : « Voilà ma destinée :
celle d'un célibataire, vivant seul avec son chat... C'est
sans doute ainsi que j'apparais à Adeline : un type aux
cheveux blancs, qui vit seul avec un chat, faisant un
peu de sculpture et de littérature... Dieu ! j'espère que
son père ne lui a pas dit que j'essayais d'écrire. Mais
je n'ai pas besoin de me tourmenter... Ils ne parlent
jamais de moi... »

Il ramassa le chat et l'appuya contre sa poitrine.
Sa fourrure sentait le froid. « Pauvre minet, pauvre
minet ! » Un ronronnement reconnaissant fit frémir
tout le corps de la petite bête.

« Je chaufferai ton lait, ce soir », dit-il. Et il sourit
en s'imaginant faisant lui-même chauffer du lait pour

son chat dans une casserole, dans sa petite cuisine.

Mais, une fois couché sur le divan avec le chat ronronnant sur sa poitrine, il sentit une grande force se libérer en lui, qui lui inspirait d'écrire un poème pour Adeline, de composer une pièce de théâtre sur elle ou de sculpter dans le marbre sa tête ravissante. Cette force n'était-elle pas simplement le désir fou d'être seul avec elle dans cette petite maison, de lui offrir son amour comme le bois sombre s'offrait à la lune ?

V

LA SOIREE

L'HOMME et la jeune fille traversèrent le ravin, brisant la croûte gelée de la neige et s'enfonçant jusqu'aux cuisses dans la couche molle qu'elle recouvrait. Ils s'arrêtèrent sur le pont qui n'enjambait plus que de la neige, seuls des buissons inclinés et les tiges sèches des fléoles-des-prés marquant à présent le tracé du cours d'eau.

« Je me rappelle, dit Renny, que lorsque je t'ai apportée ici pour la première fois quand tu étais bébé, la vue de l'eau courante t'a tellement excitée que tu as failli m'échapper des bras.

— Comme c'est drôle ! Je regrette de ne pas m'en souvenir. N'est-il pas étrange que ce petit cours d'eau et le pont qui le traverse aient une si grande importance dans nos vies ?

— Je suis heureux que tu aies cette impression.

— Je ne peux pas me figurer qu'un jour vienne où nous ne nous tiendrons plus ensemble sur ce pont, toi et moi.

— Et pourtant, ce jour viendra... »

Il eut un petit rire tout en serrant plus fortement la main d'Adeline dans la sienne, comme pour nier la possibilité d'une telle séparation.

« Jamais ! dit-elle énergiquement. Je ne le permettrai pas. »

Elle leva vers lui son visage rose et froid.

« Tu as grande confiance en toi-même, dit-il.

— Daddy, ne crois-tu pas que si l'on désire les choses avec une force suffisante on les oblige à se produire ?

— Nous pouvons essayer, dit-il. Faisons un pacte. Souhaitons que le printemps revienne, que le ruisseau recommence à couler et que Mr. Clapperton y tombe vêtu de tous ses habits d'hiver.

— Je parlais sérieusement, dit-elle.

— Moi aussi.

— Bon. Alors, espérons qu'il se noiera. »

Ils rirent tous deux à l'idée d'Eugène Clapperton se débattant dans le ruisseau, qui n'avait jamais plus de soixante centimètres de profondeur.

A travers le ravin s'avança alors vers eux un homme de haute taille, un peu courbé, avec un air de chien battu et un sourire insinuant.

« Qui est cet individu ? demanda Renny.

— C'est le nouveau garde de Mr. Clapperton, Tom Raikes. C'est un homme bien. »

Le garde se rapprocha; il portait un fusil, mais avec l'air de ne vouloir s'en servir pour rien au monde.

« Vous savez qu'on n'a pas le droit de tirer, par ici », dit Renny.

D'une voix douce à l'accent irlandais, Raikes répondit :

« Je le sais, monsieur. Je n'ai pris mon fusil que pour détruire les lapins dans la propriété de Mr. Clapperton, mais je n'ai pas eu la chance d'en voir.

— Mais qu'est-ce que vous faites ici ? demanda Renny d'un ton brusque.

— Je me promène, tout simplement. J'espère que vous n'y voyez pas d'inconvénient », dit l'homme, et, adressant à Adeline un sourire timide, il continua : « Miss Whiteoak a eu un jour une petite conversation avec moi et elle a eu la bonté de me donner des conseils au sujet des cochons.

— Des cochons ! s'écria Renny étonné.

— Je sais pas mal de choses concernant les porcs, dit Adeline avec assurance.

— Mais oui, c'est vrai, poursuivit Raikes. Mr. Clapperton croyait que je ne saurais pas comment élever les porcelets dans ce pays, mais ce doit être la même chose qu'en Irlande.

— Depuis combien de temps êtes-vous au Canada ?

— Depuis six ans.

— Comme cultivateur ?

— Non, monsieur. Je ne m'occupe de la terre que depuis que je suis chez Mr. Clapperton. J'ai fait pas mal de métiers. Mais, en Irlande, j'ai été fermier pendant des années.

— Qu'est-ce qu'ils ont, les cochons ?

— C'est les petits, monsieur. Ils sont tous morts.

— Dommage, dit Renny en faisant claquer sa langue. Vous aurez peut-être plus de chance la prochaine fois. Et si vous voulez un conseil, allez voir mon frère. Il réussit très bien avec les porcs. »

Renny allait faire demi-tour quand l'homme reprit : « Mr. Clapperton a acheté la terre qui est de l'autre côté de Jalna.

— La petite ferme des Black ? demanda Renny.

— C'est ça. Environ six hectares. Il va y construire quelque chose. Je ne sais pas quoi.

— J'espère que ce ne sera pas d'autres bungalows, dit Adeline.

— Je ne crois pas, mademoiselle. Je crois que ce n'est qu'en spéculation. »

Renny fronça les sourcils et demeura un moment silencieux, puis il demanda :

« Où habitez-vous ?

— Dans la maison de Mr. Clapperton, monsieur. Je ne suis pas marié. Bonsoir. »

Il salua et s'éloigna le long du ravin, tenant son fusil la crosse en l'air.

« N'est-ce pas qu'il est poli ? s'écria Adeline tandis qu'ils gravissaient le chemin escarpé menant à la maison. Et on le dit très travailleur.

— Oui, je regrette de n'avoir pas mis la main sur lui le premier. Les bons employés sont rares.

— Il se lassera peut-être de travailler pour Mr. Clapperton. Il me semble impossible que quiconque tienne à rester chez lui. Leur cuisinière va s'en aller parce qu'elle a trouvé une souris blanche dans sa chambre. Althea est incapable de dresser ses animaux, et Mrs. Clapperton prend toujours son parti. »

En rentrant, Renny monta tout de suite à la chambre d'Alayne. Assise devant sa coiffeuse, elle rangeait le contenu d'un tiroir. Eclairée par une lampe à l'abat-jour vert pâle, elle parut à Renny présenter, de profil, la pureté de lignes d'un beau camée. Elle avait dépassé cinquante ans, mais il ne pouvait s'habituer à sa chevelure argentée; il l'eût voulue toujours dorée comme naguère. Elle tourna la tête et lui sourit, mais il y avait un peu d'anxiété dans sa voix quand elle demanda :

« Comment s'est passé l'entretien ? J'espère que tu es resté maître de toi.

— Non, répondit Renny avec un large sourire. Je lui ai dit que je lui tordrais le cou pour presque rien.

— Renny ! s'écria-t-elle, stupéfaite. Comment as-tu pu lui dire une chose pareille ? Tu t'en es probablement fait un ennemi pour la vie, alors que vos rapports ont été relativement paisibles depuis son mariage.

— La dernière nouvelle est qu'il a acheté la ferme des Black.

— Oh !... eh bien, cela ne peut guère nous gêner; peu importe s'il y construit des bungalows. Nous en sommes séparés par les champs et les bois.

— Tout importe du moment que le paysage en est gâté. C'est partout pareil. Les sociétés et les spéculateurs détestent la beauté. Ce qu'ils aiment, c'est abattre de magnifiques vieux arbres pour élargir les routes afin d'intensifier la circulation des véhicules; je supprimerais toutes les automobiles de la surface de la terre, si j'en avais le pouvoir.

— Tu es cependant très content de ta nouvelle voiture, dit-elle.

— Oui, mais si on en débarrassait le monde entier, je n'aurais plus besoin d'en avoir une. »

Elle posa l'écharpe de couleurs vives qu'elle était en train de plier. Renny avait toujours plaisir à la voir manier des objets. « Peu de femmes ont les poignets aussi fins », se dit-il.

« En rentrant, je me suis arrêté chez Bell, reprit-il, et Adeline m'y a suivi. Il est visible que Bell l'admire beaucoup. Pauvre diable ! Je crois qu'il en est amoureux.

— Il doit être très sot s'il se figure qu'il intéresse Adeline, dit calmement Alayne. Elle ne s'intéresse à aucun homme en dehors de toi.

— Tu crois ? dit Renny en essayant de ne pas se montrer trop satisfait. Eh bien, oui, elle m'aime. C'est une bonne fille. Tu devrais reconnaître, Alayne, qu'elle ne nous donne aucun souci, bien qu'elle soit Gran toute crachée. A son âge, Gran avait une demi-douzaine de galants à ses trousses. Sa mère en devenait folle; Gran me l'a raconté.

— Ta grand-mère n'adorait pas son père comme Adeline t'adore. J'ai le pressentiment que lorsqu'elle deviendra amoureuse, ce ne sera pas un petit béguin d'adolescente. J'espère seulement qu'elle ne s'éprendra pas d'un homme impossible, mais je m'y attends.

— Tu es bien pessimiste, dit Renny en riant.

— Eh bien, c'est ce qui arrive le plus souvent aux jeunes filles.

— Est-ce que cela s'applique à ton propre cas ? »

Elle ne lui répondit que par un petit sourire secret.

« Je parie que tes parents m'auraient considéré comme un parti indésirable.

— Ma tante n'a pas été de cet avis.

— Non... Dieu la bénisse ! »

De tendres souvenirs adoucirent les traits de Renny, mais ils se durcirent quand il ajouta :

« ... En dépit de tout le mal qu'elle avait entendu dire de moi. »

Comment pouvait-il faire allusion à l'affreuse période où elle l'avait quitté, pour toujours, croyait-elle, afin de vivre avec une tante âgée dans un faubourg de New York ? Les yeux étincelants de colère, elle se tourna vers lui :

« Renny, comment peux-tu ? ...

— Eh bien, tout cela est du passé.

— Alors, évitons les réminiscences pénibles.

— Ce que j'ai dit, c'est que ta tante m'aimait en dépit de tout ce qu'on lui avait dit de fâcheux sur mon compte. »

Avec un sourire ironique, Alayne répliqua :

« Tu n'as eu qu'à user à son endroit d'un peu de ton charme fatal.

— Le charme est la dernière qualité que je croyais posséder.

— Oh ! tu en as énormément à l'égard des femmes. »

Elle se mit à arpenter la chambre, s'efforçant de se calmer.

« Une chose certaine, dit-il, c'est que, depuis cette époque, tu ne peux rien me reprocher.

— Voudrais-tu que je te complimente de ce que tu n'aies pas eu d'aventures féminines ?

— Mon Dieu ! s'écria-t-il avec irritation. Comment en sommes-nous venus à ce point ?

— Ce n'est pas ma faute.

— Alayne, dit-il en lui prenant la main et en essayant de l'obliger à le regarder; mais elle se dégagea brusquement.

— Tu es décidée à être de mauvaise humeur, dit-il.

— Laisse-moi un moment, je te prie.

— Très bien, dit-il avec résignation. Bien que je ne comprenne rien à cette scène. »

Il se dirigea vers la porte et y resta un instant, la main sur la poignée, se disant que s'il la quittait maintenant, leur prochaine réunion pourrait être gênante. Elle fit comme s'il n'était plus dans la pièce, ôta les épingles de son chignon et laissa tomber sur ses épaules la masse argentée de ses cheveux.

« Désires-tu toujours que je m'en aille ? demanda-t-il.

— Oui. » Et elle se mit à déboutonner sa blouse afin de se changer pour le dîner. Il partit, referma doucement la porte et entra, de l'autre côté du couloir, dans sa propre chambre qu'éclairait faiblement la lune. Devant la fenêtre, les yeux fixés sur le paysage

qui lui restait si familier malgré la déformation mystérieuse de cette lumière, il pensa : « Il y a vingt
ans de cela, et elle en est encore bouleversée ! » Et
il se mit à siffler. « Cent cornemusiers... » Comme
il avait laissé sa porte ouverte, Alayne l'entendait;
cet air l'agaçait singulièrement. Dès qu'il était fini, il
recommençait; sa répétition apportait à Renny un
réconfort inconscient. Il aspira profondément et siffla
avec plus de force. On eût dit que les cent cornemusiers avançaient dans le ravin en balançant leurs jupes
écossaises.

Rags, présentement âgé de soixante-cinq ans et plus
voûté qu'on a le droit de l'être à cet âge, fit retentir
le gong dans le hall du rez-de-chaussée.

Renny entra dans la salle de bains pour se laver
les mains; il entendit Ernest monter lentement l'escalier. Les mains à demi séchées, il descendit à sa rencontre, lui passa un bras autour de la taille et le porta
presque jusqu'au palier.

« Merci, mon cher garçon, dit Ernest, haletant; l'escalier me fatigue.

— Oncle Ernest, au printemps prochain, je ferai
installer un lavabo au rez-de-chaussée pour vous et
oncle Nick.

— Ah ! voilà une bonne idée ! Rien ne me ferait
plus de plaisir.

— Je vais vous attendre ici et je vous aiderai à
redescendre, dit Renny.

— Merci, mon cher garçon. »

Ils allaient descendre quand Alayne sortit de sa
chambre. Ernest lui adressa un petit salut rempli
d'admiration.

« Comme vous êtes belle, Alayne ! »

Elle lui sourit, évitant les yeux de Renny qui

étaient dirigés vers elle. Précédant les deux hommes
dans l'escalier, elle les entendit descendre lentement
derrière elle. Depuis son arrivée dans cette maison,
elle avait constamment vu des vieillards passer par
ce hall; d'abord la grand-mère de Renny, qui avait
vécu jusqu'à cent ans, et maintenant ses deux fils
qui semblaient devoir atteindre, eux aussi, cet âge
avancé. Et toujours, Renny avait été à leurs côtés,
réglant son pas vigoureux sur la marche lente de
l'extrême vieillesse, se comportant comme si tout ce
fardeau lui était un plaisir; et, néanmoins, il en fallait
si peu pour l'irriter en d'autres circonstances. Son
attitude à l'égard de toutes ces vieilles gens était
admirable, mais, pour sa part, elle se sentait parfois
suffoquer dans cette atmosphère. Et, songea-t-elle,
il me faut encore un plus grand effort pour supporter
ceux qui sont trop jeunes : Adeline, Dennis, et, lors
des vacances, Roma et Archer. La petite fille de Piers
venait tous les deux jours, et c'était une enfant
gâtée. Un trop grand nombre des habitants de Jalna
étaient ou trop jeunes ou trop vieux aux yeux d'Alayne.
Maintenant qu'elle avait dépassé cinquante ans, plus
de la moitié de sa vie s'était écoulée à Jalna. Un
instant, elle oublia les deux hommes qui descendaient
derrière elle une marche à la fois, elle revit les cheveux
miroitants d'Eden et entendit si nettement sa voix
qu'elle s'étonna que Renny ne levât pas la tête pour
l'écouter. Mais, parvenue en bas, elle se retourna et
le vit, guidant, la tête baissée, les pas hésitants de
son oncle en disant : « Doucement, là, doucement. »
Comme elle avait été heureuse en ces jours lointains,
et combien son bonheur avait été court ! Trop tôt, sa
passion pour Renny, semblable à une plante éclatante,
avait éliminé la fleur fragile de son amour pour
Eden. Et Renny n'avait pas cessé de dominer sa pen-

sée, de remplir son cœur. La seule vue de sa tête
sculpturale, de la ligne de son cou et de ses épaules
l'émouvait toujours aussi vivement. « Je pèse à cinq
livres près le même poids que le jour de mon ma
riage », était-il en train de dire. Et l'oncle Ernest de
répondre : « Ah ! tu n'es pas de ceux qui perdent
jamais leur sveltesse. Moi, je pèse... »

L'oncle Nicolas se soulevait de son fauteuil avec
difficulté, mais elle ne put se contraindre à lui prêter
main-forte. Il arriva sans son aide à la porte du salon
et lui adressa son chaleureux sourire d' « homme à
femmes ». « Il a dû être un charmeur, dans son jeune
temps », se dit-elle, et elle alla lui donner le bras
mais sans paraître l'aider. Ce fut lui qui eut presque
l'air de la conduire en se redressant de son mieux.

« Je suis resté assis trop longtemps », grommela-
t-il.

Renny vint à leur rencontre.

« J'allais justement vous offrir mon bras, oncle
Nick », dit-il en regardant prudemment Alayne. Elle
l'ignora, regardant droit devant elle.

« Nous n'avons pas besoin de ton aide, n'est-ce pas,
Alayne ? » dit Nicolas.

Il flaira l'odeur appétissante qui remplissait la salle
à manger et s'exclama, en s'avançant avec entrain vers
sa chaise :

« Ah ! comme ça sent bon ! »

Adeline avait placé le tamia sculpté par Bell au
milieu de la table, à côté de la corbeille d'argent
contenant des pommes et des raisins. Le petit animal,
dans une attitude intermédiaire entre la crainte et
l'audace, semblait sur le point de laisser tomber le
gland qu'il serrait contre sa poitrine, pour sauter à
travers la table.

« Très joli ! très joli ! dit Ernest en se penchant

en avant pour mieux voir tandis que sa fourchette
tremblante répandait de la purée de pommes de terre
sur la nappe.

— Il est intelligent, ce jeune Bell, dit Nicolas.

— Il aime Clapperton à peu près autant que nous
l'aimons, dit Renny. Il est timide, vous savez, et Clapperton l'accable de ses conseils chaque fois qu'ils se
rencontrent. Un de ces jours, Bell en sera exaspéré
au point de lui dire de se mêler de ses propres affaires.
J'aimerais bien y être, quand cela se passera. »

La petite main gercée de Dennis s'avança vers le
tamia.

« Clapperton, déclara sentencieusement Nicolas, est
un horrible vieux faiseur. Il s'imagine aimer la campagne alors qu'il ne sait pas distinguer un arbre d'un
autre.

— Il s'imagine être amateur d'art, dit Ernest, et
il faut voir sa collection de croûtes !

— Il s'est lancé dans l'élevage des porcs, dit Adeline, et toute une portée est morte. Raikes me l'a
raconté. Il m'a dit que son patron veut toujours se
mêler de la nourriture des bêtes.

— Mrs. Clapperton, dit Alayne, m'a affirmé qu'ils
n'ont jamais eu à leur service un homme aussi compé-
tent que ce Raikes. Il leur donne le sentiment de
la sécurité. J'en suis contente; jusqu'ici, ils n'ont pas
eu de chance.

— Leur réfugiée est très bien, dit Adeline, quoiqu'elle ne sache pas une demi-douzaine de mots d'anglais. Tout ce qu'elle sait dire, c'est : « S'il vous
« plaît », « Je ne peux pas le faire » et « Je voudrais
« rentrer dans mon pays. »

— Pauvre créature », dit Alayne.

La petite main atteignit le tamia. Dennis s'en empara

avec un plaisir extasié et le blottit sous son menton.

« Eh bien, monsieur ? » dit Ernest, ses limpides yeux bleus fixés sur Dennis.

Dennis se tortillait de joie et défiait Adeline en gardant le tamia serré entre ses doigts.

« Lâche-le », dit-elle, en lui ouvrant la main de force. Elle remit le tamia à sa place.

« C'est une très mauvaise habitude qu'ont les enfants, dit Nicolas en ramassant la figurine, de toujours vouloir manier les objets.

— On devrait mieux les dresser quand ils sont petits, dit Ernest.

— Je n'ai jamais connu d'enfant plus tripoteur que Dennis », dit Alayne d'un ton détaché.

Le petit garçon baissa la tête et s'abîma dans ses réflexions.

« J'ai reçu aujourd'hui une lettre de Finch », annonça Renny.

En entendant prononcer le nom de son père, le petit Dennis devint tout oreilles.

« Il va bientôt venir; il dit qu'il a besoin de repos. Ses concerts doivent beaucoup le fatiguer. Il est vrai que Finch est un de ces types que n'importe quel travail épuise. Il n'est pas comme nous.

— Il tient de sa pauvre mère, marmonna Nicolas dont les gencives se débattaient avec un petit os.

— Est-ce que, moi, je ressemble à ma mère ? demanda Dennis.

— Oui et non, répondit Ernest.

— Si je vous faisais une réponse pareille, est-ce que vous la trouveriez franche ? » demanda Dennis.

Renny gloussa de rire.

« Il vous a mis au pied du mur, oncle Ernest ! » Impassible, Ernest répliqua :

« L'obligation d'être franc prend fin à soixante-dix ans, Dennis.

— Cela fera plaisir de revoir Finch, dit Alayne.

— Pourquoi les gens reviennent-ils toujours chez eux quand ils sont fatigués ? demanda Dennis.

— Finis ton entremets et cesse de poser des questions, mon garçon, dit Ernest avec un regard impérieux.

— Comment puis-je m'instruire, si je ne pose pas de questions ? »

Les yeux de ses deux grands-oncles fixés sur lui, Dennis ne dit plus rien, mais ses mains s'avancèrent vers le tamia.

« C'est une chose curieuse, dit Renny, que tous mes jeunes frères, sauf Piers, aient eu des tendances artistiques. Il y avait Eden... un poète.

— Pauvre cher garçon ! dit Ernest avec un soupir.

— Est-ce qu'il était pauvre parce qu'il était poète ou poète parce qu'il était pauvre ? » demanda Dennis.

Ses deux grands-oncles le regardèrent avec stupeur. Pour leur faciliter la réponse, il demanda :

« Est-ce qu'il était un mauvais poète ?

— Certainement pas, répondit Nicolas. Il a écrit de très beaux poèmes. S'il avait vécu, il serait devenu célèbre. »

Alayne garda le silence, tournant son alliance autour de son doigt.

« Et puis, reprit Renny, il y a Finch, un musicien qui ne s'est jamais intéressé à autre chose qu'à la musique. »

Ernest hocha la tête avec approbation.

« Si Finch était privé de sa musique, dit-il, je ne crois pas qu'il pourrait vivre.

— Il a été privé de sa femme et il a vécu », dit Dennis.

Nicolas rit de son rire grave et dit :

« Le mariage est le plus inférieur des arts.

— Mais, objecta Dennis, s'ils ne s'étaient pas mariés, je n'existerais pas.

— Et ce serait une bien bonne chose, dit Nicolas en le regardant avec sévérité.

— Et puis, continua Renny, il y a Wakefield, un acteur.

— Rags dit qu'oncle Wakefield était mauvais acteur quand il était petit, intervint Dennis.

— Dennis, dit Alayne, tu as fini ton entremets. Tu peux monter dans ta chambre et te préparer à te coucher.

— Est-ce que je peux emporter le tamia, Adeline ? demanda-t-il.

— Oh ! c'est assommant ! s'écria-t-elle. Je ne peux jamais rien garder tranquillement. Bon, bon, prends-le ! »

Serrant le tamia dans sa main, il monta en courant les deux étages. Il faisait sombre et froid dans sa chambre, mais il n'avait pas peur. Ouvrant les rideaux, il laissa entrer le clair de lune, s'assit au bord de son lit et porta le petit animal de bois à sa bouche. Sa main l'avait réchauffé ; il semblait presque vivant. « Oh ! que tu es mignon ! » murmura Dennis. Il l'aimait plus qu'une bête vivante parce qu'il pouvait en faire ce qu'il voulait.

En bas, les deux vieux frères, ayant savouré leur dîner, se sentaient mieux qu'ils ne l'avaient été de toute la journée, et ce fut d'un pas ferme qu'ils regagnèrent le salon où flambait un beau feu. Adeline alla dans la bibliothèque mettre la radio en marche. Par exception, la musique qu'elle émit n'était pas de celle qui exaspérait Alayne. Dans le demi-jour du hall, elle leva les yeux sur le visage de Renny. Il lui rendit un regard plein de douceur, mais empreint aussi du remords de l'avoir blessée et du chagrin de constater qu'il la blessait si facilement et si souvent. Il se pencha vers elle, lui baisa le front, puis les lèvres et dit : « Souris-moi. » Elle parvint à sourire.

VI

« SOBRE ET TRAVAILLEUR »

RAIKES poursuivit silencieusement sa marche à travers
le ravin, son fusil à la main. Tout au bout, il s'arrêta
devant le buisson dans lequel il avait caché le faisan.
Il l'en tira et le tint par les pattes. Son plumage
luisait au clair de lune; sa tête huppée, son long
cou fier au collier formé de deux bandes nettes, l'une
bleu foncé, l'autre blanche, pendaient inertes; les
plumes de sa queue flottaient doucement dans l'air
du soir. L'homme atteignit le plus éloigné des bungalows de Mr. Clapperton et frappa à la porte de derrière. Elle lui fut ouverte par une grosse femme près
de laquelle se tenait un homme au visage rouge, en
manches de chemise.

« Oh! bonsoir, Mr. Raikes, dit la femme. Entrez
donc. Qu'est-ce que vous avez là? Un faisan! Eh
bien, mince alors!

— Il est pour vous, Mrs. Barker », dit Raikes de
sa voix douce d'Irlandais du Sud.

Elle saisit avec plaisir les pattes de l'oiseau qui
n'étaient pas encore froides.

« Seigneur! qu'il est joli!

— Certes oui, il est beau, dit Raikes en caressant

doucement le plumage multicolore. Je le ferais rôtir,
si j'étais à votre place.

— Je le ferai rôtir, je le farcirai, et je l'accompagnerai d'une sauce aux airelles. Regarde, Jack.

— Epatant, dit son mari, de sa voix pâteuse
d'ivrogne, épatant !

— Mais, entrez donc, Mr. Raikes, répéta la femme.

— Merci; je vous refroidis avec la porte ouverte;
je veux bien entrer un moment. »

De son air de grave politesse, il entra et enleva son
vieux chapeau, découvrant son épaisse chevelure noire.

Les deux hommes, tout près l'un de l'autre, se
regardèrent, et les lèvres de Barker formèrent les
mots : « Voulez-vous prendre un verre ? »

La femme les devina, bien qu'elle leur tournât
le dos.

« Ici, on ne boit pas », dit-elle d'une voix forte,
tout en sachant que son ton de commandement serait
sans aucun effet. Elle se mit à plumer le faisan sans
cesser de grommeler.

Barker alla prendre dans un placard une bouteille
à demi pleine de whisky. Raikes en accepta un verre
coupé d'eau et dit à Mrs. Barker :

« N'aimeriez-vous pas que je vous plume cet oiseau ?
Vous allez vous abîmer les mains.

— Oh ! non merci », dit-elle en lui lançant un
regard reconnaissant, presque tendre, et elle continua
à arracher les plumes de la poitrine du faisan qu'elle
tenait entre ses cuisses.

Les deux hommes s'assirent de part et d'autre de
la table recouverte d'un tapis rouge sur lequel il y
avait un paquet de cartes à jouer sales et un vase
contenant une rose artificielle. Barker faisait claquer
sa langue à chaque gorgée comme pour affirmer son
plaisir et son défi, mais Raikes regardait pensivement

l'alcool qui restait dans la bouteille et sirotait silencieusement.

« Il est bien dodu, ce faisan ! s'écria Mrs. Barker. Où c'est-il que vous l'avez tué ?

— Je ne vous l'ai pas dit, répliqua Barker, je ne vous le dirai pas, et, si j'étais vous, je ne le demanderais pas. Il y a des gens qui tiennent beaucoup à leurs faisans.

— Le colonel Whiteoak a fait quelque chose de drôle, l'automne dernier, à l'ouverture de la chasse au faisan. Il a répandu du maïs par terre dans sa grange et a laissé les portes grandes ouvertes. Les faisans l'ont senti, il en est venu environ soixante; le colonel a refermé les portes et les a gardés dans la grange pendant les trois jours de chasse.

— Je suppose qu'il les voulait tous pour lui, dit Mrs. Barker en commençant à arracher les plumes de la queue. Regardez comme elles sont jolies ! Je vais m'en garnir un chapeau. »

Elle tint les plumes d'un côté de sa tête et sourit à Raikes avec coquetterie.

« Les femmes ne savent jamais quand elles sont trop vieilles pour se pomponner, dit Barker en remplissant de nouveau son verre.

— Mrs. Barker n'est certainement pas trop vieille », dit galamment Raikes.

Elle le regarda et, quand Barker lui offrit un autre verre, il le refusa en disant :

« Je dois aller parler au patron, maintenant; il ne faut pas que je sente l'alcool.

— Je vais vous donner une pincée de café à mâcher, dit Barker. Ça enlève l'odeur. »

Sa femme éclata de rire :

« Je sens d'une lieue une haleine chargée de whisky, avec ou sans café !

— Tu la connais dans les coins, toi, n'est-ce pas ? »
dit Barker, maussade. Puis il demanda : « Comment
est le vieux singe, Tom ?

— Toujours pareil. Il pourrait être pire. Je suis
tout à fait content de mon emploi. Les jeunes dames
sont très gentilles.

— Cette Althea est un peu piquée, dit Mrs. Barker
en se touchant le front. Je l'ai vue l'autre jour, assise
devant un arbre, en train de peindre comme si l'on
était en plein été.

— Ah oui ! dit Raikes en riant. Elle rentre quelquefois éreintée, ses jupes trempées de neige, mais
tout lui est égal du moment que ses animaux sont au
chaud et bien nourris. Elle est certainement toquée.

— Tom, demanda Barker à voix basse, est-ce que
tu pourras prendre la voiture, cette nuit ?

— Bien sûr. Je viendrai te chercher vers neuf
heures.

— Je voudrais bien que vous restiez à la maison
tous les deux, dit Mrs. Barker, maintenant toute couverte de plumes de faisan. Vous ne pensez à rien
d'autre qu'à jouer et à boire. Un de ces jours, Mr. Clapperton découvrira le pot-aux-roses et vous serez frais,
alors !

— Je serai tout comme je suis maintenant, dit
Raikes en riant. Ne vous fâchez pas, Mrs. Barker, et
donnez-moi cette pincée de café que vous avez recom-
mandée. »

Il lui adressa l'un de ses sourires doux et un peu
tristes auxquels elle ne savait pas résister; ses manières
polies contrastaient si vivement avec la grossièreté de
son mari.

« Va la lui chercher, Jack, dit-elle, je suis pleine de
plumes. »

Elle se mit à ramasser dans un journal les plumes

éparses; puis, tenant à bout de bras l'oiseau déplumé :

« Je le ferai rôtir pour demain soir et il faudra que vous veniez nous aider à le manger, dit-elle à Raikes.

— Merci beaucoup. J'espère qu'il est tendre.

— Il l'est sûrement. Je le sens au toucher. Nous le mangerons pour souper et vous n'irez pas vadrouiller après.

— Ne vous tourmentez pas, Mrs. Barker, dit Raikes en mastiquant son café. Nous ne nous sauverons pas. »

Il quitta le bungalow, traversa l'étroit chemin bordé de jeunes érables, enjamba une clôture basse et pénétra dans l'un des champs d'Eugène Clapperton. Un sentier, qu'il avait tracé lui-même, le conduisit à l'étable. Construite cent ans auparavant, elle était vaste, mais son propriétaire actuel ne s'adonnait à l'élevage que très prudemment. Raikes entra, prit une lanterne accrochée au mur, l'alluma et monta par l'échelle au grenier à foin. Contournant une montagne de foin parfumé, il projeta la lueur de sa lanterne sur un petit enclos dans lequel neuf porcelets dormaient serrés les uns contre les autres. Dérangés par la lumière, ils grognèrent en remuant leurs grosses pattes roses.

« Avez-vous chaud ? murmura Raikes avec un sourire mi-tendre et mi-malicieux. Voilà de la bonne paille fraîche. »

Il répandit sur eux une brassée de paille, tapota un petit flanc rebondi et ajouta :

« Il va falloir que je vous retire bientôt d'ici; vous devenez trop bruyants. »

Les petits cochons se blottirent plus près encore les uns des autres et Raikes redescendit par l'échelle pour vérifier si tout allait bien dans l'étable.

La réfugiée polonaise était dans la cuisine quand il

y passa. Elle achevait sa dernière besogne de la journée, préparant d'avance le petit déjeuner du lendemain. Elle jeta un coup d'œil sur Raikes pour voir
s'il avait apporté de la neige avec ses bottes. Il lui
sourit aimablement et dit :

« J'ai très peu de neige sur moi; je suis un bon
garçon, n'est-ce pas ? »

Avec une expression déconcertée et pourtant agressive, elle dit :

« *S'il vous plaît, je ne peux pas faire.*

— Personne ne vous a demandé quoi que ce soit,
ma vieille. Tout ce qu'on vous demande est de vous
occuper de vos affaires et de me laisser m'occuper des
miennes. »

Par un étroit couloir, il gagna sa chambre, son
refuge. Elle avait de jolis rideaux propres, une commode en bois de pin jaune surmontée d'un petit
miroir, une courtepointe bigarrée, et, sous le lit, sa
malle, une malle en fer-blanc sur laquelle il avait
laissé l'étiquette du paquebot, son dernier lien avec
le vieux pays où il n'avait cependant aucune envie de jamais
retourner.

Il se regarda dans la glace, tira un peigne de sa
poche et peigna ses cheveux de bohémien; il décrocha
d'un clou un pardessus noir fort convenable et un chapeau mou et, les portant sur le bras, retourna à la
cuisine. La Polonaise s'était retirée dans sa chambre.
Il se lava à l'évier les mains et le visage. Puis, ayant
mis son pardessus, il alla frapper, son chapeau à la
main, à la porte du salon.

La voix d'Eugène Clapperton s'arrêta de lire à
haute voix et cria :

« Entrez ! »

Raikes ouvrit la porte, juste assez pour pouvoir
passer dans la pièce. Son aspect s'était transformé en

celui d'un monsieur qui fait une visite du soir, mais son attitude était déférente.

« Excusez-moi de vous déranger, monsieur, dit-il, désirez-vous que j'aille chez le vétérinaire de Stead acheter le médicament ?

— Comment va la vache ? demanda Clapperton avec irritation. Il semble y avoir constamment quelque chose qui cloche chez les animaux. D'abord les porcelets qui meurent, maintenant cette vache qui est malade... Si je n'étais pas enrhumé, j'irais moi-même la voir.

— Il fait trop froid pour vous dans l'étable, monsieur. La vache ne va pas mieux. Mais le médicament dont je vous ai parlé la remettra d'aplomb. Je crois qu'il faudrait le lui donner ce soir. Est-ce que je ne ferais pas bien d'aller le chercher à Stead avec la voiture ?

— Oui, certainement. Et venez demain matin me dire comment elle va.

— Je n'y manquerai pas, monsieur », dit Raikes avec un réconfortant sourire.

Gemmel qui faisait une patience sous une torchère à l'abat-jour rose ne put s'empêcher de comparer les deux hommes, au cruel désavantage de son mari. Sa tête grisonnante, dont la forme lui avait toujours paru vilaine, sa peau sèche, ses lèvres bleuâtres, ses dents gâtées contrastaient avec les cheveux noirs, la peau saine, chaudement colorée par un sang généreux et les dents étincelantes de Raikes. Eugène se tenait trop volontairement droit, comme un homme résolu à ne jamais mourir. Raikes se courbait légèrement en tournant la tête de côté; il devait, songea-t-elle, être capable de parcourir le monde sans se soucier de la vie ni de la mort.

Quand il fut parti, Eugène dit :

« Depuis que nous habitons ici, j'ai eu quatre hommes pour s'occuper du domaine. Oui, celui-ci est le quatrième. Il est presque impossible, de nos jours, de trouver un employé convenable. Raikes me donne un sentiment de sécurité que je n'avais pas éprouvé avant lui. Tu te rappelles que, dans mon annonce, je demandais un homme *sobre et travailleur*. Ce sont les termes mêmes dont je me suis servi, oui, *sobre et travailleur,* répéta-t-il en savourant ces mots comme s'ils les avait inventés. Quand cet homme s'est présenté j'ai eu aussitôt l'impression de pouvoir lui accorder ma confiance. Tu as la même impression, n'est-ce pas, fifille ?

— Oh oui », répondit-elle vaguement, puis, elle ajouta : « Ça me rappelle qu'il faut que je lui demande d'acheter de la potion pour Sonia. Sa toux ne s'améliore pas.

— La pharmacie ne sera pas ouverte à cette heure-ci.

— Peut-être que non, mais je vais demander à Tom d'y passer à tout hasard.

— Tom ?

— Oui, Tom Raikes.

— Dis-lui de lui acheter quelque chose chez le vétérinaire. Ça fera son affaire. »

Gem se rendit à la cuisine. Raikes avait la main sur la poignée de la porte, prêt à s'en aller. Son chapeau projetait une ombre sur ses yeux; il le retira avec une petite inclinaison polie de la tête quand Gem entra.

« Oh ! Tom, dit-elle.

— Oui, madame ?

— Pourriez-vous m'acheter de la potion pour la toux de Sonia ?

— Je crains que la pharmacie soit fermée, à cette

heure-ci. Mais Sonia n'en voudrait pas, de toute façon. Je lui ai offert de mon sirop pectoral et elle n'en a pas voulu. Elle est comme ça.

— Alors, nous ne pouvons rien faire pour elle.

— Je crains que non. C'est une drôle de femme. »

Il lui sourit, et elle remarqua l'ombre que ses longs cils projetaient sur ses joues. Chose curieuse, leur longueur ne nuisait en rien à la virilité de son aspect. La main sur la poignée de la porte, il attendait poliment qu'elle l'autorisât à s'en aller.

« Eh bien », dit-elle, puis elle hésita.

Il leva d'un air interrogateur ses sombres sourcils. Pendant un instant, elle ne trouva rien à dire, puis :

« Mon mari me disait justement combien il était agréable d'avoir ici un homme auquel nous pouvons accorder notre confiance. J'espère que vous êtes content de la place, Tom. »

Son visage s'éclaira.

« Je suis très content, madame. J'espère travailler à votre service et à celui de Mr. Clapperton pendant de longues années.

— J'en suis heureuse. Bonsoir, Tom.

— Bonsoir, madame, et merci. »

Une bouffée d'air glacial pénétra dans la cuisine; la porte se referma derrière lui et elle l'entendit faire craquer la neige sous ses pas, ouvrir la porte du garage et mettre le moteur de la voiture en marche.

... Depuis sa petite enfance, une chute l'avait rendue infirme et elle avait été incapable de marcher jusqu'à ce que la générosité d'Eugène Clapperton permît l'opération à l'épine dorsale qui lui avait rendu l'usage de ses jambes. Grâce à lui, elle était devenue une jeune fille comme les autres et il l'avait épousée. Elle avait envers lui une dette de reconnaissance qu'elle n'acquitterait pas, de sa vie entière, quelque longue qu'elle puisse être.

Elle retourna dans le salon; il leva la tête et la regarda avec un sourire amoureux.

« Viens, fifille, dit-il en se tapant sur la cuisse, viens t'asseoir sur mes genoux. »

Serrant les dents, elle se dit : « Compte là-dessus ! J'en ai déjà bien trop fait pour toi. » Mais, tout haut, de sa mélodieuse voix galloise qui adoucissait tous les mots, elle prononça :

« Oh ! gros bêta chéri, qui veut toujours qu'on s'occupe de lui ! »

Et elle alla s'asseoir sur ses genoux.

Il était plus de minuit quand Raikes et Barker reprirent la route enneigée en direction de Vaughanlands. Ils parlaient fort, tantôt se disputant, tantôt se vantant de ce qu'ils avaient dit et fait au bar du club. Ils y avaient causé pas mal de scandale, ce soir-là, et leur discussion avait pour objet la question de savoir s'ils avaient eu tort ou raison d'obéir quand le barman les avait pressés de partir. Ils bondissaient sur la route creusée d'ornières, indifférents à ce qu'ils infligeaient aux ressorts de la voiture. Raikes, qui conduisait, agitait une main en l'air pour souligner ses propos; parfois, il brandissait les deux, et la fidèle voiture continuait à rouler toute seule en cahotant. Par un véritable miracle, elle atteignit le garage sans accident; par un autre miracle, Raikes parvint à l'y faire entrer, avec son toit couvert de neige. Soudain, il devint très poli envers Barker et l'aida à descendre. Il le guida avec sollicitude vers sa maison et lui souhaita affectueusement une bonne nuit. Il ferma le garage et, d'un pas mal assuré, entra dans la maison. Sans retirer son pardessus, il alluma le fourneau pour se faire du thé. Pendant que l'eau bouillait, il traversa sans bruit l'office et, arrivé dans la salle à manger, il s'immobilisa et prêta l'oreille. Le silence du milieu de la nuit pesait sur la maison. Au premier, les Clapperton dormaient dans leur large lit d'acajou. Au dernier étage reposaient Althea et son grand chien danois, et, dans une petite chambre au plafond mansardé, la réfugiée Sonia.

Raikes ouvrit le buffet et prit une bouteille de cognac. Eugène Clapperton ne buvait pas d'alcool, mais il avait toujours une bouteille de cognac chez lui pour parer à toute éventualité. Raikes remplit à la bouteille une gourde qu'il portait dans sa poche et retourna dans la cuisine. Il fit le thé, prit du lait à l'office et, moitié assis, moitié appuyé contre l'évier, il but deux tasses pleines. Il avait repoussé son chapeau en arrière et la lumière crue de l'ampoule tombait sur son long visage imprégné d'une douce mélancolie. Au-dessus de sa tête, l'horloge au visage rond orné de roses marquait deux heures.

Emportant la théière dans la salle à manger, il remplit de thé la bouteille de cognac. Ses mains tremblaient, et il tressaillit quand il renversa le liquide chaud sur son pouce. Le buffet refermé, il jeta un regard autour de lui avant de quitter la pièce et souhaita posséder une aussi grande maison avec d'aussi beaux meubles. Il se faisait pitié : pauvre solitaire, sans personne pour l'aimer, pauvre Irlandais, seul dans un pays étranger ! Il pensa à Mrs. Clapperton et à l'étrange façon dont elle l'avait regardé ce soir — et pas seulement ce soir. Evidemment, elle voyait en lui un vrai homme, pas une nouille comme le vieux Clapperton.

VII

LE PIANISTE

Il n'y a pas de plus grand plaisir que la marche, se disait Finch Whiteoak. A cet instant, il éprouvait à marcher plus de plaisir qu'à jouer du piano. Même quand il était le plus en forme, il avait, devant l'instrument, l'esprit toujours en éveil, toujours prêt à corriger la moindre hésitation de ses doigts, conscient de l'auditoire et tremblant de colère si tout n'était pas à son gré dans la salle. Même quand il jouait seul, son esprit exalté, fougueux, projetait son ombre sur le clavier. Mais, quand il marchait à travers les bois dénudés par l'hiver, son esprit était absent. Il se manifestait à peine pour diriger ses jambes. Son sang parcourait chaudement son corps, il sentait ses yeux frais et reposés, et il dilatait ses narines pour aspirer l'air glacé. Il avait fait plus de sept kilomètres d'un bon pas sur la route publique et maintenant, à son retour par les bois de Jalna, les pins, les chênes et les sveltes bouleaux l'attendaient comme des amis. Il aurait volontiers passé le reste de sa vie parmi eux. Il était las des gens, de leurs yeux curieux, de leurs bouches qui répétaient indéfiniment la même chose.

Presque sans se rendre compte de la direction qu'il

prenait, il dépassa la maison, s'engagea dans le ravin et remonta l'autre pente, un peu essoufflé, car elle était abrupte, vers la Ferme aux Renards. Par cette journée calme et sans soleil, sous ce ciel lourd d'une neige qui épaississait encore le lourd silence des bois, la petite maison avait l'air de celle d'un conte de fées allemand. Elle aurait pu s'ouvrir pour livrer passage à un nain ou à une petite vieille, plus ou moins fée. La fumée qui s'élevait de sa cheminée n'était pas ordinaire. Elle montait lentement, légère, blanche comme un duvet, et se répandait sur le toit qu'elle coiffait comme un faux agaric.

C'était la première fois que Finch revenait à Jalna depuis l'arrivée du jeune Bell. Il lui semblait étrange de le trouver là; mais, souvent, Finch trouvait étranges les choses les plus banales. Il avait reçu en don à sa naissance le pouvoir ou la faiblesse de l'étonnement. Constamment, il se disait : « Comme c'est curieux ! » Une combinaison de sons, au piano, qu'il avait entendue des milliers de fois, le frappait soudain comme une nouveauté, et il s'arrêtait, goûtant une délicieuse surprise.

Maintenant, cette fumée qui s'enroulait en spirale sitôt sortie de la cheminée et qui s'étalait comme un champignon vénéneux d'un blanc grisâtre le fascinait. Son visage avait pris ce que Renny appelait son expression idiote.

Par la fenêtre, Humphrey l'observait. Il se cachait à sa vue et l'observait. Son pouls s'était accéléré en voyant le long visage sensible gravé dans sa mémoire depuis leur rencontre à Boston. Il s'était souvent demandé si ce visage offrait autant d'intérêt qu'il se le figurait, et à présent, presque joyeusement, il se disait que oui.

Finch s'approcha lentement de la porte et quand il

l'atteignit, Bell était là pour l'accueillir. Lorsqu'ils se
furent serré les mains, Finch regarda autour de lui
avec approbation.

« Eh bien, dit-il, vous vous êtes installé, et très
confortablement. »

Le poêle était chauffé presque au rouge.

« Je m'excuse s'il fait trop chaud ici, mais j'ai été
si longtemps à demi gelé dans des camps de prisonniers que la chaleur ne me paraît jamais trop vive.
Ne voulez-vous pas ôter votre manteau ? »

Finch l'enleva et Bell plaça deux fauteuils côte à
côte devant la fenêtre.

« Cela vous est égal ? demanda-t-il avec timidité.
Je mets toujours les fauteuils à cet endroit quand votre
frère vient me voir.

— Ça me va parfaitement, dit Finch. Lequel de
mes frères ?

— Renny. L'autre n'est jamais venu.

— Piers est entièrement absorbé par son travail et
sa famille. Comment vous plaît Renny ?

— Il est exactement comme vous me l'aviez dépeint.
Le voir à cheval... eh bien, cela me fait l'effet d'un
poème.

— Vous êtes heureux de vivre ici ?

— Vous n'auriez pu me rendre un plus grand service que vous ne l'avez fait en m'y envoyant. Je
m'y suis adapté aussi complètement qu'un lapin à son
terrier. »

La comparaison était presque trop appropriée. Finch
gloussa de rire, puis il dit :

« J'ai appris que vous dîniez occasionnellement à
Jalna ; j'en suis content.

— Votre famille m'a témoigné la plus grande bonté.
Pas seulement le colonel Whiteoak, mais Mrs. Whiteoak

et les deux vieux oncles. J'ai plus de plaisir à aller chez eux que dans aucune des autres maisons où j'aie jamais été invité.

— Eh bien, et Adeline ? »

Finch s'était assis, mais Bell était resté debout appuyé au cadre de la fenêtre, les mains dans ses poches, les yeux fixés sur le pâle paysage.

« Oh ! elle ! répondit-il. Elle est si sereine, si peu atteinte par la vie que je n'ose penser à elle.

— Elle n'est, en réalité, qu'une grande enfant. Un jour, elle sera une femme intéressante.

— Elle possède la plus merveilleuse ossature, dit Bell d'un ton rêveur. Sa beauté ne tient pas seulement à sa jolie peau, à ses beaux yeux et à ses cheveux mordorés.

— Elle ressemble à ma grand-mère dont le visage, je vous l'affirme, Bell, était encore remarquable à l'âge de cent ans. La vieillesse n'avait pu modifier son ossature. Dieu ! Je me rappelle ses vieilles mains, restées si belles en dépit de leurs rides ! Elle portait une quantité de bagues.

— Je regrette de ne pas l'avoir connue. J'ai vu son portrait.

— Je ne l'ai connue que lorsqu'elle était très âgée », dit Finch; puis, au bout d'un moment, il ajouta impulsivement : « Elle m'a laissé tout son argent.

— Vous étiez son préféré ?

— Non. Je n'ai jamais très bien compris pourquoi elle l'a fait. Je l'ai d'ailleurs déploré. »

Finch demeura un certain temps perdu dans ses pensées, ses longs yeux bleu-gris comme obscurcis par un souvenir pénible. Puis, il demanda brusquement :

« Que faites-vous ici pour passer le temps ?

— Oh ! j'écris d'assez médiocres nouvelles. Je les suppose mauvaises, sans quoi les éditeurs les accepteraient. Je n'écris pas de ces choses pleines d'une amère désillusion comme en pondent la plupart des littérateurs qui sont allés à la guerre, de ces histoires toutes en mots d'une syllabe et sans aucune ponctuation. J'aime les longs mots, j'aime les subtilités de la ponctuation, j'aime broder et développer. Mais je ne sais pas parler d'amour; je suis trop contenu. trop vague.

— Accordez-vous du temps, dit Finch. Vous ne vous y êtes mis que depuis six mois.

— Je devrais m'en tenir à sculpter des petites bêtises comme celles-ci, dit Bell en détournant son regard de la fenêtre pour le porter sur la cheminée où s'alignaient ses petites figurines.

— Je ne crois pas que vous soyez heureux ici, bien que vous disiez vous y sentir comme un lapin dans son terrier.

— Oh ! si, je suis heureux, se hâta de protester Bell. Je n'ai jamais été aussi heureux qu'ici. (Il se mit à rire et à ébouriffer ses cheveux de chanvre argenté, qui formèrent autour de sa tête une sorte d'auréole.) Seulement, il y a dans le voisinage quelqu'un que je ne peux pas sentir et qui me tape rudement sur les nerfs.

— Qui cela ?

— Mr. Clapperton.

— Oh ! celui-là ! Vous êtes fait pour vous entendre à son propos avec mon oncle Nicolas !

— Nous en avons parlé. Votre oncle le traite invariablement d'horrible vieux fléau.

— Qu'a-t-il fait pour vous agacer ?

— Chaque fois qu'il me rencontre sur la route ou

dans le village, il m'arrête et m'accable de conseils
que je ne lui demande pas. Il me prétend mentalement malade et m'en donne pour preuve que je vis
enfermé tout seul, que je parle d'une manière anormale et que j'ai l'air bizarre. Il dit que je devrais
consulter un psychiatre; que, d'ailleurs, cinquante pour
cent des gens sont des détraqués et qu'une personne sur dix devrait être dans une maison de santé.
S'il ne me laisse pas tranquille, je serai capable de
me livrer sur lui à des voies de fait qui me conduiront
en prison !

— Pourquoi ne l'évitez-vous pas ?

— Je ne peux pas. Il se trouve toujours sur mon
chemin, avec son sourire suffisant et sa philosophie de
pacotille.

— Avez-vous fait la connaissance de sa femme et de
sa belle-sœur ?

— Une fois, il m'a traîné presque de force pour
me montrer ses tableaux. Je suppose qu'il n'existe
nulle part pire collection de croûtes. Néanmoins, il
prétend qu'elles l'encouragent à mener une vie meilleure. Je ne sais pas comment ces deux femmes arrivent à le supporter. Elles paraissent gentilles, bien
qu'un peu étranges. »

Bell calma, par respect pour Finch, l'agitation qui
l'avait gagné et alla chercher du whisky.

On était en mars, mais dans ces bois, rien n'an-
nonçait le printemps. La neige était plus épaisse que
pendant tout l'hiver, et l'air lourd en faisait prévoir
de nouvelles chutes. Le silence était profond. Aucune
bête ne s'aventurait hors de son terrier pour laisser
ses empreintes sur la neige. Cependant, parmi les
oiseaux migrateurs, les corneilles avaient lancé à travers le ciel leur cri de défi et, un matin, on avait vu
un rouge-gorge. « Le premier rouge-gorge ! » s'était

écriée Adeline. « Il faut que je formule un vœu ! »
Et, combinant la superstition avec la religion, elle
avait murmuré : « Oh ! mon Dieu ! je vous en prie !
faites que j'aille en Irlande ! »

« La jeune Adeline meurt d'envie d'aller en Irlande », dit Finch.

Bell eut l'air étonné.

« Je croyais qu'elle était parfaitement heureuse ici,
dit-il. Pourquoi désire-t-elle aller en Irlande... plutôt
qu'ailleurs ?

— Elle y a été une fois avec son père et elle voudrait y retourner. Mon neveu Maurice doit s'y rendre
au printemps. Si elle y va, il faudra que quelqu'un les
accompagne. Soit Renny, soit moi. »

En parlant, Finch regardait par la fenêtre, mais il
eut conscience qu'un changement s'opérait en Bell et
il lui jeta un coup d'œil. Le jeune homme mordait
son pouce et tenait les yeux baissés. Il demanda :

« Combien de temps resterait-elle absente ?

— Environ deux mois. »

Bell eut un petit rire gêné.

« Ne me croyez pas trop curieux, dit-il, mais je
ne peux m'empêcher de vous poser cette question :
quelqu'un — je crois que c'était Mrs. Clapperton
— m'a dit qu'il y avait un accord tacite entre
Adeline et son cousin. Doivent-ils faire ce voyage en
fiancés ?

— Presque tous les membres de la famille le souhai-
teraient, mais il n'en est rien. Adeline n'a pas manifesté de préférence pour Maurice, et ses parents sont
trop sensés pour exercer une pression sur elle. Son
père ne le permettrait pas. Il n'a nulle hâte de donner
sa fille à un homme destiné à vivre à quatre mille
kilomètres de chez lui.

— Celui qui l'épousera aura une femme exquise, dit Bell.

— Oui, et pleine de feu. Il lui faudra beaucoup de caractère.

— Il doit être étrange, dit Bell en tournant ses yeux bleus sur Finch, de vivre seul dans une maison avec une femme qu'on aime désespérément... Je vivais avec cinq femmes; c'était très différent. Mais seul avec une femme qu'on aime profondément, tout ce qu'elle fait ou dit doit être terriblement important; on doit tout le temps se surveiller de crainte de faire ou de dire quelque chose qui pourrait la blesser. Et si, par hasard, elle vous blesse, il faut le lui cacher... Vous avez été marié. C'est bien ainsi, n'est-ce pas ?

— Il y a de pires choses que d'être blessé. Il y a l'asphyxie, dit Finch.

— Mais si on l'aime vraiment ?

— Eh bien... on n'en est jamais sûr avant d'essayer.

— Je suppose qu'il finira par l'épouser, dit Bell, sa pensée revenant à Maurice. Il est riche, joli garçon, et il a la famille pour lui. Il a tout.

— Excepté l'amour d'Adeline. Cela, il ne l'a pas... encore.

— Avec ce voyage, le tour sera joué. Je me les figure très bien dans quelque pittoresque vieux château irlandais... le genre de demeure à charmer une jeune fille. »

Bell força sa petite bouche sensible à sourire comme si le tableau qu'il évoquait lui était agréable.

Finch se mit à lui parler de l'Irlande, et du vieux Dermot Court qui avait légué sa fortune à Maurice.

« A propos de l'Irlande, continua-t-il, ma femme était Irlandaise; une cousine éloignée. Nous nous sommes séparés et nous nous sommes remis ensemble. Mais ça n'a pas duré. »

Sur le chemin du retour, Finch avait l'esprit rempli du souvenir de Sarah. Sa silhouette se glissa hors du bois et vint l'attendre sur le pont rustique. Il voyait sa tête noire et lisse où se tordaient ses tresses; ses mains blanches serraient la barre d'appui couverte de neige comme pour s'empêcher de courir à sa rencontre. Il se rappela la sensation de ces mains sur son cou... Et maintenant, elle était morte, morte comme ce frêne tombé, déraciné par la tempête en pleine jeunesse... Il ne conservait d'elle que le souvenir de l'emprise sensuelle à laquelle il avait voulu échapper. Mais il ne pourrait plus jamais être tel qu'il était avant de la connaître; elle l'avait modifié, amoindri... Pourtant, avait-il jamais été parfaitement sain, parfaitement normal ? Il en doutait. Et ici, à Jalna, vivait leur fils, Dennis, toujours si heureux de le revoir. Le plaisir du petit garçon le touchait à chacun de ses retours. Cependant, comme père, il ne valait pas grand-chose comparé à Renny qui avait servi de père à tous ses frères, à la fille d'Eden, et qui maintenant, était pour Dennis, un meilleur père que lui-même.

Comme l'élégance de Sarah était raffinée ! Elle donnait l'impression d'un bibelot de précieuse porcelaine. Avec cela, aussi impitoyable qu'une tempête. De sa tombe de Californie, elle lui parla en un instant de communion, et il hésita sur le pont pour écouter son murmure glacé.

Derrière lui, il avait creusé la neige d'une série de profondes empreintes bleuâtres. Un chêne avait réussi malgré vents et frimas, à conserver deux feuilles brunes. L'une d'elles se détacha dans l'air calme et voleta lentement vers le sol comme un oiseau fatigué.

Du côté de la maison, il entendit des aboiements; les chiens demandaient qu'on leur ouvrît la porte. Bientôt, on dut l'ouvrir, car les aboiements cessèrent.

La porte se referma en claquant. Finch s'imagina la chaleur et la lumière à l'intérieur de cette maison où les Whiteoak avaient vécu près d'un siècle. Peut-être y vivraient-ils encore un siècle ou deux ? Il en éprouva l'attirance; il l'entendit lui dire de ne perdre aucune des heures précieuses qu'il pouvait passer sous ce toit, le seul sous lequel il se sentait à l'abri et en sécurité. Quelquefois, quand il donnait une tournée de concerts, jouant du piano dans une ville lointaine, il se rappelait le piano de Jalna; son esprit et ses doigts le retrouvaient, et, le lendemain, les critiques écrivaient qu'il n'avait jamais mieux joué.

Dans le hall où le chien de berger, le bouledogue et le terrier écossais accroupis devant le poêle, retiraient les paquets de neige restés entre leurs griffes, Finch, tout en se réchauffant les mains, écouta les voix des deux vieux oncles assis dans la bibliothèque, et elles lui rappelèrent les deux dernières feuilles du chêne qu'il avait vues dans le ravin.

Sa casquette à la main, il dit, à la porte de la pièce :

« Je n'entre pas; j'ai trop de neige sur moi.

— Merci, mon cher garçon, dit l'oncle Ernest. Je suis extrêmement sensible au froid.

— Où es-tu allé ? demanda l'oncle Nicolas.

— J'ai fait une bonne promenade et je me suis arrêté avant de rentrer, chez Humphrey Bell.

— Un type qui a l'air d'un albinos, dit Nicolas.

— Il a servi dans l'aviation. C'est un jeune homme très bien, répliqua Ernest.

— Je n'ai pas dit qu'il n'était pas bien, j'ai dit qu'il avait l'air d'un albinos, dit Nicolas, en s'étirant au point de faire craquer son fauteuil. Quelle longue journée ! Je serai content quand viendra le printemps. Le printemps ! Nous sommes en mars. Songez aux pri-

mevères d'Angleterre; on ne peut y marcher, en cette
saison, sans en écraser. Je ne les reverrai jamais. »

Et Nicolas fit entendre un son intermédiaire entre
le bâillement et le grognement, car il n'était pas
malheureux.

« Il y a des jours, dit Ernest, où ton oncle Nicolas refuse d'écouter la radio. Il prétend que ça le
fatigue. »

La moustache grise de son frère se hérissa.

« Je n'ai pas dit que ça me fatigue; j'ai dit que
j'en suis fatigué. Il y a trop d' « étoiles » du micro.
Autrefois, les étoiles étaient peu nombreuses, et bril-
lantes. Maintenant, il y en a toute une Voie Lactée.
Elles m'ennuient. C'est ça que j'ai dit. Il y a trop de
tout; voilà ce que je dis. »

Ils entendirent les pas d'Adeline descendre l'escalier
en courant. Elle apporta dans la pièce une joie
presque matérielle.

« Vous ne savez pas ? s'écria-t-elle, Mère et Daddy
ont dit que je pourrai aller en Irlande avec Maurice !
Et ils aimeraient que tu m'accompagnes, oncle Finch,
pour me surveiller; comme si j'avais besoin d'être surveillée ! Daddy pense que le repos te ferait grand bien.
Tu viendras, n'est-ce pas ? Je t'en prie ! Parce que
mon voyage en dépendra beaucoup. »

Renny entra à son tour dans la bibliothèque et
Finch lui demanda :

« Pourquoi n'accompagnes-tu pas toi-même ta fille ?
Ta compagnie lui plaît plus que tout autre.

— Je le sais et j'aimerais énormément y aller, mais,
d'abord...

— Ne dis pas que c'est une question d'argent !
s'écria Adeline. Tu sais que tu en as les moyens, mon
chéri.

— D'abord, persista-t-il, il y a la dépense — et je
ne dirai pas que c'est cela qui compte le plus —,
ensuite, il y a que je ne veux pas quitter Jalna. J'ai
peur de ce que Clapperton fera en mon absence. J'ai
entendu dire qu'il projette de construire une usine
quelconque sur le terrain des Black.

— Ce n'est pas possible ! s'exclama Ernest. Mes parents se retourneraient dans leur tombe.

— Il s'en ficherait pas mal. C'est un homme d'affaires. L'entreprise serait fructueuse. Elle serait à trois
kilomètres de chez lui.

— Il ne le fera pas, dit Nicolas. J'en suis sûr. Cela
déprécierait sa propriété. Tous ces ragots ne sont
répandus que pour nous exaspérer. Cet horrible individu sait qu'ils nous parviennent et cela lui fait
plaisir.

— Je crois que vous avez raison, oncle Nick », dit
Finch.

Adeline lui prit le bras et frotta sa joue contre
l'épaule de son oncle.

« Il a été décidé que quelqu'un doit faire le voyage
avec Mooey et moi. Daddy ne veut pas venir; alors,
il faut que tu viennes, oncle Finch. Je mourrai de
chagrin si je n'y vais pas.

— Alayne devrait y aller, dit Finch.

— Bien sûr, dit Renny. Il y a des années et des
années qu'elle n'est allée en Europe. Mais elle est
enfoncée dans une ornière et elle ne veut plus en
bouger. »

Alayne, sur le point d'entrer dans la pièce, entendit
cette dernière phrase. Elle savait qu'Adeline préfé-
rerait la compagnie de Renny ou celle de Finch à la
sienne, et elle en souffrait, mais sans doute en était-elle
cause elle-même, car bien qu'elle aimât sa fille, elles

ne s'étaient jamais accordées. Et puis, il y avait son
fils. Lui était-il sympathique ? Son haut front blanc
et ses yeux bleus perçants étaient ceux de son père à
elle, mais il n'avait hérité ni de son intelligence ni de
sa nature douce et modeste; il faisait preuve d'un
esprit capricieux et d'un profond égoïsme.

« Je crois que personne ne jouirait autant que vous
de ce voyage, Finch, dit-elle. Et je suis sûre que,
sauf son père, aucun compagnon ne serait plus agréable
à Adeline.

— Maintenant, Finch, dit Renny, c'est à toi à te
décider.

— Mon cher garçon, dit Ernest en prenant l'une
des mains de Finch, je crois que tu devrais consentir
à les accompagner. Mooey m'y avait très gentiment
invité et je crois qu'il avait l'intention de subvenir à
toutes les dépenses, mais plus j'y songe et plus je me
persuade que cela dépasserait mes forces. J'ai quatre-
vingt-quinze ans. Peux-tu le croire ? »

Il leva les yeux vers Finch d'une façon assez pathé-
tique, comme s'il lui demandait l'assurance qu'il n'était
pas vraiment aussi vieux.

« Tu es un bon garçon, Finch, un bon garçon »,
dit l'oncle Nicolas.

Comment résister ? D'ailleurs, le voyage tentait
Finch. La traversée en bateau, avec Mooey et Adeline, la perspective de revoir l'Irlande l'attiraient. Tous
ses voyages étaient solitaires et se faisaient par avion
ou chemin de fer, avec un concert menaçant au bout.
L'idée de voir son frère Wakefield qui jouait en ce
moment une pièce à Londres le ravissait. Comme
toujours lorsqu'il était ému, il perdit le contrôle de
sa voix, et ce fut presque en criant qu'il dit :

« J'accompagnerai Adeline ! Cela me fera plaisir.
C'est précisément ce que j'ai le plus envie de faire. »

Elle lui jeta les deux bras autour du cou et il sentit leur robustesse.

« Oh ! c'est merveilleux ! »

Et elle se mit à danser à travers la pièce, virevoltant autour des autres.

« Qu'est-ce qui est merveilleux ? demanda Dennis du seuil où il venait d'apparaître, ses yeux étincelants sous la frange jaune de ses cheveux.

— Oncle Finch et moi allons en Irlande !

— Est-ce que je peux y aller aussi ?

— Tu es trop jeune.

— Il y a des bébés qui vont en Europe !

— Ils y vont avec leur mère.

— J'irai avec mon père.

— Non, dit Finch, tu ne peux pas y aller.

— Pourquoi ?

— Pour des douzaines de raisons.

— Dis-m'en onze », dit-il en tirant Finch par la manche.

Désireux de se débarrasser de Dennis, Finch monta à sa chambre, au dernier étage, en gravissant les marches deux par deux. Mais il entendit son fils monter derrière lui une marche à la fois sans haleter. Finch se retourna.

« Eh bien ? demanda-t-il.

— Je voudrais aller en Irlande.

— Tu es trop jeune. Ton tour viendra.

— Si on y allait tous par ordre d'âge, mon tour viendrait seulement quand je serais vieux.

— Je te rapporterai quelque chose de beau... tout ce que tu voudras, dit Finch pour le consoler, en se rappelant que Wakefield demandait aussi à aller partout quand il était petit.

— M...mmm », murmura Dennis. Il prit la main de son père et la caressa avec sa joue. Il repoussa la manche de Finch et lui caressa le poignet, ses petites mains se cramponnant à lui.

« Lâche-moi, dit Finch, le souffle court. Va-t'en, Dennis; sois sage. »

Le petit le laissa; Finch referma la porte sur lui; puis il regarda la main que Dennis avait caressée.

VIII

DANS LA CUISINE, AU SOUS-SOL

Assis sur une petite table de la cuisine, Rags, le domestique, fumait l'une des cigarettes de Renny. Sa femme était en train de gratter le dessus brûlé d'un pavé de pain d'épice. Une auréole de fumée bleu pâle entourait sa tête brûlante, et elle mordait d'exaspération sa lèvre inférieure.

« Tu chauffes toujours trop ton four, dit-il avec l'accent londonien qu'il avait conservé en dépit de trente ans passés au Canada.

— Mêle-toi de ce qui te regarde, répliqua-t-elle avec son accent de l'Ontario.

— Tu veux dire que ça ne me regarde pas ? Si j'apporte un pain d'épice brûlé sur le plateau du thé, je voudrais bien savoir à qui on fait la tête; à toi ou à moi ?

— Les vieux messieurs ne se plaignent jamais.

— Vraiment ? Comment le sais-tu ?

— Ils ne se plaignent jamais à moi.

— C'est ça. Toutes les plaintes sont réservées à ton humble serviteur. Tout ce qui cloche... Bon ! voilà le gaz qui fuit ! Tu n'as donc pas de nez ? »

Il sauta de la table et alla fermer le robinet du gaz.

« Sous certains rapports, dit-elle, j'aimais mieux ma vieille cuisinière à charbon.

— Alors, pourquoi que tu ne t'en sers pas ? Elle est toujours là, dans son coin.

— Allume-la-moi. Le patron aussi la préfère.

— Il aime tout ce qui donne le plus de mal. Ils sont tous comme ça.

— Dis-le-lui.

— Oh ! lui et moi, on s'entend. T'en fais pas. »

Elle claqua la porte du four et porta le pain d'épice à l'office.

« Il en faudrait plus que toi pour que je m'en fasse », dit-elle.

Quand elle revint dans la cuisine, elle y trouva installé le vieux Noah Binns, ancien valet de ferme à Jalna, depuis longtemps à la retraite à cause de son âge et de son rhumatisme. Il entrait souvent tailler une bavette et boire une tasse de thé.

« Comment vous portez-vous, Mrs. Wragge ? demanda-t-il d'un ton pessimiste. Affreux pays, n'est-ce pas ?

— Je n'ai pas le loisir de faire attention au temps, dit-elle. C'est mon mari qui le remarque.

— Il n'y aura pas de printemps, dit Noah Binns.

— Pas de printemps ? dit-elle ébahie.

— Pas de printemps du tout, fit-il en découvrant par un large sourire l'unique dent qui ornait sa mâchoire supérieure. Nous passerons directement de l'hiver le plus rude à l'été le plus brûlant, le plus bouillant... au pire qu'on puisse avoir. Tous les signes l'annoncent.

— Eh bien, je n'ai jamais rien vu de pareil.

— Personne d'autre non plus, je vous le garantis.

— Ne découragez donc pas ma femme, intervint Rags. Elle vient de laisser brûler son pain d'épice.

— Je le préfère brûlé, dit Binns. Il a moins le goût du pain d'épice, comme ça.

— Je ne peux guère vous en offrir une tranche, dit la cuisinière.

— Tout ce que vous faites est bon », se hâta de dire Binns.

En se dandinant, elle retourna à l'office et en rapporta une assiette de tranches carrées de pain d'épice.

« Je vois que l'eau bout, dit Binns.

— Elle bout tout le temps dans cette cuisine. Faisnous une tasse de thé, ma femme », dit Rags d'un ton affectueux.

Noah Binns continua ses prédictions météorologiques sinistres jusqu'à ce qu'ils fussent tous trois attablés devant des tasses de thé fumant. La neige amoncelée devant les fenêtres du sous-sol y blanchissait la lumière. Des rangées de casseroles d'aluminium et quelques ustensiles de cuivre brillaient sur les murs. Les planches étaient surchargées de paquets et de bouteilles de produits de nettoyage si nombreux qu'Alayne se demandait souvent comment les Wragge pouvaient les utiliser tous. Sur une étagère s'empilaient des plats, pour la plupart fendus, pour avoir été trop chauffés, souvenirs des grands dîners d'autrefois. Une table supportait un monceau d'objets de cuivre et d'argent qui attendaient d'être fourbis. Rags les désigna d'un mouvement de la tête :

« C'est demain qu'on fait l'argenterie. Vous voulez bien venir me donner un coup de main ? »

Binns, la bouche trop pleine de pain d'épice pour parler, ne répondit pas tout de suite; puis il dit :

« Le temps de travailler est passé pour moi. Per-

sonne, dans le pays, n'a trimé aussi longtemps et aussi
dur que moi. Et cette cloche, comme je l'ai sonnée ! »

Les deux Wragge échangèrent un clin d'œil.

« Vous voulez dire la cloche de l'église, Noah ? dit
Mrs. Wragge.

— J'ai sonné cette cloche, dit-il, la voix vibrante
de fierté, pendant cinquante ans. Personne ne l'a fait
sonner aussi fort ni avant ni après moi. Quand j'étais
dans la force de l'âge, le marguillier avait peur que
je la brise. Je la faisais parler, cette cloche. Quand je
voyais le colonel Whiteoak arriver en retard à l'église,
je faisais dire à la cloche : « Dépêche-toi, espèce de
« rouquin, sois damné, sois damné, sois damné ! »
Elle le chantait rudement bien ! »

Les Wragge se tordirent de rire.

« Et est-ce qu'il se dépêchait ? demanda Mistress
Wragge, qui se figurait le tableau.

— S'il se dépêchait ? Je vous crois ! Il se mettait à
courir comme un lièvre. Mais ce travail a fini par
être au-dessus de mes forces. Depuis un an, je ne suis
plus capable de sonner la cloche et je n'ai jamais vu
les gens arriver avec autant de retard que maintenant.

— Il y a un nouveau remède qui guérit le rhumatisme, dit Rags, mais il ne sera pas dans le commerce
avant un an ou deux.

— Je ne crois pas aux drogues, dit Noah. J'en ai
pris de quoi fabriquer une bombe atomique, et elles
ne m'ont fait aucun bien. Le seul médicament que je
prends à présent est le séné. J'ai commencé par le séné
et je finirai avec. »

On frappa à la porte extérieure.

« Entrez ! » cria Mrs. Wragge, et Wright, le pale-
frenier en chef, entra dans la cuisine. Trapu, les joues
colorées, il avait commencé à travailler à Jalna

trente ans auparavant, à dix-huit ans. Il tapa des
pieds pour secouer la neige de ses chaussures, puis
il salua la compagnie d'un joyeux et sarcastique :

« Beau jour de printemps, n'est-ce pas ?

— C'est tout le temps que nous verrons, dit Noah
Binns. Nous passerons tout de suite de ce froid à un
été brûlant. Tous les signes l'indiquent.

— Eh bien, je suppose que nous le supporterons,
après tout ce que nous avons subi, dit Wright en
approchant une chaise de la table.

— Nous ne savons pas ce qu'est le malheur, dans
ce pays-ci, sauf celui que nous fabriquons nous-mêmes,
dit Rags.

— Nous ne fabriquons pas les hannetons et la nielle,
quand même ? répliqua Noah Binns d'une voix tremblante de colère.

— Le plus grand fléau, par ici, c'est le vieux Clapperton, dit Wright.

— Quelle est sa dernière invention ? demanda
Mrs. Wragge en plaçant devant lui une tasse de thé
et du pain d'épice.

— Eh bien, vous connaissez la ferme des Black ?

— Oui. Il l'a achetée.

— C'est un sale tour que ces gens-là ont joué au
colonel Whiteoak, de vendre leur ferme sans lui donner
une chance de pouvoir l'acheter.

— Black savait qui lui en donnerait le plus gros
prix, dit Wright en tournant tristement sa cuiller
dans sa tasse. J'ai appris de la meilleure source qu'on
va y construire une usine.

— Il y aura des usines et des stations-service partout avant que je sois mort, dit Noah Binns. Il y
en aura à l'endroit même où nous sommes assis.

— Eh bien, vous êtes gais, vous ! s'écria Rags.

— J'espère être sous terre avant ce jour-là », dit Wright.

Mrs. Wragge frappa la table du poing et dit :

« Le colonel ne le permettra jamais ! Tous les pro priétaires s'insurgeront !

— Avez-vous jamais vu les propriétaires empêcher quoi que ce soit ? demanda le vieux Binns.

— Le colonel Whiteoak a empêché qu'on bâtisse des bungalows, dit-elle.

— Raikes m'affirme qu'on va creuser les fondations de nouveaux bungalows dès que la terre sera dégelée.

— Ça ne sera pas toléré », dit Mrs. Wragge en le foudroyant du regard.

Un coup discret fut frappé à la porte.

« Je parie que c'est Tom Raikes, dit Mrs. Wragge. Il frappe toujours de cette manière polie. Entrez ! »

Raikes entra, légèrement courbé comme s'il saluait. Il ôta son chapeau et une mèche noire retomba sur ses grands yeux.

La cuisinière l'accueillit chaleureusement tandis que les hommes le regardaient, un peu soupçonneux. Il eut bientôt devant lui une tasse de thé et une tranche de pain d'épice. A l'instant où Mrs. Wragge les plaça sur la table, il lui frôla de sa tête son bras vigoureux et chaud et lui adressa un sourire reconnaissant qui fit luire ses dents blanches dans son visage basané.

« Je n'aime pas l'air de ce type-là, murmura Noah Binns à l'oreille de Wright.

— Chut ! fit celui-ci du coin de sa bouche.

— Ce que la saison est en retard ! disait Raikes. En venant, j'avais, dans le sentier, de la neige presque jusqu'aux genoux.

— Et il y en a davantage au ciel, dit Wright.

— C'est terrible comme les journées allongent, dit

Noah. Il n'y a rien de pire, à mon avis, qu'une longue journée sans rien qui annonce le printemps.

— Prenez encore une tasse de thé, Noah, dit Mrs. Wragge, en la poussant vers lui à travers la table sans cérémonie. Ça vous remontera.

— Ce nouveau sonneur, dit-il, ne semble pas savoir manier la cloche. Tous les dimanches, je me tiens auprès de lui matin et soir, et les doigts me démangent de lui prendre la corde. Il ne sait pas faire convenablement sonner la cloche, et il ne le saura jamais, bien que je le lui explique à chaque fois qu'il tire la corde.

— Bon sang ! s'exclama Mrs. Wragge.

— Je lutte avec ce jeune homme, continua Noah, jusqu'à ce que la sueur coule sur nos deux visages. « Plus vite ! » que je lui dis, et ensuite : « Pas si vite, mais plus fort ! Ne vous tortillez pas comme si vous aviez mal au ventre ! » que je lui dis. Et puis, il me répond en criant, mais je ne l'entends pas à cause du bruit de la cloche. Il y a de quoi vous rendre fou.

— Bonté divine ! » s'écria Mrs. Wragge.

D'une voix grave, comme chargée de souvenirs, Raikes dit :

« Vous devriez entendre les cloches de mon pays, Mr. Binns.

— C'est l'Irlande, hein ? demanda Noah d'un ton méprisant.

— Oui. Je viens d'un village d'Irlande où l'église a six cloches merveilleuses et un sonneur pour chacune d'elles. Si vous entendiez les beaux carillons des jours de fête !

— Ce sont des cloches catholiques ? dit Noah d'un ton encore plus méprisant.

— Non. Protestantes.

— Je n'oublierai jamais mon voyage en Irlande,

dit Wright. Le vieux Mr. Court avait demandé qu'on lui envoie le petit Maurice, et c'est moi qui le lui ai amené. C'était une lourde responsabilité, mais j'y ai pris plaisir.

— Je me rappelle si bien quand ce pauvre petit garçon est venu nous dire adieu. Il était si mignon ! dit Mrs. Wragge.

— Et maintenant, c'est un homme et il va aller prendre possession de son héritage. Dieu ! comme le temps passe ! soupira Wright.

— Il file ! s'écria Noah. Cinquante ans que j'ai sonné cette cloche, et croyez-vous qu'un membre de cette famille m'ait jamais dit que je le faisais bien ? Non, pas un seul ne me l'a dit.

— Est-ce que vous me comptez ? demanda Mrs. Wragge.

— Non. Est-ce que vous désirez être comptée comme un membre de cette famille ?

— Eh bien, le colonel Whiteoak le fait souvent.

— Je suppose, dit Raikes de sa voix douce, que c'est une belle propriété que M. Maurice possède là-bas.

— Magnifique, dit Wright avec fierté. Un château trois fois grand comme la maison d'ici, avec des armures anciennes dans le hall et un superbe escalier.

— La maison d'ici n'est pas grand-chose, dit Noah.

— C'est la plus belle de la région, dit Wright avec truculence.

— Quelle blague ! Vous devriez voir certaines de celles qu'ont bâties les millionnaires, au bord de la mer.

— Je les ai vues. Ils peuvent les garder pour eux, avec leurs piscines, leurs salles de débauche et leurs bars. Il n'y en a pas une qui ait des écuries compatables aux nôtres, dit Wright en repoussant sa tasse

et en croisant les bras sur sa poitrine. Ces gens-là,
avec leurs trois voitures et leur camionnette — bah !
ils ne savent pas vivre !

— J'ai eu un petit accident, la nuit dernière, dit
Raikes. Je conduisais la voiture de Mr. Clapperton
et, en rentrant, un camion m'a envoyé me cogner
contre un poteau télégraphique. La voiture est à peu
près démolie.

— Quelle malchance ! dit Mrs. Wragge. C'est éprouvant pour les nerfs, ces accidents. Tenez, prenez
encore une tasse de thé.

— Merci, je veux bien. »

Il l'avala d'un trait, brûlante.

« Qu'a dit Clapperton ? demanda Wright avec un
large sourire.

— Il était plutôt bouleversé. Mais il ne pouvait
dire grand-chose, vu que ce n'était pas ma faute. Il
me laisse l'usage de cette voiture. L'autre ne sert qu'à
la famille.

— Comment vont les cochons ? demanda Wright.

— Ah ! les petits sont morts, dit Raikes tristement.

— Espérons que vous aurez plus de chance avec la
prochaine portée. Comment va la réfugiée ?

— Elle part demain.

— Est-ce qu'elle a vraiment trouvé un serpent dans
sa chambre ?

— Je parie que c'était Clapperton », dit Wright

Mrs. Wragge eut un éclat de rire qu'elle réprima
aussitôt. Rags émit des gloussements successifs; Noah
s'étrangla et cracha sa dernière gorgée de thé. Seul
Raikes demeura placide.

« Ce n'est pas un serpent, dit-il, mais simplement
une inoffensive souris. Elle n'est pas habituée à la
campagne ni à notre manière de vivre. Elle s'en va

chez des amis. Nous pourrions l'obliger à rester, mais nous saurons nous passer d'elle. J'aiderai au ménage.

— Vous ! s'esclaffa Mrs. Wragge. Je le croirai quand je le verrai !

— Je vous aiderai dans votre propre cuisine à l'instant même si vous le voulez.

— C'est moi qui fais presque tout le travail ici ». dit Rags.

Avant qu'elle pût riposter, Noah Binns éleva sa voix rauque :

« C'est un péché de la part du gouvernement de permettre à ces étrangers de nous enlever le pain de la bouche. Ils vont être une plaie, dans ce pays, et le conduire à la ruine.

On entendit des pas et une paire de jolies jambes apparut dans l'escalier, venant du rez-de-chaussée. On aperçut une jupe écossaise, puis une blouse verte et enfin le visage souriant d'Adeline. Les hommes se mirent à remuer les pieds sous la table et à repousser leurs chaises, mais elle leur cria :

« Ne bougez pas ! Dieu ! quel joli tableau vous faites ! Bonjour, Noah ! que pensez-vous du temps pour le mois d'avril ?

— C'est exactement ce que j'ai prédit l'automne dernier, mademoiselle. Il n'y aura pas de printemps, que j'ai dit, et nous passerons directement des frimas de l'hiver à un été torride. »

Adeline se percha sur le large appui de la fenêtre.

« Demandez du beau temps pour moi dans vos prières, Noah. Je vais faire un voyage en mer.

— Voilà qui est mauvais, dit Binns. Il se prépare des tempêtes, et il y a encore des mines allemandes flottant un peu partout. Je veux être pendu plutôt que de traverser l'océan — même si on me payait le

voyage à bord du *Queen Mary,* et on dit que ce
bateau-là roule comme s'il était possédé du diable.

— Oh ! Noah ! ne soyez pas aussi décourageant !... »
Mais elle rit joyeusement.

« Je suppose que vous partez avec M. Maurice,
mademoiselle, dit Wright. Je me souviens bien de
notre voyage d'il y a douze ans, quand je l'ai amené
en Irlande.

— Oui, et oncle Finch viendra avec nous, dit Adeline en regardant le pain d'épice.

— Vous en voulez un morceau ? demanda la cuisinière.

— Je vais monter le thé au salon dans un instant,
dit Rags.

— Ne soyez pas aussi avare, Rags, dit Adeline
en sautant à terre et en s'approchant de la table...
Pas sur une assiette, s'il vous plaît, Mrs. Wragge.
Simplement dans ma main. »

Elle retourna sur son perchoir en mangeant son
pain d'épice. Le soleil, qui ne s'était pas encore montré,
se dégagea soudain des nuages et mit autour de sa
tête une brillante auréole. Les cinq personnes assises
à la table la contemplèrent avec plaisir, avec aussi
peu de gêne qu'elles eussent regardé une jeune biche
dans la gracieuse beauté de sa jeunesse. Les uns avaient
posé leurs mains sur la table; les autres tenaient
leur tasse. Sous la table, les pieds de Mrs. Wragge,
chaussés de pantoufles en feutre rouge, étaient tournés
en dedans et ses mollets saillaient fortement au-dessus
de ses chevilles; Noah Binns croisait les jambes, et
ses galoches usées semblaient avoir absorbé l'humidité au lieu de l'en protéger; Wright avait allongé ses
jambes en jambières de cuir et gros brodequins bien
graissés, tandis que les bottes de Raikes étaient posées
de part et d'autre de sa chaise. Toutes ces jambes

étaient si caractéristiques qu'un observateur aurait
pu, en les voyant séparées du reste du corps, reconnaître sans erreur chacun de leurs possesseurs.

« Vous ne devinerez jamais pourquoi elle va en
Irlande », dit Mrs. Wragge à ses compagnons.

Ils secouèrent la tête en souriant à Adeline.

« Eh bien, elle y va pour choisir un mari. Elle va
passer en revue tous les jeunes hommes de Grande-
Bretagne et d'Irlande et mettre la main sur le
meilleur.

— Vous n'avez pas besoin d'aller aussi loin que ça,
n'est-ce pas, mademoiselle ? dit Wright. Les hommes
bien ne manquent pas ici.

— Elle veut un homme titré, dit Mrs. Wragge.
Elle veut être une « my lady », comme sa grand-
tante.

— Aucun homme n'a droit à un titre sauf le
roi George, roi du Canada et de Grande-Bretagne,
dit Noah avec énergie.

— Eh bien, et l'Irlande ? demanda Raikes.

— L'Irlande ! fit dédaigneusement Noah. L'Irlande
est un pays étranger à présent, et, comme telle, elle
périra.

— Depuis quand parlez-vous comme la Bible ?
demanda Wright.

— Je vous parie un dollar contre un pet-de-nonne
que je suis seul, parmi les personnes présentes, à
pouvoir réciter par cœur un passage de la Bible.

— Je tiens le pari, dit Adeline. A l'école, on nous
faisait apprendre des pages de la Bible pour nous
punir et comme je me faisais toujours pincer, j'en sais
des tas par cœur.

— Je n'incluais pas les dames, répliqua Noah.

— Vous vous détournez du sujet, intervint
Mrs. Wragge.

— Eh bien, mademoiselle, dit Raikes, j'espère que vous trouverez un gentil jeune noble irlandais à votre goût.

— Il y a dans ce pays-ci des hommes qui valent mieux que n'importe quel duc.

— Ce qui plairait à Miss Adeline, dit Wright, ce serait un monsieur ayant une écurie pleine de chevaux primés ou de chevaux de course.

Avec son sourire insinuant, Rags dit :

« Elle l'a déjà choisi. Je l'ai entendu nommer — pas souvent, mais une fois. »

Adeline acheva imperturbablement sa tranche de pain d'épice. Derrière elle, par la fenêtre, apparut la figure du bouledogue et, derrière lui, les jambes d'un cheval.

« C'est le patron ! s'écria Wright. Je pense qu'il veut que je ramène son cheval à l'écurie. »

Il quitta en hâte la cuisine, suivi de Raikes, puis de Binns qui, les genoux incurvés, portait sur son visage l'expression d'une curiosité pessimiste.

« Merci pour le pain d'épice, Mrs. Wragge, dit Adeline. Voilà Daddy ! J'étais descendue vous faire une commission de la part de Mummy. Elle vous prie de faire moins de jus... non, d'y mettre moins de graisse... non, je veux dire de ne pas le brûler ! Bon Dieu ! J'ai oublié ce que c'était ! »

Elle sortit en courant de la cuisine et rejoignit les trois hommes dehors. La joie qu'elle éprouvait toujours en voyant son père à cheval lui était aussi douce que l'odeur de l'air vif et pur. Aucun homme au monde n'était un tel cavalier; aucun ne faisait, comme lui, corps avec sa monture. Elle se délecta du spectacle de la tête nue de l'homme, du cou arqué du cheval, de l'expression de leurs yeux qui n'acceptaient la contrainte que jusqu'à un certain point. Courant à travers la neige, elle posa sa main sur le cou puissant de la bête, à la chair si dure, si musculeuse, serrée sous son pelage lustré. L'alezan tourna la tête vers elle, mâchant son mors, comme désorienté de le sentir dans sa bouche.

« Dois-je le ramener à l'écurie, monsieur ? demanda Wright en prenant la bride.

— Oui, merci, Wright.

Renny passa une jambe par-dessus l'encolure du cheval et mit pied à terre. Le cheval lança un regard de défi à Wright et se laissa mener à l'écurie à petits pas, prêt à se cabrer à tout instant.

Raikes sourit à Renny avec une sorte d'intimité.

« Un magnifique cheval, monsieur, dit-il. Est-ce lui qui a obtenu le premier prix au concours ?

— Oui. Il est parfait sauf qu'on ne peut pas toujours lui faire confiance.

— J'ai vu des centaines de chevaux, dit Noah, et je n'en ai jamais vu un seul d'intelligent.

— Alors, d'où vient l'expression « un bon sens de cheval » ? demanda Renny.

— Je parie que c'est votre grand-père qui l'a inventée », repartit Noah en riant, enchanté de son propre esprit. Puis, craignant de ne pas avoir le dernier mot, il s'éloigna en clopinant sous la neige qui avait recommencé à tomber.

« Ciel ! quand viendra donc le printemps ? » s'écria Renny, levant les yeux comme s'il invoquait réellement la Divinité.

Adeline lui entoura la taille de son bras.

« Il ne peut pas venir trop tôt pour moi. J'en attends une telle joie !

— Ma fille va se rendre dans votre pays, dit Renny à l'Irlandais.

— Ah ! c'est là que le printemps est beau ! dit
Raikes, les yeux embrumés de nostalgie. J'espère que
vous en profiterez, mademoiselle.

— Merci; j'en suis sûre. Je possède une merveilleuse
faculté de jouir des choses, dit-elle, tout à fait comme
mon grand-oncle Ernest.

— C'est une très précieuse faculté, mademoiselle. »
Avec un salut grave et poli, Raikes prit le chemin
qui conduisait derrière les écuries et, de là, à Vaughanlands. Il ne pouvait s'empêcher de comparer
l'atmosphère de Jalna à celle de Vaughanlands où,
si souvent, les membres de la famille semblaient en
conflit, incapables d'être heureux eux-mêmes et de
rendre heureux ceux qu'ils employaient. Néanmoins,
il n'était nullement mécontent de sa place. Il y resterait et en tirerait le meilleur parti possible. La
portée de porcelets avait été vendue avec un joli
bénéfice. Et il y avait d'autres avantages...

Il secoua la neige de ses bottes et entra dans la
cuisine. Sonia y remuait quelque chose sur le fourneau; un air dégoûté assombrissait son visage.

« Où est le patron ? demanda Raikes.

— Peux pas. Je pars », répondit-elle.

Il s'approcha tout près d'elle et lui sourit.

« Peux pas, dit-elle en le menaçant de sa cuiller de
bois. Allez-vous-en.

— Vous êtes une diablesse ! dit-il en riant. Vous
comprenez ça ? »

Il quitta la pièce et tomba, dans le hall, sur Eugène
Clapperton en train de nouer un cache-nez autour de
son cou.

« Eh bien, dit-il d'un ton bref au souvenir de la
collision de la veille, avez-vous fait emmener la voiture pour qu'on la répare ?

— Oui, monsieur. Mais ils ont beaucoup d'ouvrage et ils disent, au garage, qu'elle ne sera pas prête avant trois semaines.

— Hum... eh bien, en attendant, il vous faudra aller à pied. Je vous interdis de prendre la Cadillac.

— Certainement pas, monsieur. Raikes hésita : Mais...

— Mais quoi ?

— Eh bien, la jument, monsieur. Celle que vous a vendue le colonel Whiteoak pour la monter... »

Presque à contre-cœur, Eugène Clapperton avait acheté cette jument, dans l'émoi d'une réconciliation avec Renny, pensant aussi que l'équitation serait favorable à sa santé. Mais il n'y avait jamais pris plaisir. La pensée qu'il fallait faire faire de l'exercice à ce cheval l'obsédait et, quand il le montait, il ne cessait d'avoir peur. Mais il en était fier, et l'idée que la jument pût être malade le remplit d'inquiétude.

« Est-elle malade ? » demanda-t-il.

Doucement, Raikes répondit :

« Sa santé est parfaite, monsieur; elle ne pourrait être meilleure, mais ce sont ses yeux qui ne vont pas.

— Ses yeux ?

— Oui, monsieur. Elle est devenue tout à fait borgne et l'autre œil est atteint, lui aussi. Elle aura bientôt complètement perdu la vue.

— Pourquoi ne m'en avez-vous pas parlé plus tôt ?

— Je n'avais pas le courage de vous le dire, monsieur. Il y a tant de choses qui ont cloché ! Au début, j'ai été très surpris de constater qu'elle n'y voyait pas bien. Puis, je me suis assuré qu'elle souffrait de la même maladie que deux autres chevaux que j'ai connus. L'un était une jument, en Irlande, chez qui le mal s'est développé lentement. L'autre était un hongre, de ce pays-ci, chez qui l'infirmité a progressé très vite. Mais c'est le même mal. Je me suis occupé de chevaux toute ma vie et je ne peux pas m'y tromper.

— Il faut la montrer au vétérinaire.

— Naturellement, si cela doit vous donner plus de certitude. Mais le vétérinaire de Stead ne vaut rien pour ce genre de chose. Si vous le permettez je la mènerai chez celui de Belton. C'est un peu loin, mais j'ai plus de confiance en lui.

— Faisons-le venir ici.

— Il est malade et soigne seulement les animaux qu'on lui amène. On me dit qu'il sera rétabli dans un mois. Il vous sera peut-être égal d'attendre ?

— Mieux vaut la lui conduire tout de suite. »

Raikes hésita.

« Il y a ses honoraires, monsieur. C'est un homme qui demande à être payé comptant. Et puis, il faudra que je déjeune à l'hôtel et que j'achète de l'avoine pour la jument. »

Eugène Clapperton lui tendit un billet de dix dollars.

« Espérons que le vétérinaire saura faire quelque chose pour elle. J'en ai assez, ma parole, de tous les ennuis que donnent les animaux ! Ils ont l'air robuste et cependant...

— Ah ! ils ont leurs ennuis tout comme nous, monsieur. »

Une fois sur la neige tassée de la route, Eugène Clapperton dilata ses poumons et se mit consciencieusement à rejeter l'air sec et chaud de la maison pour aspirer la froide pureté du dehors. On sentait dans l'atmosphère une légère humidité, et les gros flocons qui commençaient à tomber, semblables à des plumes, s'accrochaient doucement à tout ce qu'ils touchaient. Il résolut de ne pas se laisser déprimer par les avatars de la ferme. Il avait suffisamment de déceptions d'un ordre plus intime.

Gem n'était pas la jeune femme docile sur laquelle

il avait compté. Elle avait une volonté personnelle;
elle allait jusqu'à le critiquer. Dieu savait qu'il était
prêt à lui céder quand il était convenable de le faire.
Ce qui le blessait était son attitude distante, sa façon
de garder son quant à soi et de s'arrêter de parler
avec sa sœur quand il entrait dans la pièce. Il
aurait voulu trouver le moyen de se débarrasser d'Althea, mais il n'en voyait pas la possibilité. En fait,
la pauvre fille n'était pas capable d'affronter la
vie toute seule; il lui fallait l'abri de son toit et la
société d'une sœur. Si seulement elle se mariait!
Mais qui voudrait l'épouser? Et qui pourrait-on la
convaincre d'accepter pour mari? Elle était si timide
qu'elle s'enfuyait à la vue d'un étranger. Il supposait
qu'il traînerait ce boulet jusqu'à la fin de ses jours.

Parvenu à la Ferme aux Renards, il se décida
soudain à y entrer tailler une petite bavette avec
Humphrey Bell. Ce jeune homme lui faisait de la
peine. Il avait tellement tort de mener cette existence
solitaire. Un désastre pourrait en résulter. Il avait
sans doute l'esprit dérangé. Et, en attendant qu'on
répondît au coup qu'il avait frappé à la porte, Eugène
Clapperton se reprocha de ne pas être venu voir Bell
plus tôt, bien que celui-ci parût répugner à le fréquenter et qu'il ne fût pas homme à s'imposer aux
gens. Il avait cependant le désir d'aider Bell, d'être
son bienfaiteur. Un jour viendrait peut-être où Bell
le remercierait de ce qu'il devait à ses bons conseils.
« Tout ce que je suis, je vous le dois, Mr. Clapperton », dirait-il, et son insignifiant petit visage
s'épanouirait.

La neige du sentier conduisant à la porte était
vierge d'empreintes; évidemment, Bell n'avait pas mis
le nez dehors ce jour-là. Ah! mais si! Il y avait des
empreintes qui se dirigeaient vers une mangeoire pour

les oiseaux placée dans la fourche d'un vieux pommier. Une douzaine de petits oiseaux s'envolèrent quand Clapperton en approcha. Sur la porte était épinglé un carton annonçant que la sonnette était détraquée. Eugène Clapperton ne pouvait imaginer que quoi que ce soit fût en état de fonctionner dans cette maison. Et quelle insignifiante petite maison.. tout à fait l'habitation convenant à Bell !

Celui-ci vint ouvrir en entendant frapper d'une manière aussi péremptoire et parut, dans sa consternation, prêt à refermer la porte aussitôt. Il bégaya :

« Oh ! comment allez-vous ? Monsieur, monsieur... » Il n'arrivait pas à se rappeler le nom de Clapperton qu'il avait pourtant maudit nombre de fois.

L'expression amicale de son visiteur s'effaça. Il ne croyait pas possible qu'on pût oublier son nom. Bell le faisait exprès pour le diminuer et se donner de l'importance. Mais il n'allait pas s'en offenser; il sourit et tendit la main en disant :

« J'ai eu l'idée d'entrer voir comment vous alliez. Je suis Eugène Clapperton. »

Bell prit sa main, la regarda, la secoua et dit de sa voix basse :

« Oh oui ! je me rappelle. Entrez donc. »

Il plaça, pour son visiteur, l'un des deux fauteuils devant le poêle et s'assit lui-même sur une chaise contre le mur.

Eugène Clapperton parcourut la pièce d'un regard approbateur.

« Vous vous êtes installé très confortablement, ici, dit-il.

— Je m'y plais, dit Bell avec défi.

— Vous devez en effet vous y plaire pour avoir supporté d'y vivre seul aussi longtemps. »

Il remarqua les petites sculptures de la cheminée et son visage s'éclaira.

« Ah ! vous avez une marotte ! Très bien. Je suis fort heureux de le constater. J'allais vous conseiller d'en adopter une. Il n'y a rien de meilleur... pour vous.

— Pour moi ?

— Oui. Pour votre état d'esprit. Les psychiatres le conseillent. Une marotte vous distrait de vos complexes et de vos inhibitions. Qui vous y a engagé ?

— Personne.

— Vous en avez eu l'idée vous-même ?

— Oui.

— Parfait. Voilà un bon signe. Vous avez aussi meilleure figure. On voit que vous n'avez plus l'esprit aussi malade.

— Je n'ai jamais eu l'esprit malade.

— Voyons, voyons ! Vous pouvez me parler en toute franchise. J'ai lu un grand nombre d'articles sur ce sujet dans les journaux et les magazines. Je sais à quel bizarre état mental les gens peuvent en arriver. Savez-vous qu'une forte proportion de la population est malade du cerveau ? Certaines personnes ont conscience de leur état; la majorité ne s'en rendent pas compte et continuent à souffrir et à faire souffrir les autres.

— Vous en êtes ? » demanda Bell.

Eugène Clapperton eut un rire bruyant.

« Non ! Pas moi. Ma belle-sœur, Althea Griffith. L'avez-vous vue ?

— Oui.

— C'est une excellente fille que j'estime beaucoup mais... »

Il secoua la tête et ce mouvement fut plus expressif

que toutes les paroles qu'il aurait osé prononcer. Une idée venait de surgir dans son esprit. S'il pouvait réunir ces deux anormaux ! Il y avait en Bell quelque chose qui pourrait séduire Althea. Et quant à ce pauvre garçon, il était tellement solitaire, que n'importe quelle jeune femme d'un physique agréable l'attirerait sûrement. Mais comment surmonter les difficultés découlant de leurs deux caractères ? Ils n'aimaient ni l'un ni l'autre rencontrer des étrangers; ils se dérobaient l'un et l'autre devant la moindre contrainte. Cependant, les difficultés exaltaient Eugène Clapperton; il les accueillait avec joie, car sa vie présente ne comportait pas grand-chose à surmonter; elle ne lui offrait guère que des contrariétés à subir dans des circonstances indépendantes de sa volonté.

Tout valait mieux que de parler de lui-même et, malgré lui, Humphrey Bell éprouvait une certaine curiosité; il dit :

« Quelqu'un m'a dit qu'elle était très timide.

— Timide ! C'est là une expression bien modérée ! Elle fuirait sa propre ombre. Elle est une névrosée hypersensible. Mais son état pourrait être transformé si elle était convenablement traitée.

— Pourquoi ne vous occupez-vous pas de la guérir ? demanda Bell, amèrement sarcastique.

— Ah ! je le ferais volontiers si l'un des symptômes de sa maladie n'était pas son antipathie pour moi. Imaginez-vous qu'elle m'évite chaque fois qu'elle le peut. Néanmoins, je fais mon possible pour lui venir en aide. J'encourage ses marottes. L'une d'elles est la peinture. Personnellement, je n'admire pas beaucoup ses tableaux, mais ils pourraient vous plaire. J'ai offert de lui payer les leçons d'un maître de premier ordre, mais elle n'a pas voulu en entendre parler. J'ai offert de payer pour elle un traitement dans une

clinique de psychiatrie, mais, à cette seule proposition, elle est allée s'enfermer dans sa chambre pendant
deux journées entières. Il me semble qu'elle et vous
pourriez vous rendre mutuellement grand service, si
seulement vous faisiez connaissance. »

« Maîtrise-toi, se répétait intérieurement Humphrey
Bell. Ne lui montre pas à quel point tu as envie de
lui fracasser la tête avec ce tisonnier. Ne te mets pas
à lui lancer des objets à la figure. Prends l'air indifférent. »

Assis sur ses deux mains comme un enfant, il regardait fixement Clapperton, son petit visage pâle, immobile, ses cheveux clairs hérissés comme par la surprise.

« Naturellement, c'est la guerre qui a tout fait,
continua Clapperton. Ni vous ni Althea n'étiez ainsi
avant la guerre. Elle a perdu son unique frère, qu'elle
adorait. Imaginez ce qu'il serait advenu de vos quatre
sœurs si vous aviez été tué. Vous avez quatre sœurs,
n'est-ce pas ?

— Euh... grogna Bell.

— Quant à vous, ce que vous avez subi comme
prisonnier de guerre... »

Il posa sur Bell un regard perçant.

« Cela pourrait vous soulager de m'en parler. Epan-
chez ce que vous avez si longtemps gardé par devers
vous. Votre guérison peut en dépendre. »

Bell ne répondit rien, les yeux toujours fixes.

D'une voix encourageante, Clapperton reprit :

« Vous avez dû voir et souffrir des choses terribles.
Je voudrais que vous me disiez comment vous ont
traité les Allemands.

— Ils m'ont très bien traité, dit Bell, à voix basse.

— Vous ne vous rappelez pas cette période avec
horreur ?

— Elle m'a plu », prononça Bell avec difficulté.

Eugène Clapperton se leva et posa la main sur l'épaule de Bell.

« Vous êtes plus malade encore que je ne le pensais, dit-il. Il faut que vous me laissiez vous aider à guérir. »

Bell se leva aussi et les deux hommes se tinrent debout face à face.

« Consentez-vous à consulter un psychiatre ? demanda Clapperton.

— Non ! s'écria Bell. Je vous l'ai déjà dit. Je me porte parfaitement. Je n'ai jamais été plus heureux. Tout ce que je demande, c'est qu'on me laisse tranquille.

— Allons, allons, ne vous excitez pas. Je cherche simplement à vous tirer de l'ornière où vous vous êtes enlisé. Je vais vous quitter, maintenant, mais je reviendrai. En attendant, amusez-vous à votre marotte, donnez à manger aux oiseaux et prenez beaucoup d'exercice au grand air. Surtout, n'évitez pas les gens. Extirpez toute crainte de votre cœur. Quatre vingt-dix pour cent... »

Doucement, Bell le poussait vers la porte; il l'ouvrit, la neige entra, et, en même temps, le chat. Eugène Clapperton prit la main de Bell et la broya impitoyablement.

« Au revoir, dit-il. Et ne vous laissez pas décou rager. Nous aurons raison de votre dépression, soyez-en sûr; mais votre coopération m'est indispensable. Quatre-vingt-dix pour cent... »

Humphrey Bell referma la porte, retourna dans son living room et se jeta sur le divan. Couché à plat dos, les jambes dressées en l'air comme s'il faisait de la gymnastique, il ne savait comment exprimer son sou-lagement d'être débarrassé d'Eugène Clapperton et sa

colère d'avoir eu à supporter sa présence. Le chat
sauta sur sa poitrine, appuya sur sa joue un museau
et une moustache rigides de froid. Et quand il se mit
à ronronner, ce fut sans douceur, mais sur un ton de
commandement.

IX

CHOSES ET AUTRES

« C'est bien ce que je craignais, monsieur, dit Raikes. La vue de cette pauvre jument est perdue.

— Le vétérinaire l'a dit ?

— Oui, monsieur, répondit Raikes, la tête basse, sa grande bouche sensible entrouverte tristement.

— C'est un comble ! Une maladie après l'autre : les porcelets, la vache, la voiture, et maintenant la jument !... Enfin, je suppose que nous ne pouvons rien tenter. Je ne la monterai certainement plus.

— Ce serait, en effet, imprudent de votre part, monsieur. »

Mêlé à son exaspération, Clapperton éprouva un sentiment de soulagement à la pensée de ne plus être obligé de monter ce cheval. Il pouvait prendre tout l'exercice dont il avait besoin avec la jument de Shanks. Il regrettait néanmoins de ne plus faire belle figure sur cette bête fringante. L'idée de la remplacer ne lui vint même pas. Il se demanda si Renny Whiteoak savait qu'elle était menacée de cécité... Non, ce n'était pas possible; trois ans avaient passé depuis son achat.

« J'ai un ami, monsieur, dit Raikes, qui exploite

une petite ferme; il cherche à acheter un cheval de
trait. Il soignerait bien votre jument, mais il ne pourrait la payer un gros prix.

— Combien ?

— Pas plus de cinquante dollars.

— Cinquante dollars ! Juste Ciel ! Elle m'en a coûté
cent cinquante !

— Ah ! mais elle n'est plus ce qu'elle était. Elle
serait bien soignée, chez mon ami, monsieur. »

Eugène Clapperton réfléchit. Le prix offert était
scandaleux, mais que pouvait-il faire de mieux ? Il
avait envie de se débarrasser de cette bête, de ne
plus jamais la voir... et il en avait été si fier ! Sous le
regard pensif de Raikes, il se mordait les lèvres, incapable de prendre un parti.

« Elle ne vous servirait à rien, maintenant qu'elle a
les yeux malades, dit Raikes, et mon ami la traiterait
si bien.

— Bon ! dit Eugène Clapperton avec un soupir. J'y
consens.

— Je regrette beaucoup ce malheur, dit Raikes, et
j'espère que vous ne croyez pas qu'il y ait de ma faute.

— Non, non, non, je ne vous reproche rien.

— Je fais de mon mieux, monsieur.

— Je le sais », dit Clapperton avec un semblant de
cordialité.

Il n'avait jamais eu à son service un homme qui
lui plût autant que Raikes. Lui seul, de tous ceux
qu'il avait employés, manifestait de la compassion
pour sa malchance, lui seul se montrait vraiment
humain.

Le même après-midi, Raikes conduisit la réfugiée
à la gare. Assise à côté de lui, impassible, elle tenait,
en s'y cramponnant, un grand sac et un paquet. Ses

pommettes étaient si hautes que lorsqu'il lui lançait
un coup d'œil, il ne voyait que le bout de son nez.
Elle avait une bouche qui exprimait une forte volonté
mêlée de dégoût. Le vent rabattit sur son visage une
mèche de cheveux noirs. Raikes pilotait la voiture
sans essayer d'éviter les cahots des ornières.

« Alors, le travail, ici. ne vous plaisait pas ? demanda-t-il.

— Peux pas, répondit sèchement la Polonaise. Je
pars. S'il vous plaît.

— Où est-ce que vous allez ?

— Taisez-vous, s'il vous plaît.

— Nom d'un chien ! Vous faites des progrès en
anglais ! Qui vous a appris tous ces mots ? »

Elle lui jeta un regard sombre. Après un silence, il
dit :

« Vous êtes la première femme avec laquelle je n'aie
pas réussi à m'entendre.

— Taisez-vous. Je pars. »

Découvrant ses dents blanches, Raikes demanda :

« Est-ce que vous n'allez pas m'embrasser pour me
dire adieu. Sonia ?

— Peux pas.

— Pourquoi ne m'aimez-vous pas ? Je ne suis pas
trop vilain, pourtant ? »

Elle demeura inflexible. Un cahot particulièrement
violent lui fit serrer les mâchoires et il lui adressa un
regard furibond. Ils étaient maintenant arrivés à la
petite gare. Soudain devenu digne, Raikes sortit de
la voiture la malle et la valise et les déposa sur le
quai. S'il s'attendait à un sourire de gratitude, il fut
déçu. Regardant droit devant elle, elle dit :

« Je sais. Peux pas. Je pars. S'il vous plaît. Taisez-
vous. »

Avec un large et joyeux sourire, Raikes dit :

« Vous me récitez tout votre répertoire en guise d'adieu, hein ? C'est très bien. Au revoir, Sonia. »

Il la laissa sur le quai, silhouette noire courtaude se détachant sur la blancheur de la neige. Le cri d'une locomotive se fit entendre dans le lointain gris. La Polonaise se tourna vers le train.

Raikes regagna Vaughanlands en conduisant avec soin, pensivement; il aimait la Cadillac et eût voulu que le patron l'autorisât à s'en servir constamment. D'une pichenette il enleva une peluche laissée sur le siège par la réfugiée. En voilà une qu'on ne reverrait pas; il en était content. Ses yeux attentifs avaient désagréablement pesé sur lui; maintenant, il respirerait et agirait plus librement. Il remisa la voiture dans le garage, secoua la neige de ses bottes et entra dans la cuisine. De l'office lui parvint la voix douce de Gem Clapperton qui chantait. Elle lavait la vaisselle du thé à l'évier; il entendait couler l'eau du robinet. S'approchant d'elle avec un sourire déférent, il demanda :

« Excusez-moi, madame, mais ne voulez-vous pas me laisser faire ce travail à votre place ? C'est une honte de vous voir les mains dans l'eau de vaisselle.

— J'aime ça, répondit-elle. C'est un plaisir pour moi que faire le ménage. Vous savez, j'étais infirme; je l'ai été toute ma vie de jeune fille. Je ne peux pas encore rester debout longtemps de suite.

— Vous êtes fatiguée, maintenant, j'en suis sûr. Je vous en prie, permettez-moi d'aller vous chercher une chaise. »

Il apporta une chaise; elle s'assit et rit en constatant que la bassine n'était plus à sa portée.

« C'est ridicule ! dit-elle, et elle se releva.

— Je vous en prie, laissez-moi faire », supplia Raikes. Et, avec une soudaine autorité de mâle, il lui prit la lavette des mains et se mit à sa place devant l'évier.

« Alors, j'essuierai, dit-elle tranquillement, et elle frotta la théière de porcelaine, les yeux fixés sur les mains musclées de l'homme.

— Il y a si peu d'ouvrage pour moi à présent, dit-il; je n'ai qu'à déblayer les allées et à nourrir les animaux. Je peux très bien faire tout le nettoyage et éplucher les pommes de terre. Ah ! nous nous tirerons très bien d'affaire !

— C'est très complaisant de votre part, Tom. Naturellement, ma sœur m'aidera, mais mon mari a toujours été habitué à avoir des bonnes. Il ne comprend pas combien elles s'ennuient à la campagne.

— Oui, il est difficile d'en trouver une qui consente à y rester. Mais moi, j'ai été élevé à la campagne et rien ne m'intéresse dans les villes, sauf les courses.

— Ainsi, vous aimez les courses de chevaux ! dit-elle, les yeux écarquillés. Eh bien, moi, je n'en ai jamais vu.

— Vous n'êtes jamais allée aux courses, madame ? dit-il avec un regard apitoyé. C'est incroyable ! Vous me semblez précisément susceptible d'aimer les courses.

— Pourquoi, Tom ?

— Je ne peux pas vous le dire au juste. Mais je crois que l'émotion qu'elles donnent vous plairait. »

Il lui mit dans la main une demi-douzaine de cuillers d'argent.

« Comme vous êtes perspicace ! J'adore être émue; j'aime tout ce qui est nouveau et inusité. J'ai été élevée dans le Pays de Galles, vous savez, dans un endroit très isolé.

— Ah ! le Pays de Galles est une contrée ravis-

sante », dit-il, en tordant la lavette avant de la sus-
pendre.

Le visage rayonnant, elle dit :

« C'est le plus beau pays du monde. Mon rêve est
d'y retourner. Mais, avant, je voudrais voyager.

— Bien sûr. Mr. Clapperton vous emmènera en
voyage maintenant qu'on circule plus facilement. »

Son animation tomba, elle accrocha le torchon à
son clou, puis, demanda :

« Etes-vous jamais allé au Pays de Galles ?

— Oui, j'y suis allé d'Irlande dans un cargo, avec
des bestiaux pour les soigner.

— Vous avez fait tant de choses ! dit-elle comme
avec envie.

— J'en ai fait pas mal.

— Qu'est-ce qui vous a le mieux plu ?

— M'occuper de chevaux, madame.

— C'est étonnant que vous ne vous soyez pas fait
embaucher à Jalna. On y a la spécialité des chevaux.

— Je ne crois pas que je me serais entendu avec
Wright, ni avec le colonel Whiteoak non plus. Je me
plais où je suis.

— J'en suis contente, parce que mon mari et moi
sommes très satisfaits de vous.

— Je fais de mon mieux. »

Qu'il était donc peu communicatif ! Elle aurait
voulu connaître tout son passé, savoir ce qu'il pensait
tandis qu'il lui souriait si doucement. Brusquement,
elle dit :

« Il est curieux que vous ne vous soyez pas marié,
Raikes.

— Ah ! je n'ai jamais été homme à courir après
les filles.

— Mais elles ont dû courir après vous », dit-elle en riant.

Imperturbable, il répondit :

« Eh bien, tenez, Sonia, elle ne pouvait pas me sentir.

— Sonia détestait tout le monde.

— C'était la solitude de la campagne qui ne lui convenait pas. Elle sera mieux en ville. »

De toute évidence, il n'avait pas envie de parler de lui-même. Elle le regarda d'un air méditatif.

« Vous êtes très brun pour un Irlandais, dit-elle.

— Je dois avoir du sang espagnol, madame. Vous savez, de ces marins échoués sur nos côtes du temps de l'Armada, d'après ce qu'on raconte. »

La pièce était maintenant presque obscure. Elle la parcourut des yeux et dit :

« Je me demande ce qu'il faut que je fasse à présent.

— Si c'est au dîner que vous pensez, madame, ne vous tourmentez pas. Je le préparerai.

— Oh ! vous ne sauriez pas faire ça, Tom !

— Mais si. Vous seriez étonnée de voir tout ce que je sais faire.

— Ma sœur a une telle migraine que je l'ai envoyée se coucher.

— Je lui monterai un plateau, dit-il aussitôt.

— Vous êtes vraiment l'obligeance même, Tom. Je le préparerai et vous pourrez le monter. »

Elle s'attarda un peu tandis qu'il allait chercher des pommes de terre à la cave et commençait à les peler. Il faisait tout comme avec plaisir. C'était presque touchant de le voir marcher à travers la cuisine en s'efforçant de ne pas faire de bruit avec ses lourdes bottes.

Dans le salon, elle trouva son mari en train de lire le *Reader's Digest*. Il posa la revue et dit :

« Je viens de prendre le plus vif intérêt à un excellent article sur les causes et les traitements des maladies mentales. On y mentionne plusieurs livres que j'ai envie d'acheter. L'ennui est que les livres sont trop diffus et trop compliqués. Je préfère les articles condensés. Sais-tu, Gem, si j'étais jeune, aujourd'hui, je choisirais la psychiatrie comme profession.

— Vraiment ? fit-elle avec indifférence.

— Ne trouves-tu pas que rien n'est aussi intéressant que l'étude de la nature humaine ? Les véritables mobiles des actions des gens, tous les étranges complexes et les inhibitions dont souffrent les faibles ? Je me sens désigné pour cette étude-là, étant absolument exempt de ces infirmités. »

Soudain, elle le regarda fixement et rit.

« Tu ne gagnerais pas beaucoup d'argent avec ce genre de métier. »

Il rit aussi.

« Tu crois ça ? J'en gagnerais probablement davantage. Ces psychiatres se font bien payer. Je gagnerais de l'argent; tu peux faire confiance à ton vieux mari, à cet égard, fifille ! .

— Je te crois, dit-elle.

— Eh bien, dit-il avec sérieux, j'ai toujours réfléchi d'avance à ce que je voulais et j'ai été le prendre. (Il tendit la main et la saisit par sa jupe.) Toi, par exemple. »

Elle se dégagea et alla regarder par la fenêtre. La maison avait été bâtie dans un creux, dans un endroit abrité où des arbres touffus l'enserraient. L'air chargé de neige semblait s'appuyer sur leurs cimes.

« La nuit sera bientôt tombée et il neigera encore. Reverrons-nous jamais le printemps ? dit Gem.

— Le printemps viendra, fifille. Personne n'en sera plus heureux que moi. Je crois que je t'emmènerai à Atlantic City. Aimerais-tu cela ?

— Ce serait merveilleux », dit-elle d'un ton distrait.

Il la regarda avec une certaine irritation.

« Qu'est-ce que tu as, fifille ? Tu étais si enthousiaste, autrefois. Maintenant, tout paraît t'être indifférent.

— C'est l'hiver, dit-elle. Il est si long.

— Tu n'étais pas comme ça au printemps dernier.

— Tu crois ?

— Tu as besoin d'un changement.

— Eh bien, et Althea — est-ce qu'elle pourrait venir ?

— Non, dit-il sèchement. Ce qui gâte notre vie, c'est qu'Althea soit toujours là. Nous avons beau l'aimer, nous avons besoin de partir seuls tous les deux, pendant un certain temps. Il n'est pas bon pour des époux d'avoir constamment un tiers avec eux. Quand j'aurai un peu plus approfondi le sujet, j'ai l'intention d'étudier Althea de près afin de découvrir quel est au juste le trouble émotif dont elle est atteinte. Le jeune Bell, lui, je le comprends. Sa névrose résulte nettement de sa captivité en Allemagne. Je crains parfois pour sa raison. Tu ne devineras jamais ce qu'il m'a dit. Il m'a dit qu'il avait *aimé* le camp de prisonniers.

— Peut-être qu'il n'aimait pas tes questions. »

Un sourire de satisfaction s'épanouit sur le visage de Clapperton.

« Il ne se doutait pas que je le sondais. Je le faisais trop délicatement. C'est à cela que, nous autres psychiatres, devons apporter tous nos soins : interroger délicatement. »

Ça y était! Il s'était qualifié de ce qu'il avait le désir d'être! Gem se détourna pour dissimuler le sourire sardonique qui lui distendait la bouche.

« Eh bien, tu as deux patients sous la main ! dit-elle.

— Trois, Gem ! s'écria-t-il. Mais le troisième est incurable et je ne m'en préoccuperai pas. C'est au colonel Whiteoak que je fais allusion. Il a, dans sa tête de renard rouge, l'idée fixe du domaine familial, un complexe grand-maternel et la névrose de la peur.

— Il semble difficile d'associer l'idée de la peur avec cet homme-là », dit Gem d'un ton froid.

Son mari fit entendre son rire bruyant et sans gaieté.

« La peur ! Mais il en est obsédé ! Il craint continuellement ce que je vais faire, alors que j'ai pour seule ambition d'être le bienfaiteur du pays !

— Tu ne considères pas ces bungalows comme un bienfait, quand même ?

— Certainement. Ils vont être construits. A mon avis, ils sont jolis. Je bâtirai ici un joli petit village.

— Et la ferme des Black ? »

Sa bouche se resserra; puis, il dit :

« Je vais faire là une bonne petite affaire. Si le colonel Whiteoak ne trouve pas à son goût ce que j'y construirai, qu'il s'y résigne. »

Il bâilla avec une nonchalance voulue et ajouta :

« Ce sera peut-être une fabrique de confitures.

— Mais, Eugène, s'écria-t-elle, tu as promis... »

Sur un ton d'autorité presque violent, il l'interrompit.

« Ne me rappelle plus, désormais, les demi-promesses que je t'ai faites.

— Ce n'étaient pas des demi-promesses !

— Tu as dit que tu n'aimerais pas voir des bun-

galows sur le domaine de Vaughanlands. Il s'agit
maintenant d'une chose toute différente; tout Jalna
nous sépare de la ferme des Black.

— Cela déprécierait toutes les propriétés du voisinage.

— Nous n'avons pas besoin de nous en tourmenter,
fifille. Selon toutes probabilités, nous serons loin d'ici.

— Eugène ! que veux-tu dire ?

— Je veux dire que je suis en train de me lasser
de l'atmosphère arriérée, victorienne, de cet endroit.
Quatre-vingt-dix pour cent des gens d'ici sont des
réactionnaires, et le colonel Whiteoak est le pire de
tous... Il me menacerait, n'est-ce pas ? Il me menacerait de porter la main sur moi ! Nous verrons ! Nous
verrons ! Rira bien qui... rira bien qui... »

Eugène Clapperton était tellement hors de lui qu'il
n'arrivait plus à se souvenir de la fin du proverbe
et continuait à répéter : rira bien...

Déconcertée, Gem ne put que lui demander :

« Où irions-nous ? Je croyais que tu avais l'intention de passer ici le reste de tes jours !

— En effet, et je le ferai peut-être, mais cet endroit
offre beaucoup d'inconvénients; comme tout le pays,
du reste. Les hivers sont trop froids, trop longs.
Regarde ce temps, et nous sommes en avril ! On dit
qu'en s'établissant en Californie, on prolonge sa vie
de dix ans. C'est une contrée très tentante pour un
homme de mon âge et de mon tempérament.

— Hollywood ? demanda-t-elle.

— Non. Pas Hollywood, répondit-il en la fixant d'un
œil sévère. Qu'est-ce que tu sous-entends par cette
question ?

— Rien. C'est simplement la seule ville de Californie dont j'aie entendu parler.

— Eh bien, ton instruction laisse beaucoup à désirer. Il y a un grand nombre de localités intéressantes
là-bas, et il y habite un tas de gens faits pour s'entendre avec un homme à l'esprit curieux, désireux
de connaître le fond des choses et d'essayer de découvrir ce qui est au-delà du matérialisme de notre
époque. »

Enchanté de son discours, il la regarda pour voir
ce qu'elle en pensait. Elle lui parut impressionnée. Il
ajouta :

« Et le climat de la Californie est merveilleux. Que
dirais-tu d'aller nous y fixer ?

— Eh bien, et Althea ?

— Elle viendrait avec nous, naturellement.

— Et son grand chien danois ?

— Lui aussi, s'il en a envie. »

Exalté par l'idée de la Californie, Eugène Clapperton
se sentait plein de bonté et de générosité.

« Tu es gentil de dire ça, mon gros loup ! s'écria-
t-elle. Et tu vendrais cette propriété ?

— Je ne crois pas. Je crois que je garderai tout ce
que je possède ici. Cela m'intéresserait de revenir
de temps en temps voir comment prospèrent ma
fabrique et mon petit village.

— Et cette maison-ci ? » demanda-t-elle, les yeux
brillants. Elle ne pouvait s'empêcher d'accueillir avec
joie la perspective de s'en aller. Elle connaissait si
peu le monde.

« Eh bien, dit-il, je crois que je la louerai probablement au directeur de la fabrique. Je l'ai déjà choisi :
sous des dehors frustes, c'est l'homme le plus hon-
nête. Oh ! ne te tourmente pas, fifille. J'arrangerai
tout sans rien laisser au hasard. »

En haut le grand danois se mit à aboyer.

« Il demande qu'on monte son plateau à Althea !
s'écria Gem. Pauvre chérie; elle est couchée toute seule
dans l'obscurité !

— Raikes le lui montera. Je l'entends siffler dans
la cuisine. Il faut que je lui demande de ne pas siffler dans la maison. Son sifflet est particulièrement
perçant.

— Mais si doux », dit Gem, en penchant la tête
pour l'écouter.

Une fois seul, Eugène Clapperton prit par les bras
le fauteuil dans lequel il était assis et le traîna jusqu'au naufrage peint. Il s'installa confortablement
pour le contempler. Dès le crépuscule, il avait allumé
le réflecteur placé sous la toile. Maintenant, avec une
gravité presque cérémonieuse, il leva les yeux vers
elle. Les nuages menaçants, les éclairs blafards, le
navire prêt à s'échouer sur les rochers noirs le capti-
vaient. Combien de temps le vaisseau avait-il pu
résister ? se demanda-t-il. Combien des matelots qui
se cramponnaient au gréage avaient-ils survécu ? Pas
beaucoup; il en était sûr. Quelle chose merveilleuse
que de pouvoir se laisser absorber par cette lutte
figurée, d'en saisir la grandeur transcendante ! Peu
d'hommes d'affaires avaient assez d'imagination pour
cela, peu d'entre eux étaient capables de s'évader,
comme lui, du monde et de la matière... Et cette
faculté ne lui avait jamais nui; elle ne lui avait fait
que du bien... Consciemment détendu, il laissa son
esprit flotter parmi les vagues rugissantes, les éclats
du tonnerre et l'effroyable danger du tableau.

Dans la cuisine, Raikes sifflait toujours. Gem avait
préparé un plateau pour Althea et il le lui avait
monté. Maintenant, appuyé à l'évier, il regardait le
grand danois manger sa pâtée du soir composée de
biscuits de chien. Un peu plus tôt, il avait fait un

repas de légumes. Il n'avait pas très faim, et il mâchait les durs morceaux de biscuit comme par politesse. Raikes, en attendant le retour de Gem, songeait à l'heure où les Clapperton seraient au lit, au moment où il ouvrirait doucement la porte du garage, prendrait la Cadillac et se rendrait au club.

AU REVOIR...

LE dernier jour d'avril, la poussée du printemps parvint enfin à vaincre l'obstination de cet hiver. Un
soleil étincelant dispersa les lourdes vapeurs et accorda
une attention fervente à la terre, aux rivières et
aux lacs. Avec une ferveur égale, ils s'efforcèrent de
rattraper le retard de leur réunion. Les bateaux à
moteur commencèrent à circuler parmi les glaçons
spongieux. Le premier capitaine qui s'y aventura reçut
en récompense, selon la coutume, un chapeau haut de
forme. Les rivières, comme riant de joie d'être libérées,
empilaient en grands tas la glace brisée, démolissaient
les ponts, débordaient de leurs lits, submergeaient les
terres, noyaient les gens et les bêtes et déferlaient
brunes et furieuses. Dans les bois, les chatons appa-
raissaient; dans les jardins, s'épanouissaient les sourires jaunes et bleus des crocus et des scilles. Les
branches des saules se lustraient et jaunissaient. Des
moustiques, des vers, des moucherons surgissaient Dieu
savait d'où et se chauffaient au soleil, observés
par Noah Binns, toujours aussi sombre dans ses prédictions. Les vaches, les brebis et les truies de Piers
étaient toutes à la béatitude de la maternité. Les
poules s'envolaient en caquetant de la basse-cour

inondée et s'affalaient dans leurs nids juste à temps
pour y pondre un œuf. Mary, la petite fille de Piers,
munie de sa première corde à sauter, s'acharnait,
pendant des heures, à ce nouvel exercice. L'herbe qui
recouvrait les tombes de tous les Whiteoak devint
d'un vert délicat, et la cloche de l'église retentissait
doucement dans l'air printanier.

Le soleil, entrant à flots par les fenêtres grandes
ouvertes de Jalna, mettait en lumière de nouvelles
craquelures, de nouvelles usures de l'ameublement.
Mais à l'extérieur, la vieille maison supportait bien
l'inspection. Derrière la vigne vierge, la brique rose
demeurait ferme et solide; les boiseries et les contre-
vents, repeints l'année précédente, étaient encore frais.
Arrêté devant elle, sur le terre-plein recouvert de
gravier :

« Tu tiens rudement bien le coup ! dit Renny
Whiteoak. Bientôt, tu célébreras ton centenaire. Dieu !
quelle fête nous donnerons à cette occasion ! »

Mentalement, il dressa la liste des membres de la
famille qui y prendraient part. Sa sœur Meg et sa
fille, Roma et Dennis, Piers et Pheasant avec leurs
enfants — il faudrait que le jeune Maurice revienne
d'Irlande. Finch et Wakefield, certainement, quelle que
fût la distance qu'ils auraient à parcourir. D'ici là,
ils seraient peut-être mariés, Finch pour la deuxième
fois. La solitude ne lui valait rien; mais son premier
mariage n'avait pas été heureux. Et Wakefield n'avait
pas eu de chance non plus avec son premier amour.
Il fallait leur souhaiter davantage de bonheur à tous
les deux... D'ici là, les deux plus jeunes fils de Piers
seraient adultes. Nooky atteignait déjà la taille
de son père, et Philip était un grand gaillard de
quinze ans. On serait dix-huit pour ce centenaire, si
les deux vieux oncles survivaient jusque-là. Etait-ce

possible ? Il l'espérait sincèrement. Son esprit se refusait à envisager leur mort. Pourquoi ne vivraient-ils pas plus de cent ans, comme leur mère ?

Il leva les yeux sur la maison baignée de soleil. Elle avait l'air si bénin et comme empreinte de sagesse. Il la protégerait contre tous les empiètements; elle demeurerait la forteresse gardienne des traditions de ses aïeux. Il songea à Clapperton et grimaça un sourire en se disant que s'il méditait de lui jouer un tour, il saurait lui damer le pion. Un jour viendrait où il le mettrait à sa place, et pour de bon.

Il entendit un pas alerte, et Adeline émergea de l'ombre des arbustes à feuilles permanentes. Elle s'approcha de lui, posa une main sur son épaule et demanda :

« Daddy, est-ce que tu as vraiment les moyens de me payer ce voyage ? Je sais qu'il coûtera terriblement cher.

— Mais, voyons, répondit-il avec un peu d'irritation, si je n'étais pas en mesure de payer à mon unique fille un voyage en Irlande et à Londres, mes affaires seraient vraiment en bien mauvaise posture.

— Oui, Daddy, mais tout est tellement cher de nos jours. Quand Maurice m'a dit le prix rien que de la traversée aller et retour, j'en ai été épouvantée. Sans parler de la note d'hôtel à Londres ! Je sais que les gages des hommes d'écurie sont deux fois plus élevés qu'avant la guerre et que les chevaux que nous avons vendus n'ont pas rapporté ce que nous espérions. Je crois sérieusement que je ferais peut-être mieux de renoncer à cette idée.

— Il est trop tard. Ton billet est pris et payé.

— Vraiment ?

— Oui, vraiment. Cesse donc de te tourmenter au sujet de ce que cela coûtera.

« — Mais, Daddy, si tes moyens te le permettent, pourquoi as-tu refusé de venir avec nous ?

— J'ai des choses à faire ici.

— Rien qu'oncle Piers ne puisse faire à ta place, j'en suis sûre.

— Il n'est pas capable de s'occuper de Clapperton.

— Est-ce que tu plaisantes ?

— Non.

— Quelle menace est donc cet homme !

— Oui, il est bien une menace pour Jalna... L'année prochaine, j'espère lui avoir réglé son compte, et alors, nous irons en Irlande ensemble.

— Je te rappellerai cette promesse. »

Mais que son père dût l'accompagner ou non, le plaisir de préparer son voyage remplissait d'une joie continuelle les jours et les rêves d'Adeline. Elle parcourait la maison en chantant, d'une bonne voix qui ne restait jamais juste plus de six mesures de suite. Elle passait d'un air à un autre sans qu'il fût possible de découvrir pourquoi ni quand s'opérait le changement. Elle ne disait jamais les paroles, mais poursuivait son « tralala » dans une heureuse ignorance de ce qui allait suivre. Cette particularité ravissait Finch. *Pompe et circonstance !* s'écriait-il. Puis, après quelques mesures : « *Rule Britannia !* Comment diable t'y prends-tu ?

— C'est facile. On nous les a enseignés à l'école. »

Si on l'avait laissée faire, elle aurait achevé toutes ses emplettes et ses emballages en deux jours; mais Alayne était difficile et raffinée dans ses achats et sa préparation des bagages.

« Dieu sait dans quel état seront tes robes quand tu reviendras !

— Si seulement je pouvais faire comme oncle Finch !

Il simplifie les choses, lui. Oh ! je voudrais être un garçon !

— Aujourd'hui, les filles font presque tout ce que font les garçons. Elles portent les mêmes vêtements et exercent les mêmes professions.

— Ce n'est quand même pas pareil. Si une fille devient gangster, elle ne peut être un gangster bien dangereux.

— Tu dis vraiment des bêtises, Adeline.

— Bien sûr ! s'écria Adeline. Je sais à peine ce que je dis et ce que je fais, ces jours-ci ! Je vis dans une brume délicieuse. Quand je suis allée en Irlande avec Daddy, j'étais une enfant; j'étais folle de joie de voyager avec lui mais trop jeune pour apprécier ce que je voyais. Tu te rappelles ce que tu as éprouvé quand tu es allée en Italie, comme jeune fille ?

— Ah ! oui, je m'en souviens... C'était un autre monde, alors.

— Oui, je sais. Mais même si les voyages, la vie et tout, ont changé depuis cette époque, l'existence me paraît assez belle, à moi. »

Il y avait encore plusieurs choses à faire avant le départ, dont les plus importantes étaient, pour Adeline, d'aller dire au revoir à son frère et à ses cousins dans leurs collèges. Bien qu'elle les eût tous vus aux vacances de Pâques, elle leur avait promis une visite d'adieu. Elle s'en réjouissait parce que Renny devait l'y conduire. Elle passerait ainsi deux jours en sa compagnie. Bientôt, très bientôt, l'océan les séparerait.

Ils se rendirent d'abord au pensionnat de Roma, la fille du frère de Renny, Eden, mort quand elle était un bébé. Un peu plus jeune qu'Adeline et d'un caractère bizarre, Alayne ne l'avait jamais aimée et, maintenant, elle la détestait presque à cause d'une certaine chose que Roma avait faite et qu'Adeline lui repro-

chait également. Mais Renny avait une vive affection
pour la jeune fille qui, sous sa froideur apparente,
était très attachée à Adeline.

Celle-ci avait fait ses études dans cette même institution. Quelle peine elle avait eue à se conformer
aux règlements ! Son être le plus intime s'était révolté
contre l'obligation de tout faire de la même façon
que cinquante autres filles. Mais elle avait toujours
maîtrisé sa rébellion. Ses deux grands-oncles surtout
avaient enraciné en elle le sentiment du devoir.
Toute petite encore, ils lui répétaient : « Tu dois cela
à ton père. — Tu dois te conduire de façon à donner
satisfaction à ta mère. — Rappelle-toi que tu es une
Whiteoak ! » En pension, ce n'avait pas été dans les
petites choses qu'elle avait désobéi aux règlements,
mais dans les grandes, ce qui avait parfois bouleversé
l'école. Roma, par contre, violait constamment les
règlements, mais de telle manière qu'elle se faisait
rarement punir. Néanmoins, elle se cramponnait au
pensionnat et redoutait un peu de le quitter.

Renny et les deux jeunes filles se tenaient maintenant au parloir; la directrice avait accueilli Adeline
en s'exclamant : « Comme elle a grandi ! » et, après
avoir, d'un regard éloquent échangé avec Renny,
admiré sa beauté, elle s'était retirée.

« La seule beauté de Roma, songea Renny, est sa
chevelure, d'un or étrange, aux reflets presque verdâtres — les cheveux d'Eden. Mais elle n'a rien d'autre
de son père que le sourire; ses yeux et ses traits sont
ceux de sa mère, Minny Ware. »

« Quelle veinarde tu es ! dit Roma à Adeline.
Partir faire un voyage pareil pendant que nous tri-
mons ici sans la moindre distraction !

— Ta dernière lettre était pleine des descriptions
de vos amusements, dit Adeline.

— Oh ! ce n'était rien. Je l'ai déjà oublié.

— Ton tour viendra, Roma », dit Renny.

Elle lui sourit.

« Vraiment ? Quand cela ?

— Eh bien, peut-être l'an prochain ou l'année d'après — quand j'irai en Europe avec Adeline. »

La jalousie durcit les yeux étroits de Roma.

« De nouveau elle... si tôt ?

— Il ne dit ça que pour parler, intervint Adeline, alarmée à la pensée que Roma pût venir avec eux. Dieu sait quand nous entreprendrons de nouveau un voyage. »

A ce moment, elles avaient l'air de deux femmes.

« Tout le monde dit qu'il y aura bientôt une autre guerre, dit Roma. Alors je n'irai peut-être jamais en Europe, sinon dans quelque horrible corps auxiliaire féminin.

— Quelle sottise ! dit Renny.

— De toute façon, s'écria Adeline, tout cela, c'est l'avenir. Nous sommes dans le présent.

— Je suis née en Italie, dit Roma. J'ai tellement envie d'y aller. On se sent différent, quand on est né à l'étranger. »

Adeline considéra cette phrase comme l'une des remarques « poseuses » de Roma.

« Tu ne peux absolument pas t'en souvenir, dit-elle.

— Oh ! si, je me souviens d'un tas de choses.

— De quoi ? demanda Renny. Tu n'avais que deux ans quand tu es arrivée à Jalna.

— Je me rappelle des cyprès, et une femme très brune, et des petits ânes, et quand je me suis ouvert le genou en tombant sur des pierres.

— Je me demande qui était cette femme brune, dit Renny. Certainement pas ta mère.

— Je ne me rappelle pas son nom, mais je me souviens d'elle.

— Je parie que tu ne la reconnaîtrais pas si tu la rencontrais, dit Adeline.

— Oh ! si, je la reconnaîtrais. Et mon père aussi.

— Tu as vu de très bonnes photographies de lui, dit Renny.

— Même si je ne les avais pas vues, je le reconnaîtrais. Je reconnaîtrais sa voix.

— Tu n'as jamais entendu sa voix ! s'écria Adeline.

— Je l'ai entendue dans ses poèmes. »

Adeline eut un geste de désespoir. Roma allait-elle passer la brève visite qu'ils étaient venus lui faire de si loin à parler de cette manière grotesque ?

« Allons-nous inviter Roma à déjeuner ? demanda-t-elle à son père.

— Oui. Miss Ellis m'y a autorisé. Je suis content, dit-il gravement, les yeux fixés sur Roma, qui tu aies lu les poèmes de ton père. On dit qu'ils sont très beaux. Il est bien dommage qu'il soit mort si jeune.

— Tu le crois ? dit Roma avec un léger sourire. Pas moi. »

Il leva les sourcils d'effarement :

« En voilà une chose à dire, Roma ! Quelle est ta pensée ?

— Je pense qu'il vaut mieux mourir jeune, avant d'en avoir trop appris.

— Alors, il n'est pas mort suffisamment jeune.

— Quel dommage ! »

Adeline se leva brusquement.

« Je ne suis pas venue ici pour parler de la mort ! s'écria-t-elle.

— C'est la première fois que Roma m'a parlé de son père, dit Renny d'un ton apaisant, comme s'il

parlait à un poulain que quelque chose aurait effrayé,
sur la route.

— Daddy, elle pourra parler de la mort pendant
toutes les vacances si elle en a envie.

— Très bien, dit Roma en se levant. Allons-y.
Veux-tu monter avec moi, Adeline, pendant que je
mets mon chapeau et mon manteau ? »

Les deux cousines s'engagèrent ensemble dans l'escalier. Un murmure de voix leur parvenait des salles
de classe et, quelque part, on étudiait des gammes au
piano. L'air pur du printemps entrait par la fenêtre
ouverte d'où l'on voyait la brise de mai agiter les
jeunes feuilles d'un arbre. Dans la chambre que partageaient quatre élèves, Adeline regarda les lits négli-
gemment faits par les pensionnaires elles-mêmes.

« Dire que j'ai naguère couché ici ! Comment ai-je
pu le supporter !

— Tu t'es amusée ici comme nous le faisons encore.
La nuit dernière, nous avons organisé une petite
fête, rien que nous quatre.

— Je connais... des brioches et des tablettes de chocolat et, à minuit, vous êtes descendues à pas de loup
à la cuisine vous faire du cacao !

— Oui... Adeline...

— Quoi ?

— Si, là-bas, tu rencontrais quelqu'un...

— Quel genre de quelqu'un ?

— Je veux dire quelqu'un dont tu deviendrais
amoureuse.

— Sois tranquille. Ça ne m'arrivera pas.

— Qu'est-ce qui t'en empêcherait ?

— Roma, tes cheveux sont merveilleux.

— Les tiens aussi.

— Tu es d'un blond verdâtre, pas de ce blond
rosâtre des cheveux oxygénés.

— Tes cheveux sont comme du cuivre, Adeline...
Tu sais, je ne serais pas du tout surprise si tu avais
une aventure en Irlande. Il y a cet ami de Mooey,
Pat Crashaw.

— Et il y a Mooey lui-même ! s'écria Adeline. Et
un million d'autres Irlandais. » Puis, d'un ton sérieux,
elle ajouta : « Roma, il n'y a pas d'homme au monde
pour qui je quitterais Jalna.

— Je ne blague pas, Adeline. Tu pourrais tomber
amoureuse.

— Pas de danger. Je vais en Irlande pour
m'amuser.

— On dit que c'est amusant d'être amoureuse.

— Qui dit ça ?

— Enfin, pas précisément amusant, mais excitant.

— Rien que le fait de vivre m'excite suffisamment.

— Moi, j'attends avec impatience le temps où je...

— Oh ! je t'en prie, tais-toi et mets ton manteau !

— Adeline, si ça t'arrive, est-ce que tu m'écriras
pour me le dire ?

— Oui.

— Tu me le jures ?

— Oui. Dépêche-toi !

— Adeline, aimerais-tu être célèbre ?

— J'aimerais remporter le premier prix de saut dans
un concours hippique international.

— Je veux dire : devenir célèbre comme poète ou
comme romancière.

— Je n'y ai jamais pensé.

— Est-ce que tu te laisses jamais aller à des pensées romanesques ?

— Jamais... Je ferais mieux d'aller dire à Daddy
que tu ne veux pas venir déjeuner.

— Je viens, je viens ! » s'écria Roma en s'empressant

de mettre son manteau bleu foncé et son petit chapeau rond.

Elles redescendirent côte à côte, prestes et légères.

A table, dans l'hôtel de la petite ville, Renny les regarda toutes deux avec fierté. Elles étaient jolies. Le sang de sa famille coulait avec force dans leurs veines. C'était lui-même et Eden au féminin. Elles se tenaient droites; on ne leur avait jamais permis l'attitude mollasse qu'affectent certaines jeunes filles. Elles étudièrent le menu avec dignité et se montrèrent polies envers le serveur. Oui, il pouvait être fier de ces deux petites. Il aurait voulu garder Roma à Jalna, mais Alayne avait tant d'aversion pour elle qu'il l'avait confiée à sa sœur Meg et s'en était félicité. Meggie était si bonne, si affectueuse qu'elle ne pouvait manquer de rendre heureux quiconque habitait sous son toit.

Après le déjeuner, Roma fut reconduite au pensionnat avec quelques dollars de plus dans son sac à main et une boîte de chocolats. Renny et Adeline reprirent le chemin de Jalna. Il n'avait jamais aimé l'automobile, et, vu sa façon téméraire de conduire, c'était miracle qu'il n'eût jamais eu d'accident. Il confia maintenant le volant à Adeline et se détendit en fumant une cigarette.

Du coin de l'œil, il voyait le profil nettement découpé de sa fille, presque sévère dans sa calme application. Elle conduit bien, pensait-il, et il trouvait agréable de se laisser ramener par elle, ce bel après-midi de mai. L'idée de s'en séparer, même un temps aussi bref, lui était pénible, et il souhaitait presque pouvoir l'accompagner; mais il aurait alors manqué sa saison préférée à Jalna. Avait-il une saison favorite ? Ne les aimait-il pas toutes tour à tour ?... Comme ils approchaient de la maison, il dit :

« Regarde-la bien. C'est une assez belle vieille maison, n'est-ce pas ? Je ne parle pas de beauté architecturale, mais d'un certain air qui lui est propre. Une femme telle que ma grand-mère n'a pu y habiter près de soixante-dix ans sans y imprimer sa marque. Et puis, il y a eu mon père et mon grand-père. Des hommes de caractère.

— Et toi ! dit-elle avec vivacité.

— Oui. Moi aussi... Il s'est passé beaucoup de choses sous ce toit. Il me semble que la maison les connaît... Est-ce que tu me crois gâteux ?

— Oh ! non. J'éprouve le même sentiment. »

Elle essayait toujours d'être en harmonie avec lui.

« Eh bien, quand tu verras le château de Maurice, tu verras une demeure bien plus somptueuse mais qui, à mon avis, ne donne pas la même impression. Elle est ancienne; elle a été bâtie dans un vieux pays par des gens qui y avaient vécu Dieu sait depuis quand. Cette maison-ci, elle, est la première qu'on ait construite sur ces quatre cents hectares...

— La propriété n'a plus quatre cents hectares à présent, n'est-ce pas ?

— Non, juste deux cents. La moitié des terres ont été vendues, à des époques diverses, pour tirer mes oncles de leurs difficultés financières. Voilà une chose que je n'ai jamais faite et que je ne ferai jamais : vendre un seul hectare de cette terre... Comme je te le disais, cette maison est la première qui y ait été construite. Les arbres de la forêt primitive ont été abattus pour lui faire place. Ton arrière-grand-mère venait chaque jour surveiller les travaux et, avant qu'ils fussent complètement achevés, elle y a apporté son lit — le lit de bois peint dans lequel tu couches — et y a mis un fils au monde.

— Je me demande si ça m'arrivera jamais.

— Quoi donc ?

— Mettre un fils au monde dans ce lit. »

Il la regarda un instant avec étonnement.

« Grand Dieu ! qui t'a mis cette idée en tête ?

— C'est toi. »

La voiture avait atteint la porte. Renny dévisagea
fixement sa fille, puis il dit :

« Eh bien, pas avant un bon nombre d'années,
j'espère.

— Quand j'aurai quarante ans ? »

Il rit.

« Même tes vingt-cinq ans sont encore assez loin. »

Puis, il ajouta avec sérieux :

« Il y a assez de place à Jalna pour toi, ton mari,
Archer et sa femme... quand le moment viendra. »

Il était convaincu de l'élasticité de Jalna et de sa
capacité d'abriter toute la famille.

« Il faudrait un château pour qu'il y ait assez de
place pour moi et la femme d'Archer. Je détesterai
forcément la femme qu'il choisira. Il est vaniteux,
et elle ne pourra manquer de l'être aussi.

— Ça lui passera.

— Pas à elle. »

Finch sortit de la maison et demanda :

« Tu as passé une bonne journée, Adeline ?

— Je te crois. Nous sommes allés au pensionnat
chercher Roma, nous l'avons emmenée déjeuner en
ville et nous l'avons ramenée.

— Eh bien, je suppose que tu as été contente de
lui dire au revoir.

— Je le suis toujours, répondit-elle gaiement.

— Roma ressemble moins à Eden, dit Renny.

— Vraiment ? C'est regrettable, dit Finch.

— Elle a quand même ses cheveux et son sourire.

— Espérons qu'elle héritera de son talent. »

Ils pénétrèrent tous les trois dans la maison où les oncles attendaient qu'on leur racontât la visite à Roma.

Adeline avait en perspective une autre visite dans un pensionnat. Elle devait aller dire adieu à son frère Archer et à ses cousins, les deux plus jeunes fils de Piers. Elle s'en réjouissait, car les écoles de garçons lui paraissaient plus intéressantes que les écoles de filles et l'aîné de ces deux cousins, Nooky, était son préféré.

C'était un grand adolescent de dix-neuf ans, blond et doux, avec des yeux noisette. Il n'aurait eu que rarement des ennuis à la maison et au collège sans l'influence de son turbulent jeune frère Philip. Cette année, il s'était beaucoup développé. Il était moniteur en chef de l'école. Il se présenterait au baccalauréat à la fin du trimestre, et le principal était d'avance certain qu'il ferait honneur à l'institution. Néanmoins, Philip ne lui manifestait pas de déférence en dehors de celle que ses fonctions lui imposaient. A quinze ans, il était, au point de vue des sports, le supérieur de Nooky. Il excellait tellement au football, au hockey, à la course et au saut que les professeurs de goûts sportifs ignoraient souvent ses escapades. Les deux frères étaient fort attachés l'un à l'autre, et, chez leurs parents, ils partageaient la même chambre. Maurice était presque un étranger pour eux.

Le plus jeune des Whiteoak, Archer, qui portait comme prénom le nom de jeune fille d'Alayne, ressemblait d'une manière frappante à son grand-père maternel, de son vivant professeur dans une université de la Nouvelle-Angleterre. Il avait un noble front blanc que le soleil ne brunissait jamais beaucoup, des yeux bleus perçants et une bouche d'une expres-

sion généralement si sombre qu'il semblait porter tout
le poids du monde sur ses épaules. Cependant,
quand il consentait à sourire, c'était avec une extraordinaire douceur. Sa mère était désappointée, voire
ulcérée, que sa ressemblance avec le professeur fût
exclusivement physique. Elle n'aurait pas été capable
de décrire ce qui était défectueux dans le caractère
de son fils, mais il laissait certainement beaucoup à
désirer.

Ce jour-là, il était l'un des pensionnaires que devait
confirmer l'archevêque. Renny, Alayne et Adeline
venaient au collège à cette occasion.

En même temps que les autres petits garçons de
son dortoir, Archer avait été réveillé par la première
cloche, mais il s'était rendormi. Puis, Robertson, l'un
des moniteurs, était arrivé et l'avait tiré du lit en
rugissant. Archer s'était précipité au lavabo et, maintenant, debout devant une cuvette, il se lavait délicatement la figure. Hughes, le garçon qui faisait sa
toilette à la cuvette voisine, la fit déborder et écla-
boussa les pieds nus d'Archer.

« Assez ! cria Archer.

— Il veut que tu sois bien propre pour la cérémonie », dit Elton.

Archer lui jeta une poignée d'eau à la figure. Une
bataille aquatique se déchaîna. La surveillante apparut
à la porte. Instantanément l'ordre se rétablit, sauf
que le petit Elton aux joues roses ne put s'empêcher
de passer une main mouillée le long du dos d'Archer.
Archer se tortilla en poussant un hurlement.

« Venez ici, Elton », dit sévèrement la surveillante.

Il s'approcha d'elle, son visage rond luisant d'eau.

« Vous devez être confirmé aujourd'hui, n'est-ce
pas ?

— Oui. Miss Macqueen.

— Est-ce que vous ne trouvez pas que vous devriez
vous conduire convenablement ce matin ?

— Oui, Miss Macqueen.

— Si j'ai encore une observation à faire à l'un quelconque d'entre vous, gare à vous. C'est compris ? »

Ils la regardèrent docilement de leurs yeux malicieux. Mais la porte était à peine refermée sur elle
que le chahut recommença. Il n'y avait pas classe ce
jour-là et le temps était magnifique; impossible de
se conduire sagement. Archer sauta sur Elton et le
renversa; ils roulèrent ensemble sur le plancher
mouillé. Hughes mit son doigt sous un robinet et
envoya un jet d'eau dans la figure de Huff, un gros
garçon, fils unique de parents très riches qui le
gâtaient. Huff arrivait toujours au collège dans une
limousine conduite par un chauffeur au lieu de venir
par le train avec la racaille. Tous les objets qu'il
possédait étaient coûteux. Chaque semaine, il recevait par la poste un paquet de fruits, de bonbons et
de gâteaux. Il avait de la chance quand il en obte-
nait une seule orange. D'habitude, avant même qu'il
l'eût vu, le paquet avait été saisi, ouvert et son
contenu distribué. Après les vacances, il revenait les
poches pleines d'argent. Tant que durait ce Pactole,
il avait des amis, mais il avait un air si suffisant, il
était si conscient de sa propre supériorité qu'il ne
tardait pas à se retrouver seul. Ses parents qui l'adoraient ne se doutaient pas, en lisant ses lettres, pleines
de ses prouesses d'écolier, à quel point il était malheureux.

Maintenant, le visage aspergé d'eau, il courut,
haletant, trébucha, et l'une de ses belles pantoufles
de chevreau tomba. Aussitôt, les autres se la dispu-
tèrent et un dernier coup de pied finit par la jeter
par la fenêtre.

Furieux, Huff ôta son autre pantoufle et se mit à en frapper Helton. La bagarre battait son plein quand la porte s'ouvrit et que le moniteur en chef entra. L'effet fut bien plus foudroyant que si ç'avait été la surveillante. Le moniteur en chef ne condescendait que rarement à jeter un coup d'œil au lavabo.

« Elton et Huff, dit-il, vous irez tous deux dans le cabinet du préfet de discipline, après le petit déjeuner. »

Il partit, refermant la porte sans bruit.

« Vous n'y couperez pas d'une raclée ! » s'exclama Archer. Il se mit à quatre pattes et, dressant les jambes en l'air, agita ses pieds roses et mouillés.

« Ce sera ma quarante-deuxième depuis le mois de septembre ! » s'écria Elton en se vantant. Il tenait strictement la comptabilité de ses corrections et n'avait pas de rival à cet égard. Aucun élève n'était aussi aimé que lui de ses camarades, des préfets et des professeurs. Aucun d'eux n'était plus heureux; mais il était incorrigible. A ses yeux, les règles étaient faites pour être violées. Ni les pensums, ni les retenues, ni les sermons, ni les admonestations paternelles ne produisaient sur lui la moindre impression.

« Moi, ça sera ma première », dit tristement Huff.

Tous regagnèrent en courant leur dortoir où, dans un incroyable désordre, draps, couvertures et vêtements étaient éparpillés sur le plancher et sur les lits. Un observateur se serait étonné de la vitesse avec laquelle les garçons parvinrent à retrouver chacun ses habits et à les revêtir. S'il avait été amateur de beauté, il aurait admiré la promptitude des mouvements de leurs corps nus qui avaient perdu le hâle de l'été et conservaient encore les charmantes lignes de l'enfance.

Maintenant, plus de cent élèves, réunis pour le petit

déjeuner, se tenaient debout, la tête baissée, pendant que l'on récitait le *Benedicite*. Des toux étouffées ponctuèrent cette prière, car les rhumes étaient nombreux parmi les élèves dont les plus jeunes avaient sept ans et les plus âgés dix-neuf. Tous s'assirent et attaquèrent leur porridge; Elton avec délectation, Huff sans enthousiasme, et Archer Whiteoak pas du tout. Il détestait tous les laitages et vendait à ceux qui les aimaient le verre de lait supplémentaire que sa mère lui faisait donner pendant la récréation.

Après le déjeuner, le principal donna quelques instructions au sujet de ce qui allait occuper la journée. Il rappela aux élèves que certains d'entre eux prendraient part, ce jour-là, à une cérémonie spirituelle importante.

De retour au cabinet des préfets, Nook avait dit à ses collègues :

« J'ai puni Huff. Il va venir pour recevoir une correction.

— Huff ! » s'étaient-ils écriés, intéressés par cette nouveauté. Il n'en était pas un parmi eux qui ne jugeât très opportune et méritée une correction administrée à Huff.

« Pour quelle raison ? demanda Robertson.

— Il s'est battu au lavabo.

— Contre qui ?

— Elton. Il va venir lui aussi.

— Elton ! gémit Robertson. Je suis fatigué de fouetter ce garçon-là !

— Tu n'auras pas besoin de le faire. Nichol s'en chargera. »

Nichol, grand jeune homme brun au sourire nonchalant, se leva avec entrain.

« Quand est-ce qu'ils viennent ? demanda-t-il.

— Tout de suite. Ils sont à la porte. »

On entendit frapper timidement et les deux petits garçons entrèrent. Elton avait l'air résigné, presque gai, mais Huff semblait avoir très peur. Les moniteurs se détournèrent comme pour vaquer à des affaires plus importantes. Tous, sauf Nichol qui dit :

« Allons, Huff, touche tes pieds du bout de tes doigts.

— Ça vous serait égal de vous occuper de moi d'abord ? demanda Elton. Il faut que je donne à manger à mes bêtes et je suis déjà en retard. Et puis, j'ai posé un piège dans les bois.

— Un piège ? tu sais bien que les pièges sont interdits.

— Oh ! mais ce n'est pas le genre de piège qui blesse les animaux. Je veux attraper un écureuil pour l'apprivoiser.

— Très bien, dit Nichol obligeamment ; touche tes pieds du bout de tes doigts. »

Dès qu'il fut libre, après le petit déjeuner, Archer Whiteoak courut au lac dont des bois et des champs protégeaient les rives vertes en pente douce. Le ciel d'un bleu limpide et les nuages blancs et ronds que la brise déplaçait à peine, se reflétaient dans la splendeur langoureuse du lac. Archer s'accroupit au bord et trempa ses mains dans l'eau fraîche. De temps en temps, il fonçait sur l'un des poissons minuscules qui nageaient parmi les roseaux et l'attrapait. Il le gardait dans sa main jusqu'à ce qu'il cessât de frétiller, puis, il le rejetait dans le lac juste à temps pour lui sauver la vie. Il vit démarrer du débarcadère le plus grand des bateaux à voiles monté par Nooky, Robertson et Nichol. Ils avaient donc fini de battre Elton et Huff !

Au bout d'un moment, Archer s'éloigna du lac et
se dirigea au petit trot vers le bois et les champs.
En passant devant le terrain de jeu, il vit qu'une partie
était en cours et il entendit le professeur de sports
crier des ordres. Dans le bois, l'un des petits garçons
jouait tout seul. Il était très petit mais il se suffisait
parfaitement à lui-même. En fait, il était un train.
Faisant tournoyer ses bras comme des roues, émettant
un teuf-teuf rythmé, il roulait sur des rails imaginaires. Parvenu à un certain arbre, il s'arrêta et cria
d'une petite voix aiguë : « Belleville ! » Un peu
plus loin, ce fut « Port Hope » ! puis « Kingston » !
Autour de lui, des touffes d'hypaticas parfumées surgissaient d'entre les feuilles mortes de l'an passé et
les délicats pétales des trilliums étaient sur le point
de se déplier. Mais il n'en voyait rien. Il était pure-
ment et simplement une machine. Il n'accorda
pas la moindre attention à Archer qui contemplait
ses activités avec un profond pessimisme. Archer ne se
souvenait pas de s'être jamais amusé à de pareilles
futilités. Il continua sa promenade jusqu'à ce que,
soudain, il aperçût un serpent. C'était un petit serpent vert qui se chauffait au soleil, dans l'allée.
Archer l'eut vite pris par la queue. Il l'examina d'un
œil froid et critique, puis gagna le champ à travers
le bois. Le soleil était devenu presque chaud. On
entendait la sonnerie de clairon d'un cadet en train
de s'exercer.

Deux des plus jeunes professeurs s'étaient étendus
sur un tertre herbeux afin de pouvoir causer tranquillement loin des élèves. Ils virent approcher Archer.

« C'est Whiteoak trois, avec un serpent, dit l'un
d'eux.

— Seigneur ! ce que ce gosse est tannant ! »

Avec son plus doux sourire, Archer demanda :

« Voudriez-vous garder mon serpent pendant quelques minutes, s'il vous plaît, monsieur ? »

Il plaça le bout de la queue du serpent entre le pouce et l'index du professeur et repartit en courant. Au bout d'un moment, il revint portant un serpent dans chaque main — des serpents inoffensifs mais qu'il répugnait au jeune professeur de toucher. Il roula sur le côté et détourna son visage.

« Le premier de ces serpents, dit Archer, pourrait être un *Thamnophs Sirtalis* et l'autre un *Natrix Sipedon*. Ce sont tous deux des spécimens très rares. Il faut que je les montre à Mr. Wickens. Alors, voulez-vous s'il vous plaît m'aider à les lui apporter ?

— Est-ce que vous ne croyez pas qu'il sera trop occupé ce matin pour les regarder ? demanda l'un des jeunes professeurs.

— Il n'est jamais trop occupé pour regarder des spécimens », dit Archer avec sévérité.

En file indienne, Archer en tête, ils prirent le sentier, chacun des maîtres portant un serpent à bout de bras avec précaution. Dans le bois, le tout petit garçon, qui était toujours un train roulant sur des rails imaginaires, ne tourna pas la tête quand ils passèrent. Il faisait soudain très chaud et les trois serpents s'étiraient et se tortillaient, la tête en bas. Après les avoir remis au professeur de sciences, Archer se dirigea vers la boutique aux friandises que tenait un élève de cinquième nommé Yuell. Trois petits garçons en sortaient chargés chacun d'une bouteille de limonade et d'une tablette de chocolat. A l'intérieur, assis sur une caisse renversée, Philip Whiteoak buvait une coca-cola. Beau garçon, bien découplé, avec des yeux bleus étincelants et des cheveux dorés, son uniforme de cadet lui seyait; il portait son clairon en bandoulière. C'était lui qu'Archer

avait entendu étudier la diane; il la savait depuis
peu et en était si heureux qu'il aurait aimé la sonner
sans arrêt.

Yuell, qui remettait ses marchandises en ordre,
demanda à Archer :

« Tu veux quelque chose ?

— Oui. répondit Archer, mais je n'ai pas d'argent.

— Alors, tu ferais mieux de fiche le camp.

— Donne-lui une coca à mes frais », dit Philip, en
reposant sa bouteille; puis, portant son clairon à ses
lèvres, il sonna la diane avec une énergie qui lui
fit saillir les yeux et empourpra ses joues.

Archer, qui buvait au goulot, le regarda avec respect.

« Joliment bien, dit Yuell; presque parfait.

— *Presque ?* dit Philip, mécontent.

— Eh bien, qu'est-ce que tu en penses toi-même ?

— Evidemment, j'aurais pu mieux faire.

— Moi, je trouve que c'était très bien », dit Archer.
Il avait du toupet d'oser formuler une opinion, ce
moutard !

« Pour ce que tu t'y connais en sonneries ! » dit
Philip. Et, reprenant son instrument, il sonna encore
une fois la diane. On eût dit que les sons cuivrés,
vibrants, brisaient comme du verre l'air léger du
printemps.

— Comment trouves-tu ça ? demanda Philip.

— Très bien », répondit Yuell

Archer garda le silence.

« As-tu une critique à faire ? lui demanda Philip.

— Continue à étudier et tu arriveras à la jouer
parfaitement », dit Archer. Il posa sa bouteille vide
sur le comptoir et sortit de la boutique, se tenant si
remarquablement droit que son cou avait un air
d'arrogante raideur.

Il retourna au lac et, voyant un canoë de libre, il

y monta et se mit à ramer lentement. Un serpent, la tête levée au-dessus de la surface miroitante de l'eau, nageait vers les roseaux de la rive. Archer lui envia sa liberté d'agir à sa guise sur la terre et sur l'eau. Il avait, pour les serpents, plus d'affection que pour la plupart des gens. Jamais l'envie ne lui venait de les frapper à coups de bâton, de les tuer, comme le font certains garçons.

Il songea à sa proche confirmation et se demanda l'effet qu'elle lui produirait. Elle lui donnerait le droit de communier; mais, intérieurement, le modifierait-elle ? Il évoqua les élèves qui avaient été confirmés l'année précédente. Aucun changement ne s'était opéré en eux; il en était sûr. Ils étaient trop bêtes. Mais pour lui, ce serait différent. Il imagina les professeurs et ses camarades le regardant avec étonnement et murmurant entre eux : « Comme Whiteoak trois a changé ! C'est prodigieux ! »

L'archevêque et les parents arrivaient avant le déjeuner et la cérémonie aurait lieu après. Les préparatifs agitaient tout le collège. Archer revint en retard au dortoir pour s'habiller. Elton y était seul, achevant de nouer sa cravate.

« Tu feras bien de te dépêcher, dit-il. Tu n'as que juste cinq minutes. Ta mère, ton père et ta sœur sont là. »

Archer enleva sa veste, puis, comme il retirait sa chemise, il se rappela qu'il n'avait pas donné son complet bleu des dimanches à nettoyer. Il l'avait oublié, comme il oubliait tout ce qui ne l'intéressait pas.

« Grouille-toi ! » cria Elton en quittant la pièce.

Archer émergea de sa chemise et regarda autour de lui. La chambre avait été en ordre lorsque les garçons étaient revenus s'habiller; chacun y avait trouvé, étalé sur son lit, son costume propre du dimanche; tous, sauf celui d'Archer. Maintenant, il ne restait plus que le complet de Huff. Mais où était Huff ? Archer n'avait pas de temps à perdre. Il prit dans l'armoire son costume bleu et en regarda avec épouvante le devant parsemé de taches. Il se figura sa mère s'en détournant avec dégoût, son père fronçant les sourcils et Adeline souriant avec ironie.

Posant son costume sur le lit de Huff, le devant face à la courtepointe, il s'empara de celui de l'absent.

Il était un peu large pour lui, mais il avait bon air. Archer mit avec satisfaction une chemise blanche, un col, une cravate, des chaussettes propres et ses souliers les plus neufs. Il en attachait les lacets quand Huff arriva en courant, la figure rouge comme s'il avait pleuré.

« Dépêche-toi, dit Archer; tu es en retard.

— Je le sais, murmura Huff. Parbleu ! ça va me faire encore des embêtements ! Dis donc, Whiteoak, veux-tu m'aider à nouer ma cravate ?

— Pas le temps. Voilà la cloche qui sonne ! »

Il descendit l'escalier quatre à quatre et entra sans bruit dans la salle à manger. Le Principal récita le *Benedicite* en latin et tout le monde s'assit. Archer fixa des yeux la table du Principal où sa mère était assise à côté de l'archevêque; il apercevait la tête et les épaules de son père et le profil d'Adeline mis en valeur par ses cheveux cuivrés. Archer n'avait pas faim; il éprouvait la même appréhension qu'avant d'être opéré des amygdales. Elton, lui, mangeait avec appétit, savourant la première tourte à la rhubarbe de la saison. Huff avalait son déjeuner d'une manière distraite; il paraissait prêt à faire éclater le vêtement taché d'Archer, mais son col était immaculé. Personne

ne parlait fort. Il était étrange d'entendre, provenant
de la table du Principal, le son de voix féminines.

Les regards d'Alayne parcouraient les élèves, à
la recherche de son fils. Elle découvrit Nooky, l'air
viril et réservé. Il avait toujours été l'un de ses pré-
férés. Enfant, timide et sensible, il devenait maintenant exactement le genre d'homme qu'elle avait
espéré. Bien que blond, il ressemblait à sa mère...
Puis, elle repéra Philip dont Renny disait qu'il était
Piers tout craché, avec sa belle tête et son expression
hardie... Mais où était donc son chéri ? A voix basse,
elle demanda à Renny :

« Est-ce que tu vois Archer ?

— Mais oui, à la seconde table à partir du bout, le
quatrième garçon... l'air très propre et tiré à quatre
épingles. »

Elle l'aperçut alors et son cœur battit plus vite. Il
était là, ses cheveux pâles se dressant, raides, au-
dessus de son front élevé ! Elle le regarda avec une
telle intensité qu'il le sentit et que son visage s'éclaira
d'un sourire, mais si bref qu'elle en fut attristée.
Elle avait été inquiète et blessée qu'il ne l'accueillît
pas à son arrivée. Elle se demanda ce qui avait pu
le retenir. L'archevêque, auquel elle le désigna, témoi-
gna d'un intérêt poli.

Après le repas, avant le moment d'aller à la chapelle, sur la pelouse ensoleillée, Alayne entoura Archer
de ses bras et demanda :

« Tu veux bien que je t'embrasse ? »

Il leva le front et elle l'embrassa. Renny lui tapota
le dos, tandis qu'Adeline le contemplait avec une
curiosité détachée.

« Tu sembles t'être rétréci, dit-elle.

« Mais c'est vrai ! s'écria Alayne. Tu as maigri !
Manges-tu suffisamment ? »

Cette occasion était trop bonne pour la laisser échapper.

« Il n'y a jamais rien que j'aime, dit-il. Huff reçoit un colis chaque semaine.

— La nourriture est très bonne, ici, intervint Renny.

— Oh ! mais il faut que je lui fasse donner du lait en supplément ! dit Alayne. Il flotte dans son costume. »

La famille Huff était en train de descendre un grand panier d'une somptueuse automobile. Les parents couvaient de leurs yeux rayonnants leur fils qui trébuchait sous le poids du panier en direction de la maison, escorté d'une horde de petits garçons semblable à une nuée de sauterelles. Archer les suivit du regard, songeant combien le panier serait rapidement vidé et combien petite serait la part de Huff.

Mrs. Huff s'approcha d'Alayne :

« Il est honteux, dit-elle, qu'on prenne aussi peu de soin des vêtements des enfants. Voilà mon fils qui va recevoir aujourd'hui sa confirmation dans un costume couvert de taches. »

Alayne, se rappelant l'aspect peu séduisant de ce garçon avec ses cheveux en désordre, ses paupières rouges et son complet trop étroit, répondit :

« C'est difficile. On ne sait jamais. On est pratiquement impuissant. Mon fils me semble trop maigre.

— Il est charmant, dit Mrs. Huff. D'excellentes manières et si bien tenu. J'ai positivement honte de Dickie. Mais il est si heureux ici que cela compense bien des choses. »

Les garçons étaient maintenant entrés dans la chapelle. Les parents les suivirent, par la pelouse, sous les arbres, quittant à regret le soleil et la douce brise qui soufflait du lac. Le petit garçon qui avait été un train, accourut, essoufflé, le dernier.

L'orgue se mit à jouer. Alayne, Renny et Adeline furent conduits à un banc proche du sanctuaire, où, alignés sur deux rangs, attendaient les garçons qui devaient être confirmés. Les cheveux argentés d'Archer, sa pâleur, son calme parfait, le distinguaient des autres aux yeux de sa mère.

L'aumônier du collège procédait au service d'une manière désinvolte. Nooky Whiteoak lut un psaume à haute voix, de sa place, parmi les élèves de la sixième classe. Le grand moment arriva où ceux qui devaient être confirmés vinrent l'un après l'autre s'agenouiller aux pieds de l'archevêque. Qu'ils paraissaient petits, faibles et sans défense ! La gorge d'Alayne se contracta quand ce fut le tour d'Archer. L'archevêque posa sa main sur la tête du jeune garçon :

« Protégez, ô Seigneur, cet enfant, par Votre Grâce Divine, afin qu'il puisse demeurer Vôtre à jamais et progresser de plus en plus dans la voie du Saint-Esprit jusqu'à ce qu'il parvienne à Votre Royaume Eternel. *Amen.* »

Alayne était agnostique. Elle avait été élevée par ses parents dans la foi unitarienne. Cette cérémonie ne lui rappelait aucun souvenir, mais parce qu'il s'agissait de son enfant et que le visage de l'archevêque resplendissait d'une beauté bénigne, elle fut émue. Renny, son regard sombre posé sur son fils, se demandait quelle vie serait la sienne, dans quel genre de monde il grandirait — un monde très différent de celui dans lequel il s'était développé lui-même. Le sermon que prêcha l'archevêque, ni trop long ni difficile à comprendre, lui plut. Mais il ne fut pas mécontent d'en entendre la fin. Il ne fallait pas oublier de donner un peu d'argent à Archer avant de s'en aller.

Quant à Adeline, tout ne fut pour elle qu'un rêve

entrevu à travers l'enchanteresse perspective de son voyage en Irlande. Une partie d'elle-même était déjà en route. Avant que le moment de se séparer fût arrivé, elle avait déjà fait ses adieux par la pensée. Nooky la prit à part :

« Tu penseras à moi piochant pour mes examens pendant que Maurice et toi vous folâtrerez dans le vieux pays ?

— Oh ! Nook, j'aimerais tant que tu puisses venir avec nous !

— Pourquoi est-ce Maurice qui a toutes les veines ? s'écria-t-il. Il hérite d'une superbe propriété en Irlande avec assez d'argent pour l'entretenir, et quand il va en prendre possession, il le fait en ta compagnie !

— Tu aurais détesté quitter ton foyer comme on l'y a obligé quand il était petit.

— Ça m'aurait été égal.

— Nooky, tu aurais pleuré toutes les larmes de ton corps. Tu étais un petit garçon si affectueux.

— Je le suis resté, dit-il en lui lançant un regard brûlant.

— Eh bien, tu as beaucoup de gens à aimer.

— Pas toi. »

Ils rirent, un peu gênés.

Les visiteurs se dirigeaient vers le vaste salon du Principal où le thé était servi. Les élèves dont les parents éatient présents avaient le droit de les y accompagner. Nook apporta à Adeline une tasse de thé et un gâteau.

« Qu'est-ce qu'a donc Archer ? demanda-t-elle. Il a l'air drôle.

— Il a le costume d'un autre.

— Je m'en doutais, dit-elle en riant. Mummy se figure qu'il a maigri, le pauvre petit chéri ! »

Archer passa, tenant en équilibre une tasse pleine de thé.

« Je m'étais toujours demandé ce qu'Archer deviendrait, dit Nook. Maintenant, je le sais. Il est né garçon de café. Imagine-le avec un plateau et une serviette sur le bras. Il serait parfait. Il a le visage inexpressif de l'emploi et sa main serait toujours tendue pour recevoir le pourboire.

— Oh ! Nooky ! Je le crois né pour être professeur. Pense aux brassées de prix qu'il remporte à chaque trimestre. Et il est toujours parmi les premiers de sa classe.

— C'est vrai. Je crois quand même qu'il sera serveur. Est-ce que tu m'écriras, Adeline ?

— Bien sûr.

— Tu me raconteras tout ? Tu le promets ?

— Je te le promets.

— Ne va pas tomber amoureuse d'un Irlandais.

— Il n'y a pas de danger que je tombe amoureuse !

— Je voudrais bien te voir t'éprendre de moi » dit-il, taquin.

XI

VOYAGE A TROIS

Le quatre-vingt-quinzième anniversaire d'Ernest devait être célébré avec plus de pompe que de coutume. Personne n'aurait pu en expliquer la raison, mais il y avait de l'agitation dans l'air. Ernest le sentait et faisait allusion au jour en question qui approchait, comme à un événement d'une importance spéciale.

« Non que j'atteigne jamais un âge aussi avancé que maman », disait-il avec un peu de nostalgie.

Il n'avait pas particulièrement peur de la mort, mais il aimait beaucoup la vie, et, dans son petit coin du monde, il ne se sentait pas inutile : il pensait exercer une grande influence sur sa famille et ne se rendait pas compte de toute l'affectueuse tolérance dont il était l'objet.

On donna en son honneur un grand dîner auquel furent conviés tous les membres de la famille et quelques vieux amis. Ce dîner fut un véritable festin, Alayne ayant combiné, pour lui faire plaisir, un menu des plus raffinés et Nicolas ayant fourni le champagne. Adeline s'était occupée des cheveux de Nicolas et avait réussi à les aplatir, mais avant même la fin du premier service, il leur avait, de son geste

habituel, rendu leur aspect de panache ébouriffé. Il
était d'humeur espiègle et essaya de faire rougir son
frère en évoquant leurs fredaines de naguère à Londres
et à Paris, mais Ernest n'en éprouva que du plaisir,
heureux de paraître sous un jour galant aux yeux de
la jeune génération.

Levant son verre, Renny dit :

« Buvons à la santé de celui qui fut le premier bébé
à naître dans cette maison. Il a respiré pour la première fois sous ce toit et nous en sommes tous fiers.
Nous sommes tous fiers qu'il soit encore parmi nous et
nous espérons de tout notre cœur qu'il vivra aussi
longtemps ou davantage que son admirable mère. »

Tous burent à sa santé avec enthousiasme. Mais
Alayne vit, en souriant à Finch, qu'il avait les larmes
aux yeux.

Pendant les jours suivants, Renny regretta presque
de s'être décidé à ne pas aller en Irlande. La joie
d'Adeline se voyait si bien à l'éclat de ses yeux, s'entendait à tel point dans son rire, qu'il aurait été
heureux d'assister à la réalisation de ce voyage si
vivement apprécié d'avance. Il était sûr qu'il ne
la décevrait pas. L'Irlande lui conviendrait comme
elle lui convenait à lui-même. D'autre part, il avait
envie de changer d'atmosphère. Depuis la guerre, il
n'avait quitté Jalna que pour aller au Concours
hippique de New York. De même qu'au Canada, ses
chevaux y avaient remporté des prix, et il les avait
très bien vendus. La ferme prospérait. Il ne pouvait
pas se plaindre. Néanmoins, d'une façon insidieuse,
le voisinage d'Eugène Clapperton lui empoisonnait
l'air qu'il respirait chez lui. De nouveau, il mena-
çait Jalna avec les projets de construction qu'il avait
semblé abandonner depuis son mariage. Dans tout
le pays surgissaient de laides petites maisons et de

hideuses stations-service, mais Jalna et Vaughanlands
demeuraient intacts, à part les quelques bungalows
que Clapperton avait déjà bâtis.

Alayne avait acheté pour Adeline des robes pra-
tiques mais jolies. Renny, cependant, ne les trouvait
pas assez belles. Il aurait voulu voir sa fille extrêmement élégante. Il lui fallut se contenter de lui offrir
quelques paires de souliers très chers.

« Elle a les pieds de Gran, tu sais, Alayne, et il
faut qu'elle soit chaussée de façon à les faire valoir. »

Une semaine avant le départ, il donna à Adeline
une somme supplémentaire pour ses dépenses. Elle
lui parut considérable, trop élevée, tant elle avait eu
peu d'argent à manier au cours de sa jeune vie.

« Non, non, Daddy ! dit-elle en lui rendant une
partie. Je ne peux en accepter autant ! Je n'en ai
pas besoin. »

Elle avait les yeux rouges d'émotion devant ce
témoignage de sa générosité et elle refusa énergiquement de reprendre les billets.

« Tes « traveller's checks » sont destinés à payer le
nécessaire, dit-il. Ces billets sont pour t'amuser, pour
t'acheter ce qui te tentera.

— Mais oncle Nick et oncle Ernest m'ont déjà
tous les deux donné de l'argent, objecta-t-elle.

— Tu verras comme ça file vite. Prends-le. »

Elle lui jeta les bras autour du cou.

« Tu es généreux, Daddy. Merci, merci ! »

Trois jours plus tard, il insista pour ajouter encore
un billet à ce qu'il lui avait donné.

« J'ai réfléchi à tes besoins, dit-il, et je crains que
tu ne sois à court.

— Non, non, tu n'en as pas les moyens. Je ne le
prendrai pas.

— Tu feras ce que je t'ordonne », dit-il sévèrement

mais en riant des yeux, et, lui maîtrisant les deux mains de l'une des siennes, il lui fourra, de l'autre, le billet de banque dans son col.

Elle porta à ses lèvres la main de son père qui sentait le savon de Windsor, et dit en feignant l'humilité :

« Très bien, Daddy, si tu l'ordonnes. »

Et ce ne fut pas tout. Au moment des adieux, il lui ouvrit son sac à main, y glissa plusieurs billets froissés et le referma d'un coup sec.

« Ce sont des billets américains, dit-il. Achète-toi quelque chose à New York. »

Adeline était à cet instant trop agitée pour soulever la moindre objection. Elle accepta ce dernier cadeau comme en songe. Ernest la prit entre ses bras et, d'une voix qui se brisait un peu :

« Dieu te bénisse, chère enfant, dit-il. Comme je voudrais pouvoir partir avec toi ! Mais je crains d'avoir dépassé l'âge de voyager.

— Je regrette que vous ne veniez pas, répondit Adeline sans trop savoir ce qu'elle disait. Soignez-vous bien en mon absence.

Puis, se tournant vers Nicolas :

« Soignez-vous bien tous les deux. J'aurai beaucoup de choses à vous raconter quand je reviendrai. »

Alayne, Pheasant, la petite Mary, Dennis, les vieux oncles et les Wragge entouraient la voiture. Pheasant évoqua le terrible jour où Maurice était parti pour l'Irlande à l'âge de douze ans. La douleur de cette séparation avait été le présage d'une rupture définitive. Il ne serait plus jamais son enfant. Mais elle lui sourit avec courage.

« Je viendrai te voir, dit-elle.

— Tu devrais venir avec nous maintenant, répondit-il, à demi fâché, car il avait formé le rêve d'emmener sa mère.

— Et qui s'occuperait de Piers, et de la petite et
des garçons quand ils reviendront du collège ?

— Nous avons discuté cette question plus d'une
fois, dit Piers. Si tu avais eu vraiment envie d'y aller,
nous nous serions arrangés.

— Mais je n'en avais pas vraiment envie, dit-elle en
souriant. C'est simplement amusant à imaginer. »

Piers regarda sa montre.

« Il n'y a pas de temps à perdre, dit-il. Tout le
monde est prêt à partir ? »

Il posa les mains sur le volant. Finch bondit
comme un fou hors de la voiture en s'écriant :

« Grand Dieu ! j'ai oublié mon portefeuille dans
ma chambre ! » Dennis courut après lui.

« Je vais vous le chercher, monsieur ! cria Rags,
et, un peu courbé, pas très agile, il se mit à gravir
l'escalier.

— Je ne pourrais vous dire où il est », dit Finch,
déjà dans le hall. Deux par deux, il monta les marches
en courant jusqu'au deuxième étage et regarda autour
de lui le désordre de sa chambre. Le portefeuille
n'était ni sur la coiffeuse, ni dans aucun des tiroirs
du haut. Il entendait Rags arriver en haletant.

« C'est une chose terrible, monsieur, que d'égarer
un objet aussi important à la dernière minute ! »
dit-il, et il se mit à éparpiller sur le plancher le contenu
de la commode.

Partout où Finch cherchait, il trouvait les petites
mains de Dennis farfouillant parmi les cravates, les
mouchoirs, les calepins, les programmes de concert,
les bricoles que son père collectionnait invariablement.

« Va-t'en ! Je ne peux pas chercher si tu es là à
m'encombrer ! lui cria Finch.

— Il est toujours à se fourrer partout », dit Rags.

Dennis recula jusqu'à l'embrasure de la porte et y resta debout, attentif.

Dans l'escalier, la voix de Renny retentit :

« Finch ! »

Repoussant Dennis, Finch passa sur le palier.

« Oui ? répondit-il à son frère.

— Si tu ne retrouves pas ce satané portefeuille, pars sans l'emporter. Tu vas manquer le train !

— C'est impossible ! Tout mon argent et mes billets sont dedans !

— Quand l'as-tu vu en dernier lieu ?

— Ce matin... hier soir... j'ai oublié.

— Ah ! ce que tu es noix !

— Si tu me retiens en me parlant, comment veux-tu que je cherche ?

— Il n'y a pas le temps de chercher !

— Dis-leur de partir sans moi », cria Finch en retournant dans sa chambre.

Maurice et Adeline arrivèrent en courant dans la chambre où régnait maintenant une indescriptible pagaïe. Leurs visages étaient pâles et désespérés. Dehors, Piers se mit à klaxonner avec insistance.

« C'est inutile, dit Finch. Il va falloir que vous partiez sans moi. »

De sa petite voix calme, Dennis dit :

« Voici le portefeuille ! » et il le tira d'entre deux livres de l'étagère.

Avec une exclamation tenant à la fois du gémissement et du cri de joie, Finch le lui arracha des mains et descendit l'escalier à toute vitesse suivi de Maurice et d'Adeline. Dennis s'était attendu à un chœur de remerciements au lieu de quoi il se trouva brusquement seul avec Rags. Un instant, ils s'entre-regardèrent ébahis, puis, ils dégringolèrent derrière les autres. Quand Rags, très essoufflé, atteignit le

porche, la voiture filait déjà sur la route, les chiens
avaient les mines lugubres qu'ils prenaient toujours
après un départ, et les oncles, avec des sourires rési-
gnés, regagnaient la maison.

« Quel dommage que tu n'aies pas pu partir avec
Mooey », dit Alayne à Pheasant.

Pheasant fut incapable de répondre; les larmes
l'étranglaient. Alayne aurait aimé la réconforter mais
elle ne sut que lui dire. Sa réserve innée l'empêchait de
l'entourer de son bras, et il lui semblait absurde de
dire : « Peut-être le rejoindras-tu avant longtemps. »
Pheasant ne pleurait pas parce que son fils partait
définitivement pour un autre pays. Elle savait que
depuis les cinq dernières années, quoique de retour
à la maison, sa pensée était demeurée en Irlande.

Les voyageurs avaient à peine installé leurs bagages
à main dans les filets, avec l'aide de Renny et de
Piers, que le train s'était mis en mouvement, il fallut
abréger les adieux. Piers décocha au dernier instant
la flèche du Parthe :

« Je te plains, Adeline, d'avoir ces deux fous sur les
bras. Ne leur confie pas tes objets de valeur. »

Puis, il se hâta de rejoindre Renny, déjà sur le quai,
et qui l'aida à descendre, toujours anxieux à cause de
la jambe artificielle de son frère.

Finch mit son chapeau dans le filet et, se renversant
en arrière, ferma les yeux. Il était humilié d'avoir
égaré son portefeuille et s'en voulait de son étourderie.
Il était fâché contre Piers à cause du silence qu'il
avait observé pendant le trajet, bien que la vitesse
avec laquelle il avait conduit la voiture fût un tour
de force. Ils avaient eu la chance de ne pas être
arrêtés par les agents de la circulation. Finch se
sentait nerveusement épuisé. Il détestait la vibration
du train. Il avait décidément passé trop de temps

en chemin de fer, cahoté d'une ville à l'autre, d'une
foule d'inconnus à une autre foule. Si Piers menait une
vie pareille, il ne serait peut-être pas sûr, avec autant
d'outrecuidance, de l'endroit où sont ses affaires. Et
Renny lui avait dit : « J'aurais dû prévoir que tu
bousillerais tout ! » Quelle phrase ridicule quand on
mène une vie aussi simple que Renny : assis sur une
selle et non sur un tabouret de piano; maniant les
rênes au lieu du clavier ! Et quel contraste que leurs
mariages ! Evidemment, Renny et Alayne avaient
leurs difficultés, mais au fond, ils s'adoraient. L'homme
qui avait Alayne pour femme était enviable... Si
stable... si sympathique... avec une sorte de noblesse
vraiment rare... Il entendait Maurice et Adeline
converser à voix basse, pour ne pas le déranger. Adeline gloussa d'un rire de pensionnaire. Par la fente
de ses paupières, il la regarda. Elle aussi avait enlevé
son chapeau, et ses cheveux bruns aux reflets acajou
retombaient un peu sur son front. Un sourire entrou-
vrait ses lèvres. Maurice la regardait d'un air de
propriétaire comme si, du fait de ne plus être à Jalna,
de nouvelles relations s'étaient établies entre eux.
D'une façon inexplicable, le jeune homme paraissait soudain plus âgé, plus sûr de lui. Finch referma
les yeux et tâta son portefeuille pour s'assurer de sa
présence. Il détendit ses longues jambes et laissa son
corps s'enfoncer dans le fauteuil. Au bout d'un moment, le train lui sembla glisser plus doucement, le
bruit des roues devint moins irritant et finit par ne
plus être qu'un bourdonnement apaisant. Après tout,
il ne partait pas en tournée mais en voyage de pur
agrément. Il allait revoir l'Irlande et l'Angleterre. Il
retrouverait Wakefield.

Dans le wagon-restaurant, leur trio fut plein de
gaieté. Ils se couchèrent de bonne heure et, le lende-

main, prirent leur petit déjeuner à New York. Ni Adeline, ni Maurice n'avaient fait une seule fois allusion à
l'égarement du portefeuille, mais Finch y repensait sans
cesse. Sa main retournait à sa poche et il se rappelait
les nombreuses occasions où il était arrivé dans une
salle de concert ayant oublié à l'hôtel sa musique,
sa montre ou son mouchoir. Et combien souvent il
avait laissé ses caoutchoucs ou ses gants dans la salle !

New York étincelait sous sa parure printanière. Adeline voulut s'acheter un nouveau collier de fantaisie
avec le cadeau d'adieu de Renny. Finch lui offrit
une écharpe et Maurice une boîte de chocolats et
une corbeille de fruits d'un superbe magasin de la
Cinquième Avenue; leur prix l'effraya au point qu'elle
resta un certain temps silencieuse. « Si c'est ainsi
que tu vas jeter ton argent par les fenêtres, dit-elle
enfin, il ne durera pas longtemps, jeune homme. »

L'impresario de Finch déjeuna avec eux à leur
hôtel. Maurice et Adeline furent fort impressionnés
par la conversation des deux hommes. Il leur semblait étrange que les faits et gestes de Finch fussent
d'une telle importance aux yeux d'un New Yorkais.
Ils furent plus impressionnés encore quand, à bord
du bateau, des reporters, à l'affût des célébrités, s'em-
pressèrent de photographier Finch et de l'interroger
sur ses projets. Ces manifestations, dans un pays
étranger, leur parurent plus significatives que tout
ce qu'ils avaient entendu ou lu jusqu'alors au sujet de
sa réputation.

Finch désirait échapper à ces messieurs; il était
convaincu qu'ils ne se seraient pas intéressés à lui si
le bateau avait été l'un des grands paquebots ayant
à bord des étoiles de cinéma. Il partageait une cabine
avec Maurice et il avait été possible d'en réserver une
petite à une seule couchette pour Adeline. Elle s'oc-

cupa un moment avec ravissement à y ranger ses affaires, puis, des cris et les pulsations du moteur lui apprirent qu'on allait démarrer. Elle remonta sur le pont parmi la foule et les lumières qui bougeaient en désordre dans les ténèbres. Finch l'aperçut et lui prit le bras.

« Nous voilà partis, dit-il.

— Oui. C'est merveilleux, n'est-ce pas ? »

Mais elle était un peu déçue par la lenteur du mouvement du navire et le désordre des lumières. Allait-on jamais atteindre le large ? Tout autour d'elle se pressaient les silhouettes sombres des autres passagers. Elle se demanda si elle ferait leur connaissance. L'une de ces formes noires deviendrait-elle un ami ? Dans un groupe, on parlait espagnol. Une grosse femme s'adressa à un prêtre en dialecte irlandais.

« Quel âge avais-tu, oncle Finch, demanda-t-elle, lors de ta première traversée ?

— Vingt et un ans, répondit-il.

— Oh ! je me rappelle en avoir entendu parler. Tu venais d'hériter de la fortune de mon arrière-grand-mère, n'est-ce pas ?

— Oui.

— Et tu as emmené oncle Nicolas et oncle Ernest à tes frais pour leur faire plaisir ?

— Oui.

— Dieu, que c'est drôle ! Un jeune garçon partir en vadrouille avec deux vieux messieurs !

— Nous nous sommes très bien amusés.

— Ce doit être merveilleux d'hériter d'une fortune.

— Eh bien... je ne sais pas... Ça peut être gênant.

— J'adorerais que ça m'arrive... Maurice a eu la même chance. Quelle paire de veinards vous faites !

— Je n'ai pas gardé mon argent bien longtemps.

— Vraiment ? qu'est-ce qu'il est devenu ?

— Je ne sais pas.

— Tu ne le sais vraiment pas ?

— Non.

— Ce que tu es drôle, oncle Finch ! » s'écria-t-elle en riant.

Il acquiesça d'un grognement.

« Ta femme était riche elle aussi, n'est-ce pas ? »

C'était la première fois qu'Adeline lui parlait de son mariage, mais le bateau lui avait délié la langue.

« Elle avait pas mal d'argent, mais son second mari a réussi à mettre la main sur la plus grande partie de sa fortune. Ce qui en reste ira à Dennis.

— Petit veinard ! Je ne pensais jamais à l'argent, autrefois, mais maintenant je me rends compte de son importance. Je vois que Daddy en manque toujours. »

Derrière eux, New York n'était plus que colonnes de lumières, ponts de lumières, bouquets de lumières sans soutiens visibles, se détachant sur le ciel bleu foncé. A l'arrière du navire, l'écume blanche du sillage s'écartait comme un éventail qui s'ouvre. L'air était froid.

« J'ai promis de veiller sur toi, dit Finch. Je crois que tu devrais maintenant aller te coucher. Tu as l'air fatiguée — du moins aussi fatiguée que tu es susceptible d'en avoir l'air. »

Il songea au jeune visage exténué que lui renvoyait le miroir quand il avait son âge.

« J'ai un peu sommeil, concéda Adeline, mais je te promets que c'est la dernière fois du voyage que je me coucherai tôt.

— Tôt ! Il est une heure du matin !

— Pas plus tard ? Où est Maurice ?... » Elle le vit s'approcher d'eux. « Oh ! te voilà, Mooey ! Où étais-tu ?

— Il fait joliment froid, dit-il. Rentrons. »

Le pont se vidait. Les pulsations du moteur se

faisaient plus résolues au fur et à mesure que le bateau accélérait sa vitesse. A l'intérieur, il faisait clair et chaud, et les passagers allaient et venaient. Les uns cherchaient des bagages égarés, d'autres ouvraient des télégrammes et des cartons de fleurs. Adeline fut enchantée quand on lui remit une dépêche de Nook lui souhaitant bon voyage.

« Comme c'est gentil de sa part ! s'écria-t-elle. Et il n'y a que quelques jours que nous nous sommes vus ! »

On lui apporta un second télégramme; il émanait de Humphrey Bell et était libellé : « Avec mes vœux sincères pour un heureux voyage et un bon retour. » Elle en fut stupéfaite et se mit à rire :

« En voilà une idée ! Quel drôle de petit bonhomme ! »

Mais elle était contente, et elle garda précieusement les deux dépêches.

« Je parie qu'il a longuement médité le texte de ce télégramme », dit Maurice.

Au même moment, Humphrey Bell, étendu sur son lit, son chat à ses pieds, se maudissait de l'avoir envoyé, certain de s'être ainsi diminué davantage encore aux yeux d'Adeline.

« Je viens de causer avec un type, dit Maurice, un garçon très sympathique, un Irlandais. »

Adeline manifesta aussitôt le plus vif intérêt.

« Il est là-bas en train d'allumer une cigarette. Je te le présenterai si tu veux.

— Attends à demain, dit Finch. Adeline va se coucher.

— As-tu l'intention d'être un rabat-joie, oncle Finch ? demanda Maurice.

— Eh bien, j'ai promis à sa mère... »

Adeline le conspua avec mépris, puis, s'adressant à Maurice :

« Montre-moi ton Irlandais, et si son aspect me plaît, tu me le présenteras ce soir, dussé-je marcher sur le cadavre de l'oncle Finch.

— Je te l'ai déjà indiqué; il est au pied de l'escalier. Sa première allumette s'est éteinte. Maintenant, il en frotte une autre. Tiens, là, tu ne le vois pas ?

— Je ne le trouve pas mal, dit Adeline, mais j'attendrai quand même jusqu'à demain pour faire sa connaissance. »

La flamme de l'allumette avait éclairé un visage sombre et attentif que surmontait une chevelure bouclée, hérissée. Il retira la cigarette d'entre ses lèvres et révéla une bouche fortement dessinée, à la fois ironique et généreuse. Ses regards curieux examinaient le visage de chacune des personnes qui passaient devant lui.

« Dans quelle partie de l'Irlande se rend-il ? demanda Finch.

— Tout près de chez moi, répondit Maurice. Il n'y habite pas depuis longtemps. Il était dans l'armée, en Orient. Maintenant, il a acheté une petite propriété, apparemment pour s'y établir.

— Comment s'appelle-t-il ?

— Maitland Fitzturgis.

— Ciel ! quel nom ! dit Adeline.

— On en a effectivement plein la bouche. Il faudra que je te le présente demain.

— Quel âge a-t-il ?

— Une trentaine d'années, je crois. »

Soudain, Finch se dit : « Ma trentaine est derrière moi », et il en éprouva un sentiment étrange.

Les passagers étaient très nombreux. Il était facile de rencontrer des gens et ensuite de les perdre de

vue. Le lendemain matin, une forte brise soufflait,
et la mer, d'un bleu foncé, était houleuse; le bateau
filajt à vive allure sous des nuages blancs au vol
rapide. Sur le pont des sports, le vent était si fort que
Maurice et Adeline se lassèrent vite du tennis et se
dirigèrent vers un endroit où, à l'abri des canots de
sauvetage et des tuyaux de cheminée, un certain
nombre de passagers étaient étendus au soleil. Dans
un coin isolé, ils tombèrent sur Finch et l'Irlandais
Fitzturgis.

« Ne vous dérangez pas ! s'écria Adeline. Cela ne
vous gêne pas que nous nous asseyions à côté de vous,
Maurice et moi ?

— Adeline, je te présente Mr. Fitzturgis », dit Finch
en lui passant un bras autour de la taille.

Bientôt, ils parlaient tous les quatre avec animation.
Adeline tint à dire que ce n'était pas son premier
voyage en Irlande et qu'elle avait déjà séjourné à
New York. Mais elle ne spécifia pas qu'elle n'avait que
quatre ans à cette époque, et Finch et Maurice demeurèrent silencieux sur ce point. La chaleur du soleil
combinée avec la fraîcheur de l'air vous mettait la
joie au cœur. Des relations amicales s'établirent très
vite. Finch connaissait seulement les Etats-Unis comme
peut les connaître celui qui va de ville en ville
remplir des engagements, mais ses trois compagnons
le considéraient comme une autorité. Fitzturgis avait
suffisamment vécu à New York pour en avoir goûté
les promesses et pressenti les désillusions. Au bout
d'un moment, Finch et Maurice s'éloignèrent, laissant
Adeline seule avec l'Irlandais.

« Je ne suis en vérité qu'à demi Irlandais, dit-il.
Ma mère est Anglaise et j'ai été élevé dans une école
d'Angleterre.

— C'est pourquoi vous me désappointez, répliqua-t-elle. Je m'attendais à ce que vous parliez irlandais.

— Vraiment ! fit-il en riant. Si vous le désirez, je
le ferai. » Et, affectant un violent accent, il se mit à
vanter la beauté du ciel et de la mer.

Allongée dans son transatlantique, ses lèvres entrouvertes montrant ses dents très blanches, Adeline levait
sur lui ses yeux sombres, rieurs sous leurs longs cils.

« C'est épatant, dit-elle; mais ne continuez pas
puisque ce n'est que de la frime. C'est comme mon
arrière-grand-mère qui se mettait à parler irlandais
quand on l'avait offensée.

— Vous vous la rappelez ?

— Oh ! non. Mais, chez nous, son souvenir est
pieusement conservé. Nous semblons ne jamais rien
oublier, dans notre famille.

— Cela vous plaît-il ?

— Oui. Si on laisse tomber dans l'oubli ce qui fait
partie de la famille, la vie n'offre plus de sens. »

Il la regarda avec étonnement.

« Quelle curieuse pensée pour une jeune fille !

— Est-ce que vous ne la partagez pas ? »

Il ferma les yeux un instant avant de répondre :
« Non. J'aime oublier.

— Vraiment ? Evidemment, je n'ai pas encore grand-
chose — en fait, rien du tout — à oublier. Mais on
m'a transmis un tas de choses dont j'aime à me souvenir.

— Toutes agréables, je parie.

— Non. Certaines d'entre elles sont très tristes. »

Il fronça les sourcils comme fâché qu'il pût exister
des choses susceptibles d'assombrir de bonheur d'Adeline; puis il demanda :

« Et vous désirez conserver dans votre mémoire des
événements tristes ?

— Oui, parce qu'ils font partie de moi-même, bien
qu'ils se soient passés avant ma naissance.

— Vous savez, dit-il, je tremble pour vous. Je crois que vous possédez une grande faculté de souffrance... Qu'est-ce que vous ferez quand vous aurez des malheurs ?

— Je les supporterai, je suppose, comme tout le monde. »

Puis, avec un petit rire, elle ajouta :

« Vous semblez en savoir beaucoup sur mon compte, étant donné que nous venons seulement de faire connaissance !

— Il ne me semble pas que nous venons seulement de faire connaissance.

— C'est curieux, j'ai l'impression de vous connaître depuis très longtemps, moi aussi. Je pense qu'au fond nous ne savons rien l'un de l'autre.

— Quelquefois, dit-il d'un ton assez dictatorial, on découvre beaucoup de choses dès la première rencontre.

— Je suppose que cela signifie que je suis facile à comprendre !

— Non, non, pas du tout, répondit-il promptement. Je crois que cela veut dire qu'il y a beaucoup de choses à connaître en vous et que vous êtes dénuée de toute affectation. J'ai rencontré des jeunes filles — surtout depuis la guerre — très habiles à vous attirer, et puis, quand on s'approche, il n'y a rien à voir. »

Ils gardèrent un assez long silence, puis Adeline demanda brusquement :

« Ne voulez-vous pas me parler de votre vie en Irlande ? A en juger d'après ce que dit mon cousin, il n'y a là-bas que deux sortes de gens, des riches qui ne font rien et des pauvres qui ne font rien non plus.

— Je ne suis ni l'un ni l'autre, dit Fitzturgis d'un ton plutôt sombre; j'élève des bestiaux de la race Kerry. C'est-à-dire que j'en ai commencé l'élevage en petit. J'ai une assez agréable maison entourée de beaucoup de rhododendrons, très isolée au milieu des montagnes que vous qualifierez sans doute de très hautes collines.

— Ce doit être joli, d'après votre description, mais plutôt solitaire pour un jeune homme.

— J'aurais cru être à vos yeux presque d'âge mûr ! dit-il en riant.

— Pas le moins du monde. Vous comprenez, j'habite avec mes deux grands-oncles qui ont plus de quatre-vingt-dix ans. Pour moi, ils sont vieux, mais je ne considère pas qu'un homme soit d'âge mûr avant soixante ans. C'est l'âge de mon père. »

Elle lui énuméra ensuite tous ses oncles, indiquant leurs âges et décrivant le caractère qu'elle leur attribuait. Avec fierté, elle lui parla des succès de Finch comme pianiste, de Wakefield comme acteur et du grand talent de poète qu'avait eu Eden. Elle fut visiblement surprise et un peu froissée qu'ils lui fussent tous inconnus, et il baissa légèrement dans son estime.

« Mais vous comprenez, expliqua-t-il, je suis resté en Orient pendant des années et, depuis mon retour, j'ai été enterré dans un trou de la campagne irlandaise.

— N'avez-vous personne qui s'occupe de vous ?

— J'ai une femme de journée qui s'occupe très bien de mon ménage, répondit-il, puis, changeant brusquement de sujet : parlez-moi de vous-même; avez-vous un talent particulier ?

— Moi ? Oh oui... si vous appelez monter à cheval un talent. Vous devriez voir la rangée de coupes que j'ai remportées ! J'ai hérité ce goût de mon père. Il n'y a pas de meilleur cavalier que lui dans tout le Dominion. Et pour ce qui est du saut ! Je crois qu'il n'y a pas un seul os de son corps qui n'ait été fracturé un jour ou l'autre. Si vous voulez, je peux aller chercher dans ma cabine une photographie de lui à cheval pour vous la montrer.

— Votre cabine est trop loin.

— Non, non, cela me fera plaisir. Je ne peux pas rester assise très longtemps de suite. Il ne me faudra qu'une minute ! »

Avant qu'il pût répondre, elle était partie. Etendu sur le dos, il regarda de ses yeux rétrécis le panache de fumée noire qui sortait de la cheminée, d'abord dense, puis tremblant, et qui finissait par se dissoudre dans le bleu du ciel. Vu tous les escaliers qu'elle avait dû descendre et remonter, elle revint au bout d'un temps incroyablement bref; le souffle court, elle rayonnait comme la mer sous le soleil matinal. Fièrement, elle lui mit la photographie entre les mains.

Debout, maintenant, à côté d'elle, il s'écria :

« Quel bel homme ! et quel superbe cheval ! »

— N'est-ce pas ? Ne trouvez-vous pas que je ressemble à mon père ? »

De toute évidence elle désirait s'entendre dire qu'elle était le portrait de ce père aux traits durs, osseux... elle dont les joues offraient une si tendre courbe... Mais, si elle en avait envie, il fallait le lui dire :

« Je vois une ressemblance frappante », dit-il.

Avec un sourire heureux, elle reprit :

« Oh ! oui, c'est certain, et chose curieuse, il est le portrait de sa grand-mère. Lui et moi avons comme elle les cheveux roux. Ceux de mon père n'ont pas grisonné, et j'espère qu'ils ne blanchiront jamais.

— Avez-vous jamais aimé personne en dehors de votre famille ? » demanda-t-il.

Après avoir réfléchi avec sérieux, elle répondit :

« Non, je ne crois pas. Il y a eu des camarades de pension, naturellement, mais je les ai oubliées dès que j'en ai été séparée. Je n'échange pas beaucoup de lettres avec d'autres jeunes filles.

— Et votre mère, dit-il, tandis qu'appuyés au bas-

tingage, ils regardaient moutonner les vagues d'un
vert de jade. Parlez-moi de votre mère.

— Elle est belle et intelligente. Je ne peux lui être
comparée à aucun point de vue.

— Vous êtes enfant unique ?

— J'ai un petit frère. Il a treize ans et il est intelligent, mais... enfin je ne peux pas expliquer Archer.
Il faut le connaître pour le comprendre. Il est froid
et dur et pourtant affectueux à sa manière. Maintenant, parlez-moi de vous. Etes-vous enfant unique ? »

Aussitôt, il se réfugia derrière la barrière des années
qui les séparaient. Il ne lui était pas possible, comme
à elle, de se lancer aussi volontiers dans la description de sa famille. Il lui répugnait de parler de lui-
même. Tout ce qu'il parvint à dire fut :

« J'ai une sœur mariée qui vit en Amérique. Je
viens de lui faire une visite de trois semaines. Je ne
l'avais pas revue depuis la guerre.

— Toutes ces années, et vous n'êtes resté que trois
semaines ?

— Il m'est impossible de m'absenter longtemps, dit-il
avec une certaine raideur.

— Je suppose que c'est à cause du cheptel, dit-elle
avec sympathie.

— Oui. Le cheptel. »

Par une transition toute naturelle, Adeline se mit à
parler du cheptel de Jalna et en particulier des chevaux. Elle n'avait jamais encore rencontré personne à
qui elle eût envie de se confier. Au fur et à mesure
que les jours de la traversée passaient, ils se virent de
plus en plus fréquemment et elle lui fit part de ses
pensées, de ses idées naïves sur la vie. Ces conversations les passionnaient tous deux; elle, parce que
c'était la première fois qu'elle avait pour ami un
homme, pas simplement un petit jeune homme comme

Maurice; quant à Fitzturgis, il prenait un plaisir mi-
tendre, mi-sensuel à regarder le visage expressif d'Adeline, à entrevoir la femme qu'elle devenait. Et l'Irlandais captivait Adeline; quand elle était seule dans sa
cabine, elle évoquait son visage attentif; quand, la
nuit, le bruit des vagues la réveillait, elle le voyait,
tantôt fixant sur elle ses yeux au regard intense, tantôt
contemplant tranquillement la mer.

Il plaisait également à Finch et à Maurice. Ils
l'invitèrent à partager leur table. Ils jouaient au
tennis de pont tous les quatre; ensemble, ils assis-
taient aux courses de petits chevaux. Maurice et Adeline, par contre, étaient les seuls du quatuor à danser.
Un jour, tout en dansant, Maurice observa d'un ton
empreint d'une certaine jalousie :

« Tu es très intime avec Mait, n'est-ce pas ? »

Ils en étaient arrivés à appeler l'Irlandais par l'abré-
viation de son prénom.

« Eh bien, et toi ? Tu as été le premier à l'appeler
Mait.

— Il faut bien le désigner d'une façon quelconque,
et son nom est plutôt difficile à prononcer.

— Mais tu l'aimes bien, n'est-ce pas, Mooey ?

— Oui. Mais toi, tu es en général très réservée avec
les hommes. Je sais que Humphrey Bell en souffre.

— Il est si timide lui-même qu'il m'intimide. »

Maurice la pilota à travers un groupe d'Irlando-
Américains bondissants et dit :

« Rappelle-toi que tu m'as été confiée.

— Penses-tu ! C'est à oncle Finch !

— C'est moi que tes faits et gestes intéressent le
plus, tu sais, Adeline.

— Je n'ai besoin d'être surveillée par personne »,
dit-elle en riant.

Tous deux se souvinrent alors d'une soirée d'été,

trois ans auparavant, quand Adeline n'était guère
encore qu'une enfant. Maurice l'avait emmenée au
théâtre voir jouer *Othello;* un jeune homme du nom
de Swift qui servait à l'époque de répétiteur à Maurice les avait accompagnés. Swift s'était offert pour
ramener Adeline à Jalna pendant que Maurice ren-
trait chez ses parents. Tout à coup, dans l'obscurité,
sous les sapins-ciguës, il avait soudain fait à l'adolescente des avances amoureuses, l'avait enlacée et
embrassée avec violence. Elle s'était débattue et libérée
et Renny, qui attendait sa fille, venu à leur rencontre,
avait assommé Swift à coups de poing. Maurice avait
eu des ennuis avec ses parents et avec Renny, car il
avait emmené sa cousine sans permission. Ce souvenir
l'humiliait et il se demandait si Adeline y pensait
encore. Il en doutait, la tenant pour une personne
beaucoup moins sensible que lui-même.

En fait, cet incident avait provoqué chez elle une
blessure qui n'était pas encore complètement guérie.
La cicatrice en demeurait douloureuse. Les avances
même les plus hésitantes, de la part d'un homme, la
faisaient reculer. En dansant, elle ne s'abandonnait
pas à la musique comme il eût été dans sa nature de
le faire. Elle se tenait sur la défensive, fût-ce avec des
garçons de son âge. Les hommes plus âgés qu'elle lui
inspiraient une curiosité mêlée de crainte.

Mais avec Fitzturgis, c'était différent. Elle le sentait
lui-même sur ses gardes. Bien qu'il la regardât et
l'écoutât avec attention et saisît toutes les occasions de
contact avec elle, il faisait toujours preuve d'une
réticence qui donnait à Adeline un sentiment de sécurité. Sa société l'exaltait; elle éprouvait du bonheur
rien qu'à regarder la mer à côté de lui. Elle était
heureuse que sa propriété fût proche de celle de
Maurice.

« Et vous y vivez tout seul ? » lui demanda-t-elle, vers la fin de la traversée.

Il hésita avant de répondre :

« Quelquefois, ma mère vient habiter chez moi. Elle y est en ce moment.

— Et elle surveille l'exploitation en votre absence ?

— Oui.

— J'aimerais faire sa connaissance.

— Il le faudra », répondit-il sans enthousiasme.

Un sentiment de tristesse s'empara d'elle. Il lui serait indifférent de ne plus jamais me revoir, songea-t-elle, et, à cette pensée, ses yeux s'emplirent de larmes.

L'ombre d'une mouette traversa le pont ensoleillé.

« Regardez ! s'écria Fitzturgis, comme avec soulagement, un message de la terre ! »

Mais Adeline, sans répondre, demeura le regard fixé sur l'endroit où avait passé l'ombre de la mouette. La confiance que lui avait inspirée cette nouvelle et passionnante amitié venait d'être ébranlée. Elle eut soudain conscience de la différence de leurs âges, de l'accumulation des événements qu'il avait vécus alors qu'elle connaissait si peu de choses de la vie !

Mais, avec la tombée de la nuit, tout changea. C'était la dernière nuit à bord pour ceux qui débarquaient à Cobh. Leur groupe se composait d'Irlando-Américains de la classe paysanne revenant au Vieux Pays pour la première fois depuis la guerre, de plusieurs religieuses, de quelques prêtres, d'une comtesse irlandaise, d'un Anglais qui possédait des terres en Irlande, des trois Canadiens et de Fitzturgis. Ce dernier et Adeline étaient sur le pont, allongés dans leurs transatlantiques, enveloppés de couvertures, car la soirée était froide. Le navire oscillait doucement, comme au rythme de la musique qu'on jouait à l'intérieur. Quelques silhouettes sombres, debout de-

vant le bastingage d'avant, semblaient vouloir goûter
l'atmosphère de l'Irlande avant qu'elle devînt visible.
Bien au chaud sous ses couvertures, Adeline ressentait l'émoi d'un papillon encore enfermé dans son
cocon mais qui se dispose à s'envoler à travers le
monde dès le lendemain matin. Par moments, de
petits frémissements de joie agitaient ses nerfs, mais,
le reste du temps, elle s'abandonnait tranquillement
au plaisir du doux balancement du bateau et de la
musique qui lui parvenait assourdie. Elle portait son
costume tailleur de voyage.

Elle se demanda si Fitzturgis éprouvait les mêmes
sensations qu'elle.

Allongeant le bras, elle le toucha et demanda :

« A quoi pensez-vous ? »

D'une voix étouffée, comme s'il avait parlé avec sa
main devant sa bouche, il répondit :

« A vous, ma chérie. »

Le mot « chéri » n'était pas fréquemment employé
parmi les Whiteoak. Quand ils le prononçaient, c'était
avec sincérité. Adeline en croyait à peine ses oreilles.
Elle se dit qu'elle devait avoir mal entendu.

« C'est vraiment ça que vous vouliez dire, Mait ? »
murmura-t-elle.

La main de Fitzturgis se faufila à travers les franges
de la couverture et s'empara de celle d'Adeline.

« Oui », dit-il à voix basse.

Elle eut un petit rire de ravissement et dit :

« Oh ! je suis contente ! Moi aussi, je pensais à
vous... chéri. »

Elle avait si peu d'expérience qu'elle ne sut rien
faire d'autre que répéter le mot dont il s'était servi,
mais il se sentit, en l'entendant, traversé par un
flamme.

« Je ne pense à rien d'autre qu'à vous, dit-il au disque pâle qui était le visage d'Adeline.

— C'est comme moi — je ne pense qu'à vous. »

Il rejeta la couverture et, l'entourant de ses bras, il s'écria :

« Oh ! Adeline, si vous saviez combien j'ai envie de vous dire mon amour !

— Vous n'avez pas besoin de me le dire, murmura-t-elle; vos bras me le font sentir. »

Il resserra son étreinte et poussa un profond soupir qui s'étira et finit presque en un gémissement. Adeline appuya la tête contre la sienne.

« Oh ! Mait, je suis tellement heureuse, dit-elle. Je savais que j'allais faire un merveilleux voyage, mais je ne le rêvais pas aussi merveilleux que ça !

— Adeline, je vous ai aimée dès l'instant où je vous ai aperçue.

— Parlez-moi de vos sentiments, et après, je vous décrirai les miens.

— Je ne peux pas en parler; cela m'est impossible.

— Nous n'avons pas besoin de paroles, dit-elle. Je sais ce que vous pensez.

— Qu'est-ce que je pense ?

— Vous pensez à moi et à tous les jours heureux qui nous attendent.

— Adeline, dit-il presque brutalement, vous ne pouvez avoir aucune idée de ce qui occupe mon esprit. »

Elle lui prit la main, la posa contre sa joue et dit tout bas :

« Mait chéri. »

Une silhouette se détacha de l'ombre et s'avança vers eux. C'était Maurice. D'une voix glaciale, il dit :

« Je vais me coucher. Tu devrais bien en faire autant, Adeline. »

Cette intrusion de Maurice l'irrita. Elle avait envie

de lui dire d'aller se coucher s'il le désirait mais de la laisser tranquille avec l'homme qu'elle aimait. Cependant, l'habitude de l'obéissance était trop ancrée en elle. Elle aurait voulu que Maitland déclarât leur amour; elle aurait voulu, debout à son côté, regarder Maurice dans les yeux et lui dire qu'elle resterait toute la nuit sur le pont si tel était son bon plaisir.

Le stewart avait replié et rangé tous les fauteuils du pont sauf les leurs. Il s'attardait avec ostentation à brève distance. Maintenant, il se rapprocha, ramassa la couverture que Fitzturgis avait laissé tomber et, la pliant, demanda :

« Vous n'en avez plus besoin, monsieur ? »

Comme s'il en était le maître, Maurice retira la couverture qui enveloppait Adeline et la jeta au bout de la chaise longue.

« Bonne nuit, Fitzturgis », dit-il, bien que depuis trois jours il l'appelât Mait.

Adeline, debout, hésitait, ne sachant quoi faire. Fitzturgis alla s'accouder au bastingage et regarda bouillonner l'écume laiteuse. Le stewart emporta les transatlantiques, les traînant avec autant de hâte que si sa vie avait dépendu de leur empilement immédiat.

Adeline rejoignit Fitzturgis.

« Bonne nuit, dit-elle. A demain matin, Mait. »

Il se tourna vers elle; bien qu'il remuât les lèvres, elle n'entendit pas sa réponse, mais il l'étreignit du regard.

Maurice l'accompagna jusqu'à sa cabine. La main sur la poignée de la porte, elle lui fit face et demanda :

« Quelle mouche t'a piqué ? Pourquoi es-tu venu comme ça me foudroyer du regard ?

— Te foudroyer ?

— Oui. Tu es arrivé sur le pont comme un nuage orageux.

— Que faisais-tu, toi, sur le pont ?

— Ce que j'y faisais ?

— Tu te pelotonnais dans les bras de ce type !

— Pourquoi pas — si ça me convient ?

— Adeline... qu'est-ce qui te prend ?

— Tu parles comme un père offensé. »

Maurice pâlit, puis, il demanda doucement :

« Est-ce que tu t'imagines être amoureuse de Fitzturgis ?

— Je ne l'imagine pas. Je sais que je le suis. »

Avec un sanglot dans la voix, il éclata :

« Tu sais combien je t'aime, Adeline.

— Ce n'est pas ce que j'appelle de l'amour.

— Pas de ta part, peut-être, mais de la mienne, c'est bien de l'amour. »

Avec un petit rire, elle dit :

« Oh ! Mooey, tu ne sais pas ce que c'est que l'amour. Tu es trop jeune ! »

Comme si elle l'avait frappé, il recula, fit demi-tour et la quitta en courant. Il faillit heurter une stewardesse qui portait un plateau.

« Pardon ! » murmura-t-il, et il se hâta vers la cabine qu'il partageait avec Finch.

Celui-ci lisait, dans son lit, un roman policier.

« Tu as fini d'emballer tes effets ? demanda-t-il.

— Oui.

— As-tu trouvé Adeline ?

— Oui.

— Qu'est-ce que tu as ? demanda Finch en posant son livre et en dévisageant Maurice.

— Je l'ai trouvée avec Fitzturgis. Il la tenait dans ses bras et elle lui avait pris une main contre laquelle elle appuyait sa joue. Elle m'a dit qu'elle l'aime. »

Finch était l'homme idéal auquel apprendre une

nouvelle bouleversante. Il en était bouleversé de fond
en comble.

« Mon Dieu ! s'écria-t-il. Son père me le reprochera !

— Il nous l'a confiée à tous les deux, mais elle a
su déjouer notre surveillance.

— Qu'est-ce qu'il a dit, Fitzturgis ?

— Rien du tout.

— Où est-elle ?

— Dans sa cabine. »

Finch regarda sa montre.

« Il est trop tard pour que j'y aille, dit-il avec un
certain soulagement. Nous débarquons demain matin,
ce qui mettra fin à toute cette histoire. Elle ne le
reverra peut-être jamais.

— Fitzturgis habite à moins de quatre-vingts kilomètres de Glengorman.

— Ce n'est probablement qu'un flirt de traversée,
dit Finch avec optimisme.

— Adeline n'est pas flirt. Si tu avais vu son visage,
tu comprendrais que c'est sérieux. Tu sais, Finch
(depuis quelque temps, Maurice avait cessé de l'appeler « oncle ») ; tu sais, j'ai toujours beaucoup apprécié
Adeline. J'avais formé des projets... L'idée plaisait à
toute la famille. C'est joliment dur pour moi.

— Je le sais, Mooey, et cela me peine profondément. »

Maurice enleva son veston et le suspendit afin de
pouvoir tourner le dos à Finch. D'une voix geignarde,
celui-ci continua :

« Cette histoire est simplement ridicule. Elle ne peut
être éprise de lui. Elle se figure simplement qu'elle
l'est.

— Je te dis que c'est très sérieux. Adeline sait ce
qu'elle veut mieux que quiconque. D'ailleurs, il est
un homme fort séduisant.

— Il a des années de plus qu'elle.

— C'est une des raisons pour lesquelles il l'attire. Elle me considère comme un blanc-bec et me méprise à cause de cela.

— Quelle sottise ! C'est tout bonnement l'une de ces aventures de voyage parées du charme de l'imprévu. Elle l'aura bientôt oublié.

— Je voudrais pouvoir le croire.

— Fitzturgis t'a-t-il parlé de lui-même ? A-t-il de la fortune ?

— Il m'a parlé de sa vie dans l'armée mais pas beaucoup de son existence privée. Du peu qu'il m'en a dit j'ai conclu que sa situation est assez modeste.

— C'est bien la dernière fois que je me charge de veiller sur elle... Dieu ! qu'est-ce que Renny va dire !

— Il devrait la comprendre... elle lui ressemble suffisamment. »

Les lumières éteintes, ils restèrent silencieux. Le clair de lune entrait par les hublots; le navire se soulevait et s'abaissait doucement sur les vagues sombres. Leurs pensées les tenaient l'un et l'autre éveillés : Maurice jaloux et blessé; Finch plein du souvenir de la naissance de son amour pour Sarah et souhaitant pouvoir protéger Adeline contre les affres d'une passion analogue.

XII

A VAUGHANLANDS

Debout, à l'une des extrémités de la table de la cuisine sur laquelle il appuyait ses doigts repliés, Raikes avait un air mélancolique. En face de lui. Eugène Clapperton, sa femme et sa belle-sœur fixaient des yeux l'emplâtre qui recouvrait l'arête du nez de Raikes.

« Je sais que j'ai eu tort de prendre la Cadillac, mais voilà comment les choses se sont passées. J'étais allé au club à bicyclette comme d'habitude et j'étais presque de retour ici quand je me suis soudain rappelé avoir laissé mon portefeuille dans la pièce où j'avais joué au Bingo. Je me suis dit que je remettrais bien plus vite la main dessus en prenant la voiture mais on me l'avait interdit; alors, j'ai refait le trajet jusqu'à la ville à toute vitesse et j'ai eu la chance de retrouver le portefeuille dans un coin sombre, parfaitement intact. En revenant, un camion, surgissant tout à coup de l'obscurité, m'a heurté et envoyé dans le fossé. Le conducteur ne s'est nullement soucié de moi; il a poursuivi sa route en me laissant pour mort. Voilà comment mon nez a été fracturé.

— Oh! quelle brute! s'exclama Gem Clapperton.

— En effet, dit Raikes en tournant vers elle un regard rempli de douceur.

— Est-ce que votre bicyclette a été démolie ? demanda Althea.

— Non, mademoiselle. C'est curieux, mais elle n'a rien eu. Il n'y a que l'arête de mon nez qui a été brisée.

— Et ensuite ? demanda Eugène Clapperton, transperçant Raikes du regard.

— Eh bien, monsieur, je ne me suis pas senti capable d'aller à bicyclette jusque chez le docteur; je saignais trop et je souffrais de la tête et du dos.

— Vous auriez dû m'appeler.

— Ah ! je ne voulais pas vous réveiller et me présenter devant vous dans l'état où j'étais. Alors, reprit Raikes en inclinant son dos en manière d'excuse, j'ai pris la Cadillac, je suis allé chez le médecin et il m'a rafistolé. C'est en revenant, comme je vous l'ai dit, qu'un camion s'est jeté contre la voiture et l'a fracassée. J'ai dit ma façon de penser au chauffeur qui était saoul si jamais homme le fut.

— Je prends mon chapeau et je vais donner un coup d'œil à la voiture », dit Clapperton.

Il sortit de la cuisine. Les deux jeunes femmes continuèrent à regarder Raikes. Il leva ses yeux injectés sur Gem et son expression devint encore plus mélancolique.

« Est-ce que tu vas téléphoner à l'épicier ou dois-je le faire ? » demanda Mrs. Clapperton à sa sœur.

Althea eut l'air furieux, sembla sur le point de riposter avec violence, mais au lieu de cela, elle marmotta :

« Je vais téléphoner », et elle quitta la pièce presque en courant.

Gem se rapprocha de Raikes et dit d'une voix douce, consolante :

« Ne soyez pas trop désolé; les accidents arrivent à tout le monde; les journaux en sont pleins.

— C'est vrai », dit Raikes d'un ton résigné, avec l'ombre d'un sourire, et il porta sa main à son emplâtre.

Eugène Clapperton revint, et les deux hommes se rendirent au garage où se trouvait la Cadillac, un côté complètement défoncé.

Eugène Clapperton la regarda un moment, stupéfié par le choc, puis il s'écria :

« Seigneur ! c'est ça, ma Cadillac !

— Mais oui, monsieur, répondit Raikes en soupirant.

— Il est miraculeux que vous ayez pu rentrer avec elle.

— Oui, monsieur; mais je ne crois pas que le moteur ait été sérieusement endommagé.

— Quand est-ce que mon autre voiture sera réparée ?

— Ils ont du mal à se procurer les pièces nécessaires. »

S'éloignant du garage avec dégoût, Clapperton dit sans aménité :

« Il va me falloir me servir de mes jambes où que je doive aller, pendant un certain temps, maintenant. »

« Quelle malchance persistante ! songea-t-il. Mes animaux tombent malades ou meurent... mes deux voitures démolies... mon mariage... » Mais il était résolu à ne pas penser à la déception que lui causait son mariage. Il ne se laisserait pas abattre par elle... Il ne se laisserait abattre par aucun de ses ennuis... Le bonheur et une vie bien équilibrée ne s'obtiennent qu'au prix d'un effort... Conserver son équi-

libre intérieur, c'est là l'essentiel; les choses exté-
rieures s'ajustent ensuite d'elles-mêmes. Il ne se
fâcherait contre personne, contre Raikes moins que
contre quiconque... le seul employé convenable qu'il
eût jamais eu.

Il fit une bonne promenade dans la campagne
printanière et, malgré l'humidité, il en ressentit un
bienfait.

Avant de rentrer, il s'arrêta à la Ferme aux Renards.
C'était son devoir de faire son possible pour tirer
Humphrey Bell de l'ornière où il s'enlisait. Mais Bell
l'avait vu approcher et ce fut en vain qu'il frappa.
Le chat savait qu'on aurait dû ouvrir la porte et
miaulait avec persistance. Eugène Clapperton l'entendit et cria d'une voix enfantine :

« Minet, Minet ! ouvre-moi ! »

Evidemment, le chat l'aimait, car il se frotta contre
la porte, mais Humphrey Bell demeura dans un coin,
aplati contre le mur. Clapperton se mordit les lèvres
de dépit; il détestait se voir privé de la réalisation
de ses intentions charitables. Tirant de sa poche un
calepin, il l'appuya contre la muraille et écrivit :
« Commencez chaque journée avec courage et sans
crainte. Détendez-vous et débarrassez-vous de cette
crispation de vos nerfs qui vous détruit la santé. »
Il ne le signa pas. Le jeune homme saurait de qui
émanait ce conseil. Il arracha la feuille, la glissa sous
la porte et se sentit le cœur plus léger.

Le chat se mit à jouer gracieusement avec le papier.
Quand Bell en eut pris connaissance, il s'écria : « Me
détendre ! comment diable puis-je me détendre avec
ce vieil imbécile éternellement à mes trousses! »
Et il se mit à taper sur une bûche avec le tisonnier comme s'il avait tenu Eugène Clapperton à sa
merci.

A Vaughanlands, Althea, ayant suivi sa sœur dans sa chambre, lui dit, un peu haletante :

« Gem, je n'aime pas la manière dont tu regardes cet homme. »

Gem était en train de faire le lit de son mari; elle lissa le drap du dessous et demanda :

« Quel homme ? Celui-ci ?

— Tu sais qui je veux dire, murmura Althea, je veux dire Raikes. »

Gem rit.

« Oh ! celui-là ! qu'est-ce qui ne te plaît pas dans la façon dont je le regarde ?

— Eh bien, je peux te dire qu'elle est presque tendre.

— Il a été blessé. J'aurais pitié d'Eugène s'il s'était fracturé le nez, n'est-ce pas ?

— Ils ne devraient pas être mentionnés tout d'une haleine — du moins par toi.

— Pourquoi ?

— Eugène est ton mari. Rappelle-toi tout ce qu'il a fait pour toi. »

Gem mit ses poings sur ses hanches et lançant à sa sœur un regard de défi :

« Je l'en ai payé. Et à deux reprises, encore. Ne te tourmente pas à son sujet.

— Tu ne l'as pas rendu heureux. Il est moins heureux que lorsque nous avons fait sa connaissance.

— C'est à cause de tous les ennuis qu'il a avec cette propriété.

— Ce n'est pas pour ça, et tu le sais.

— Qu'est-ce qui te prend, Althea ?

— J'ai le sens de la justice, tout simplement. »

Gem continua à faire le lit et Althea se mit à l'aider.

« Tu n'as qu'à comparer les deux hommes, dit

Gem. Toute femme normale remarquerait la différence. »

Althea posa doucement l'oreiller à sa place.

« La tête qui se repose là-dessus, dit-elle, appartient
à un homme bon. Il est peut-être ennuyeux...

— Tu vas me l'apprendre ! s'écria Gem en riant.

— Ce que tu deviens vulgaire !

— Oui. Je deviens de plus en plus robuste et de
plus en plus vulgaire. Je ressemble chaque jour davantage à Raikes et aux gens de son espèce.

— Je t'affirme qu'il est positivement un vaurien !
s'écria Althea. J'en suis sûre depuis quelque temps.

— Tu m'as dit tout récemment que tu aimerais
peindre son portrait.

— Oui, avec son type de bohémien, il est pittoresque, mais il ne vaut rien de bon. C'est le genre
d'hommes dont s'éprennent les sottes. »

Les joues de Gem s'empourprèrent

« La prochaine chose que tu feras sera de mettre
Eugène sur ses gardes ! dit-elle.

— Jamais. Tu peux faire ce que tu voudras.

— Merci. »

Althea monta dans sa chambre. Gem termina son
ménage puis alla chercher Raikes. Il revenait de
conduire la voiture à la ville la plus proche pour la
faire réparer.

« Vous êtes revenu bien vite ! lui dit-elle.

— Le colonel Whiteoak m'a fait monter dans sa
voiture; il m'a ramené jusqu'à la grille.

— J'en suis contente. Vous devez vous sentir fatigué.

— Je le suis, mais peu importe. Je vais maintenant tondre le gazon. Si je tarde davantage, l'herbe
sera haute à faire du foin. »

Il se dirigea vers le hangar où était rangée la

tondeuse comme s'il ne voulait plus entendre parler
de voitures défoncées et de fractures. Il traîna la
tondeuse jusqu'à la pelouse, ajusta les lames, puis se
mit à aller et venir à grands pas tandis que les brins
d'herbe s'échappaient d'entre les roues comme une
tendre pluie verte. Gem s'était arrêtée devant un haut
buisson de lilas chargé de fleurs; à travers les feuilles
le soleil mettait des taches lumineuses sur son
visage et ses bras nus. Elle tira sur une branche lourde
de grappes blanches, et des gouttes d'eau parfumées
laissées par l'averse du matin tombèrent sur elle. Il
lui sembla recevoir une sorte de bénédiction; elle
leva la tête en souriant...

Plusieurs semaines s'écoulèrent; la plus petite des
deux voitures était de retour dans le garage; Raikes
n'avait plus d'emplâtre sur le nez et offrait son aspect
habituel. Eugène Clapperton avait recouvré sa bonne
humeur. Il ne se permettait pas de rester longtemps
dépité; les raisons d'être heureux ne lui manquaient
pas. Il avait loué la terre arable de sa propriété à un
fermier. Raikes prenait soin d'une vache, de cinquante
poules pondeuses et de quelques cochons. Trois nouveaux bungalows étaient en construction. Le bruit
des scies et des marteaux, si odieux à Renny Whiteoak,
remplissait de gaieté l'air estival aux oreilles d'Eugène
Clapperton. Il attendait une offre convenable de la
part d'un industriel pour revendre la ferme Black.
Il savait fort bien que la création d'une usine nuirait
à l'agrément de cette campagne, mais peu lui impor-
tait. Il était décidé à aller s'établir en Californie où
la salubrité du climat, l'intéressante variété des sites,
des gens et des religions l'attiraient. L'idée qu'il se
faisait de ce pays ressemblait aux illustrations en
couleurs des brochures publiées par les offices tou-
ristiques. Mais il voulait emmener Raikes partout où

il irait. Mieux valait régler cette question le plus tôt possible.

Il trouva l'Irlandais en train de couper des asperges au potager. Agenouillé par terre, il tenait à la main une bottée de belles et grosses tiges. Son expression pensive semblait indiquer que la vie était pour lui une affaire sérieuse.

Clapperton s'approcha de lui à travers le carré d'asperges en prenant soin de ne pas marcher sur les jeunes pousses qui pointaient à la surface de la terre. Sans préambule, il dit :

« Tom, si j'allais me fixer ailleurs, dans un climat plus agréable, est-ce que vous viendriez avec moi ? »

Toujours à genoux, Raikes inclina la tête avec sa politesse caractéristique, et, d'une voix réconfortante, il répondit :

« Mais certainement, monsieur, j'espère rester à votre service de nombreuses années encore. J'irai avec vous n'importe où. »

XIII

ARRIVEE

Tous les passagers devant débarquer en Irlande
s'étaient levés de bon matin. Il faisait beau, mais si
frais qu'Adeline frissonnait dans son léger manteau.
Comme toujours, on avait réveillé les gens bien plus
tôt qu'il n'était nécessaire. Ils flânaient par groupes,
résolument gais, ou se tenaient assis dans le hall avec
résignation en attendant d'être appelés pour montrer
leur passeport. Fitzturgis rejoignit les trois Whiteoak
et jeta un coup d'œil rapide sur chacun d'eux. Maurice s'efforça de prendre un air aimable, de dissimuler
son chagrin. Les yeux de Finch démentirent, par leur
regard accusateur, son joyeux « bonjour ! » Il déplorait de tout son cœur d'être entré en relation avec
Fitzturgis, en dépit de la sympathie qu'il lui inspirait.

Fitzturgis répondit sans chaleur aux deux hommes,
puis, se sachant observé par eux, il se borna à adresser
à Adeline un calme sourire. Il suffisait de voir comment
s'éclaira le visage de la jeune fille, comment ses yeux
pétillèrent de bonheur pour être fixé sur ses sentiments.
Elle était d'une nature trop franche et trop ardente
pour essayer de les cacher.

Après une longue attente, les voyageurs passèrent

à la file dans la pièce où l'on examinait les passeports.
Finch et Maurice encadraient Adeline comme deux
gardiens, l'empêchant de parler à Fitzturgis. Indif-
férente, elle lui sourit. Son tour d'entrer n'était pas
encore venu. Elle ouvrit le passeport qu'elle tenait à
la main et y vit l'austère jeune visage que montrait
la photographie. Maurice la regarda froidement, avec
rancune; elle lui avait gâté son retour à Glengorman.
Il s'était si souvent imaginé leur arrivée dans la vieille
demeure, il s'était vu la conduisant à travers les
antiques salons, revisitant avec elle les collines, les
vallées et les chaumières des paysans dont il se souvenait si bien.

Le bateau-tender vint se ranger le long du paquebot
et ils montèrent à bord. Chacun s'inquiétait bruyamment. Adeline n'avait encore jamais vu tant de valises
et de malles amoncelées dans un pareil désordre.

« Je vais perdre mes affaires ! j'en suis sûre ! »
s'écria-t-elle.

Finch et Maurice se mirent à fouiller des yeux les
bagages entassés. Il soufflait un vent glacial. Un gros
homme en uniforme posa la main sur le bras d'Adeline en disant :

« Il fait trop froid pour vous, ici; entrez vous
mettre au chaud. » Et il la poussa doucement vers le
salon. Elle était débarrassée de Finch et de Maurice.
Fitzturgis se trouvait en tête de la foule. Elle s'y
faufila jusqu'à ce qu'elle l'eût atteint et lui toucha le
bras.

« Hello, Mait », dit-elle.

Il se tourna brusquement et la regarda dans les
yeux.

« Je vous ai sentie venir, dit-il d'une voix basse
qui la pénétra comme le son d'un clairon et fit vibrer
tous ses nerfs.

— C'est merveilleux, n'est-ce pas ? » dit-elle en offrant son visage à la caresse du vent.

Ils virent s'engouffrer dans le salon de grosses femmes, des hommes en complets de confection, des religieuses et quelques prêtres. Par un étroit couloir et un second salon plus petit, ils gagnèrent le gaillard d'avant, bousculant des gens chargés de paquets. Des milliers de vagues se jouaient autour du bac comme si elles se demandaient ce qu'elles allaient en faire. Des mouettes criaient, les unes tournoyant, les autres planant, les ailes parfaitement immobiles. Fitzturgis se plaça entre Adeline et le vent.

« Nous sommes presque au bout de notre voyage, dit-il. Il aura été... » il hésita, puis acheva rapidement : « l'un des moments les plus heureux de ma vie.

— Et le plus heureux de la mienne.

— Non, non, ne dites pas cela.

— Pourquoi pas ?

— Ce ne pourrait être que... pour une seule raison.

— Eh bien, c'est justement pour cette raison-là, Mait », dit-elle en rougissant.

Finch arriva vers eux les sourcils froncés, sa bouche sensible tremblant un peu.

« J'ai retrouvé ton bagage, Adeline, dit-il.

— Oh ! merci, oncle Finch.

— Je suppose que tu t'en inquiétais.

— Oh ! oui... je veux dire oh non... je savais que tu le retrouverais. Merci infiniment.

— Il y a beaucoup de monde à bord, dit Fitzturgis, de sa voix calme. Deux cents personnes, paraît-il.

— Oui, dit Finch en entourant Adeline de son bras. Si tu es décidée à rester sur le pont, il faut que je t'empêche de prendre froid.

— Nous arrivons bientôt, dit Fitzturgis.

— Nous serons attendus par une voiture. Et vous ? demanda Finch.

— Je prends le train à Cork.

— Ne pouvez-vous venir en voiture avec nous ? » demanda Adeline.

Elle a vraiment du toupet, songea Finch. Si c'est ainsi qu'elle doit se conduire, il est bien dommage qu'elle n'ait pas été confiée à quelqu'un d'autre.

« Il y aura beaucoup de place, insista Adeline. Maurice dit que c'est une grande voiture.

— Evidemment, c'est la voiture de Maurice, dit Finch en la regardant fixement.

— J'ai à faire à Cork, dit Fitzturgis, et, de toute façon, il ne m'est pas commode de passer par Glengorman.

— Je croyais que vous habitiez tout près ! s'écria-t-elle, déçue.

— Non, pas très près », répliqua-t-il comme avec indifférence.

Elle lui lança un regard malicieux. (Il ne veut pas qu'oncle Finch voie ce qu'il y a entre nous !) L'expression de Finch ne lui révélait pas si Maurice l'avait mis au courant. Ils regardèrent l'île dont ils approchaient, revêtue des fraîches teintes de pastel du printemps.

Maurice vint les rejoindre. Les enveloppant tous trois d'un regard soupçonneux, comme s'ils formaient une conspiration contre lui :

« Nous sommes sur le point d'accoster », dit-il.

Ils se dirigèrent tous vers l'escalier. Les doigts d'Adeline touchèrent ceux de Fitzturgis. Il les serra convulsivement.

« Mait, murmura-t-elle, nous allons rester ensemble aussi longtemps que nous le pourrons.

— Oui, aussi longtemps que possible. »

Ils se trouvèrent bientôt mêlés à la foule qui se pressait dans les baraquements de la douane. La lettre W était loin de la lettre F., mais ils s'aperçurent bientôt que les porteurs n'étaient nullement esclaves de l'ordre alphabétique. Comme nombre d'entre eux ne savaient pas lire, ils posaient les bagages n'importe où et laissaient les voyageurs les découvrir. Ce fut ainsi qu'Adeline, à la recherche de l'énorme valise brune que lui avait prêtée Ernest (je te la donnerais avec joie, mon enfant, mais je peux en avoir besoin un jour ou l'autre, avait-il dit, le pauvre vieux chéri, comme s'il pouvait jamais faire un nouveau voyage !), ce fut ainsi que, la cherchant avec zèle dans le voisinage de la lettre F, devant le comptoir qui occupait toute la longueur de la baraque, elle vit Fitzturgis dont un officier de la douane était en train d'ouvrir les valises.

Elle l'entendit parler, et sa voix l'attira comme un aimant. Levant les yeux vers lui, elle dit :

« Oh ! Mait, la valise d'oncle Ernest est perdue ! L'avez-vous vue

— Non, mais je vous aiderai à la chercher. Où sont les autres ?

— A l'autre bout de la baraque; ils ont eux aussi perdu des bagages. »

Le douanier traçait à la craie des signes sur les valises. Fitzturgis les posa par terre et prit le bras d'Adeline.

« Nous ne tarderons pas à les retrouver », dit-il.

Ils se frayèrent passage à travers la foule affolée, se cognant aux porteurs chargés de bagages ou poussant des brouettes, les uns très âgés pour cette besogne, d'autres tout jeunes, maigres et dépenaillés, mais tous de si bonne humeur qu'Adeline en éprouvait de la joie. Le groupe de religieuses avaient été accueillies

par une petite mère supérieure à l'air très capable
qui se démenait en donnant des ordres aux porteurs
comme un petit sergent-major. La plus jeune des religieuses était, elle aussi, très petite et extraordinairement jolie. De toute évidence, elle n'avait encore
jamais voyagé, car elle se cramponnait à l'une de ses
compagnes avec une expression mi-effrayée, mi-heu-
reuse, et pleinement confiante comme celle d'un petit
enfant.

« Cette petite religieuse, se dit Adeline, ne se doute
pas de mon bonheur, un bonheur si grand qu'il me
stupéfie. » Tout lui semblait délicieux, jusqu'au courant d'air froid qui balayait le baraquement. Elle ne
pensait plus à sa valise égarée, toute à sa contemplation
de Fitzturgis tandis qu'il examinait attentivement
les uns après les autres les monceaux de bagages.
Elle voulait graver dans sa mémoire chacun de ses
traits — la façon dont étaient plantés ses cheveux
bruns, drus et bouclés, ses yeux profondément enchâs-
sés dans leurs orbites, ses pommettes hautes, sa
bouche aux lèvres pleines. Elle ne formait aucun
projet, elle ne ressentait rien qu'on pût appeler désir,
elle n'avait qu'une envie folle de vivre, et de vivre
avec allégresse.

Finalement, la mallette fut retrouvée. Finch et Maurice rejoignirent leurs compagnons; trop occupé de
ses malles pour penser à Adeline, Maurice surveillait
la grue qui les transbordait; les siennes furent prises
les dernières; avant qu'elles fussent déposées sur le
quai, Fitzturgis fit ses adieux. Le regret de voir les
deux hommes moins cordiaux qu'au début de leurs
relations attristait son regard. En lui serrant la main,
Finch dit vaguement :

« Je suppose que nous nous reverrons bientôt. Vous
n'habitez pas très loin, n'est-ce pas ?

— A environ soixante-quinze kilomètres. C'est une distance qui compte, en Irlande. »

Ils hésitèrent, Finch interrogeant Maurice d'un sourcil levé.

Adeline supplia son cousin des yeux : (« Oh ! Mooey, je t'en prie, je t'en prie, invite-le à Glengorman. »)

« Voilà la plus petite de mes malles ! » s'écria Maurice en s'avançant au bord du quai.

Un gros employé en uniforme saisit Adeline par la manche et la repoussa dans le baraquement en disant :

« Ne restez pas sur le quai, mademoiselle; ce n'est pas permis. »

Avec quelle docilité elle se laissa séparer de ses deux gardiens ! Isolée avec lui dans la foule, elle lui donna la main :

« Au revoir, Mait, dit-elle.

— Je viendrai vous voir, promit-il en gardant la main d'Adeline dans la sienne.

— Quand pourrez-vous venir ?

— Je vous le ferai savoir. »

Il s'arrêta, parut vouloir dire quelque chose, puis, répéta son adieu et s'éloigna. Mais elle ne voulut pas encore se séparer de lui; elle l'accompagna en direction de la porte principale.

« Dans combien de temps ?

— Très bientôt.

— Nous nous sommes dit au revoir, n'est-ce pas ? dit-elle quand ils atteignirent la porte.

— Oui. »

La voiture que Fitzturgis avait fait appeler par un porteur attendait avec ses valises à l'intérieur.

« Ma chérie, dit-il calmement, il faut maintenant que je vous quitte. »

Elle leva son visage vers lui pour qu'il l'embrassât.

Il l'entoura de ses bras et leurs lèvres se joignirent. Puis, il sauta dans la voiture qui démarra aussitôt.

Adeline ne sortit de sa transe qu'une fois assise dans la vieille Armstrong-Siddeley de Maurice conduite par le même Patsy venu l'accueillir quand il était petit garçon.

« Vous n'avez pas changé du tout, Patsy ! s'écria Maurice.

— Oui, je suis toujours le même vieux Patsy, dit-il en découvrant par un bon sourire les dents noires que cachait sa moustache grise, mais le château n'est plus pareil depuis que le patron est mort et que vous êtes parti au Canada. J'suis rud'ment content que vous soyez revenu chez nous. On a tout nettoyé pour votre retour, mais ma femme elle dit que les rideaux et les tapis sont sur le point de tomber en morceaux... entre les mites et l'humidité.

— Tu l'entends, murmura Adeline à l'oreille de Finch; il a dit à Mooey qu'il revient « chez lui » !

— Glengorman est désormais son foyer. Quel dommage que sa mère n'ait pas pu venir l'y voir !

— Oui, mais nous sommes là pour en jouir, et nous lui décrirons tout... Oh ! regarde, oncle Finch, cette charrette avec cet amour de petit âne ! Je m'en souviens si bien ! La dernière fois que je suis venue en Irlande ne me semble pas tellement lointaine, mais quelle différence !... » « Maintenant, songea-t-elle, je suis une femme et profondément amoureuse ! »

Quand ils arrivèrent à Cork, les rues étaient pleines de mouvement. Des femmes coiffées de fichus noirs déambulaient lentement sous un ciel bleu où luisait un pâle soleil. Ils entrèrent dans un restaurant se réchauffer avec du café et des brioches. Mais où était Fitzturgis ? Adeline le cherchait parmi les passants et aurait donné n'importe quoi pour apercevoir sa

silhouette ! Maurice évitait de la regarder. Il ne
voulait pas lui témoigner d'amitié... pas encore.
Peut-être leurs relations ne seraient-elles plus jamais
les mêmes ? Pourtant, qu'était-ce que son petit béguin
pour Fitzturgis ? Rien d'autre, probablement, qu'une
amourette de traversée qu'elle aurait oubliée au bout
d'une semaine. Mais Maurice avait beau se raisonner,
son trouble subsistait. Adeline n'avait jusqu'alors
jamais manifesté de préférence pour aucun homme et
les aventures éphémères de la plupart des autres filles
n'étaient pas faites pour elle.

Au fur et à mesure qu'on approchait de Glengorman,
Maurice répondit de moins en moins au récit que lui
faisait Patsy des événements survenus pendant son
absence, et il s'abandonnait au désappointement d'un
retour si différent de celui de ses rêves. « Elle a tout
gâté, songea-t-il, et je ne le lui pardonnerai jamais. »
Chacune des fibres de son corps avait conscience de
la présence d'Adeline derrière lui, dans le fond de
la voiture. Et cette voix qu'il entendait était la même
qui avait, la veille au soir, dit à Fitzturgis des mots
d'amour.

Sans doute avait-il tendance à se sentir trop facilement blessé. Lui qui, comme son oncle Renny, aurait
dû être le fils aîné, fier de son aînesse, savait qu'il
était le fils que son père aimait le moins. Rien de ce
qu'il pourrait faire ne plairait jamais à son père, et
sa mère elle-même, tout en l'aimant d'une manière
évidente, avait permis qu'il fût envoyé, petit garçon,
vivre en Irlande avec un vieillard qu'elle n'avait
jamais vu. Récemment, elle lui avait avoué qu'elle
s'était laissé persuader par d'autres et qu'elle avait
failli en avoir le cœur brisé. Maurice ne lui avait
pas pardonné, en dépit du fait que son séjour en
Irlande avait produit le résultat escompté par ses

parents et que les années passées auprès du vieux
cousin Dermot eussent été les plus heureuses de sa
vie. Il ne parvenait pas à pardonner à sa mère d'avoir
renoncé à lui.

Finch, pendant ce temps, évoquait la dernière fois
qu'il était venu en Irlande et sa réconciliation avec
sa femme dont il était alors séparé. C'était elle et non
lui qui avait cherché ce rapprochement, et elle avait
réussi à ranimer la sombre flamme de sa passion pour
elle. Dennis avait été conçu, et quand il était né,
elle n'avait plus aimé que lui; elle s'était débarrassée
de son amour pour Finch comme un serpent se dé-
pouille de sa vieille peau! Qu'elle ressemblait donc
peu à l'Irlandaise traditionnelle! Si réservée, son
visage blanc d'un calme si étrange, jamais gaie ni
rieuse, ses cheveux noirs comme du jais qu'elle portait
longs quand toutes les autres femmes portaient les
leurs courts, offraient comme une froideur classique.
Et quelle raideur dans ses mouvements! Avant leur
dernière séparation, il ne la voyait pas traverser une
chambre sans un sentiment d'antagonisme, et pourtant, sous cette froideur et cette rigidité se dissimulait
une nature secrètement passionnée... Maintenant elle
était morte depuis trois ans.... Il s'imagina ses osse-
ments, dans leur tombe de Californie.

Il ne voyait qu'indistinctement le paysage qu'ils
traversaient, et la voix de Patsy lui parvenait du
siège de devant sans qu'il y distinguât rien d'intelli-
gible...

Enfin, ils atteignirent Glengorman, franchirent le
portail de pierre et s'engagèrent dans l'allée qui
menait à la demeure. Les gargouilles qui surmontaient
la porte donnèrent satisfaction à Adeline, mais elle fut
déçue de ne pas voir toute une rangée de domestiques accueillir Maurice; il n'y avait que la femme

de Patsy, Katie, un tout petit bout de femme, bien moins imposante que Mrs. Wragge. Elle lui jeta les deux bras autour du cou et l'embrassa : « En souvenir du temps où vous étiez un si gentil petit garçon ! »

Plus tard, Patsy dit à sa femme :

« Il n'a aucun entrain. Il n'a presque pas soufflé mot... avec tout ce qui l'attendait ici !

— Je le respecterais moins s'il était bavard, riposta Katie. Il pleure notre vieux maître et c'est parfaitement convenable. Rappelle-toi aussi qu'il est en partie Anglais. »

Le déjeuner était prêt. A table, Maurice s'assit dans le lourd fauteuil de bois sculpté où s'asseyait naguère le vieux cousin Dermot; Adeline fut placée à sa droite et Finch à sa gauche. Au-delà de leur petit groupe, la table s'étendait, longue et vide. Maurice était à la fois intimidé, gêné et fier. Ici, il était nettement « quelqu'un » au lieu d'un jeune membre quelconque d'une famille nombreuse. Adeline, exaltée par le changement d'atmosphère, avait les yeux brillants et semblait disposée à accueillir avec intérêt tout ce qui se présenterait. Les sombres pensées qui avaient absorbé Finch pendant le trajet en voiture, s'étaient envolées, et il ne pensait plus qu'à jouir de sa liberté.

Maurice se dit en regardant Adeline : « Je suis un imbécile de me tourmenter. Elle aura oublié ce type ici en un rien de temps. » Son moral se releva. Sa nouvelle vie lui permettrait de faire tant de choses. Il était libéré du regard critique de son père qui l'irritait et lui faisait perdre tous ses moyens. Il se réjouissait à l'avance du jour où il recevrait sa visite en qualité de maître de Glengorman.

« Cette maison fait paraître Jalna bien petit, n'est-ce pas ? demanda-t-il à Adeline.

— Petit ? Non. Jalna est suffisamment vaste. Ce château est trop grand.

— Tu trouves ?

— Eh bien, nous avons davantage de terre : tu n'as que quatre-vingts hectares; nous en avons deux cents.

— Voyons, mes enfant... dit Finch en souriant.

— Ce que je veux dire est que, dans une propriété, c'est la terre qui importe. Il me semble plutôt bête pour un garçon tout seul d'habiter une maison de cette dimension dit Adeline.

— Je n'y serai pas toujours seul.

— Je te souhaite bonne chance, Mooey, quelle que soit celle que tu choisiras !

— Tout cela ne signifie donc rien pour toi ? s'écria-t-il avec colère, comme s'ils avaient été sans témoin.

— Tout ce qui te concerne a beaucoup d'importance pour nous; n'est-ce pas, oncle Finch ?

— Il faut que nous soyons très polis envers Mooey, répondit Finch. Il nous tient à sa merci.

— Adeline adore diminuer les gens, dit Maurice d'un ton plaintif.

— Gran était pareille », dit Finch.

Adeline prit un air avantageux en secouant ses boucles rousses.

« On a eu grand tort, dit Maurice, de répéter sans cesse à Adeline qu'elle ressemblait à Gran. Elle aurait été bien plus gentille si on ne l'avait pas fait.

— Attends seulement que j'aie cent ans et tu verras combien je serai gentille ! s'écria Adeline.

— Je n'y serai pas pour le voir; je mourrai bien avant toi.

— Naturellement. Tu rendras l'âme aux premiers craquements de tes jointures.

— Et toi, tu te cramponneras à la vie jusqu'à ce que tout le monde ait assez de toi.

— Personne n'avait assez de Gran.

— Les gens étaient plus endurants, à cette époque. »

Ils étaient toujours à la limite de la querelle.

Patsy entra portant une bouteille de vin.

« Voici une bouteille d'un bon vin très rare, monsieur, dit-il. J'ai réussi à la sauver quand les exécuteurs testamentaires sont venus tout enlever de la cave. Elle vous attend depuis toutes ces années et vous ne trouveriez rien de meilleur, même si vous passiez l'Irlande au peigne fin. »

Ses petits yeux pétillèrent sous ses gros sourcils gris. L'amitié se mit à refleurir; on but à la santé de Maurice et à son bonheur futur à Glengorman.

Il y avait laissé son chien, une chienne labrador fauve, quand il était retourné au Canada. Après le déjeuner, elle se montra, accompagnée de son fils, aussi grand qu'elle. Elle sauta sur Maurice avec les démonstrations affectueuses les plus vives.

« Elle se souvient de moi ! » s'écria-t-il, ravi.

Précédant son oncle et sa cousine, il se mit en devoir de leur faire faire le tour du propriétaire. Par un long escalier de pierre moussue, entre deux hautes murailles bordées de rhododendrons en fleur, ils gagnèrent le terrain plat où se trouvaient les écuries. Leurs seuls occupants étaient présentement une vache, quelques poules et quelques oies avec leurs couvées.

Adeline allait de box en box :

« C'est splendide ! s'exclama-t-elle. Quel endroit merveilleux pour les chevaux ! » Et, prenant son cousin par le bras : « Mooey, est-ce que tu me laisseras remplir ces stalles de chevaux ? N'aimerais-tu pas dépenser une partie de ton argent de cette façon ?

— Pas un sou, répondit-il. Les poules me suffisent; je les aime. »

Les poussins couraient dans la cour. Le jars tendit le cou et fit entendre un bruit sifflant.

Maurice conduisit ses invités à travers des jardins à la française jusqu'à un tertre où s'élevait un vénérable bouleau; sur le sol herbeux, les primevères aux corolles d'un jaune crème se pressaient si nombreuses qu'Adeline osait à peine marcher de crainte d'en écraser.

« Voici la mer ! dit Maurice en étendant le bras.

— Pouvons-nous aller tout de suite sur la grève ? demanda Adeline.

— Je préférerais vous montrer la maison d'abord, si cela vous est égal.

— Oui, montre-nous d'abord la maison, dit Finch.

— Oh ! oui, visitons la maison », dit Adeline, et elle songea qu'elle aimerait mieux aller sur la grève toute seule.

Elle prit chacun de ses compagnons par la main et ce fut bras dessus bras dessous qu'ils retournèrent au château.

Il y régnait le froid caractéristique d'une demeure restée longtemps fermée. Maintenant, toutes les fenêtres étaient ouvertes et laissaient entrer un pâle soleil. Ses rayons miroitaient sur des glaces ternies, sur les cadres dédorés des tableaux, sur le bois de rose des vitrines et les statuettes de porcelaine qu'elles contenaient. Ils faisaient reluire le pavé de pierre lisse d'un couloir et les boutons de porte en verre des chambres à coucher. Maurice attira l'attention sur un groupe de petits tableaux faits à l'aide de plumes et représentant des combats de coqs.

« Regardez ! s'écria-t-il. Je me rappelle les avoir

admirés le premier jour de mon arrivée ici. C'est
curieux, n'est-ce pas ?

— « Le Cyclone de Bronze, réputé pour avoir tué
trois autres coqs en cinq minutes », lut Adeline à
haute voix. Pouah ! quelle horreur !

— Je n'avais jamais regardé l'inscription, dit Maurice en reculant, seulement l'oiseau.

— Il est ravissant, dit Adeline, les yeux fixés sur
les éperons des ergots, tu as de la chance de posséder
des objets aussi intéressants.

— Je me sens de nouveau tout à fait chez moi, à
présent, dit-il. Tout s'était un peu estompé. Mais
sans le cousin Dermot, j'ai l'impression que rien n'est
complètement réel... Pauvre cousin Dermot ! Je l'appelais grand-père, vous savez.

— Oui, je le sais. Mais tu perdras vite ce sentiment
d'irréalité, maintenant que je suis ici, n'est-ce pas.
Mooey ? »

XIV

LES ETAPES DE L'AMOUR

ADELINE prit un chemin qui, partant d'un coin du jardin à demi caché par les rhododendrons, menait à une plantation d'arbres d'essences diverses rapportés de l'étranger par un Court d'autrefois. Ils avaient, avec les années, atteint une taille énorme, et un profond silence régnait sous leurs ramures. Adeline s'arrêta pour examiner leurs feuilles étranges, leurs troncs gigantesques revêtus de mousse grise, ceux dont les branches retombantes s'enfonçaient dans la terre donnant naissance à un rejet, et ceux dont l'écorce se creusait de fentes si larges qu'elle pouvait y mettre sa main. Dans le moindre espace découvert et ensoleillé, les rhododendrons présentaient la masse de leurs fleurs rose corail ou mauves.

Toujours en mouvement, les deux labrador couraient à travers l'herbe haute, flairant le sol, leurs dos fauves aussi lisses que celui d'un serpent, leurs longues queues balayant les campanules.

Etre seule, voilà ce dont elle avait eu envie. C'était son deuxième jour à Glengorman, et soit Finch, soit Maurice avait sans cesse été à son côté, l'appelant pour voir ceci ou cela. Elle éprouvait violemment

le désir de jouir, devant la mer, d'une solitude que
peuplerait le sentiment nouveau qui la possédait, qui
faisait circuler son sang dans ses veines comme une
flamme ardente. Ayant gravi les pentes escarpées par-
semées de rochers gris, elle apercevait maintenant la
surface bleue du bras de mer au-delà duquel s'étendait un paysage montagneux et stérile d'un vert
grisâtre. Appelant les chiens, elle descendit en courant
l'autre versant de la colline et se jeta par terre sur
l'herbe qui croissait entre les roches du rivage. Elle
s'y trouvait enfermée dans un étroit espace, ne voyant
plus que des touffes d'œillets sauvages, la paroi du
rocher et un bout du ciel. Cela lui suffisait; elle n'aurait pu en supporter davantage. La chanson monotone
des petites vagues lui parvenait de la mer invisible. Immobile, elle avait conscience de tout son
corps, de ses pieds qui avaient si joyeusement descendu
la pente en courant; de ses genoux souples et robustes
qui avaient si souvent étreint les flancs d'un cheval;
de sa poitrine qui se soulevait et s'abaissait, remplie
d'air salin. Elle ferma les yeux et essaya de voir clair
en elle-même. Mais sous ses paupières serrées apparut
uniquement l'image de Fitzturgis, entourée, comme
celle d'un saint, d'une auréole écarlate et dorée. Cette
image surmontait le monde entier, et elle la retint
un moment, l'adorant en retenant son souffle... Que
lui avait-il fait durant ces quelques jours ? Elle s'api-
toya sur elle-même et ses yeux se remplirent de
larmes.

Elle rouvrit les yeux et se redressa. Sur l'eau, un
petit cargo d'aspect étranger voguait en direction de
Cork; de l'autre côté du bras de mer, les montagnes
et les bois se parèrent de couleurs plus vives; elle
distingua, au milieu d'un parc, un vaste château blanc
et, çà et là, une ferme. Autour d'elle, jusqu'au bord

même de l'eau, les petites têtes roses des œillets se balançaient dans la brise.

Suivie des deux chiens, elle grimpa par un sentier à pic et atteignit le sommet d'une colline dénudée d'où l'on découvrait la mer étincelante au soleil telle une armure damasquinée. Le vent collait la jupe d'Adeline à ses cuisses et lui ébouriffait les cheveux; levant les bras et se dressant sur la pointe des pieds comme si elle allait s'envoler, elle s'écria : « Oh ! Maitland Fitzturgis, je vous aime ! » Elle se moqua d'elle-même, mais elle répéta son cri d'amour d'une voix claironnante, mainte et mainte fois, éperdue de joie, tandis qu'elle courait et que les labrador bondissaient autour d'elle. Ce fut ainsi que, se poursuivant les uns les autres, la jeune fille et les deux chiens descendirent dans une vallée abritée foisonnante de rhododendrons et de campanules. Sur une saillie rocheuse, un homme se tenait debout, une canne à pêche à la main. Adeline le vit lancer sa ligne; la mouche miroita au-dessus de l'eau; après plusieurs patientes tentatives, il ramena un poisson frétillant, le détacha de l'hameçon et le déposa dans un panier qui en contenait déjà un bon nombre. Tout à coup, se sentant observé, le pêcheur, qui s'était accroupi à côté de son panier, leva la tête et regarda Adeline. Un moment, ils se dévisagèrent en silence, elle, admirant la jeune silhouette revêtue de tweed, penchée avec sollicitude au-dessus du panier; lui, agréablement surpris par l'aspect de la jeune fille flanquée de deux beaux chiens. Puis, il reconnut en eux les labrador de Glengorman et conclut que cette jeune fille devait être la cousine de Maurice et que celui-ci avait dû arriver. Refermant d'un coup sec le couvercle du panier, il l'accrocha à son bras, et, sa canne à pêche à la main, il se mit à escalader les rochers qui le séparaient d'Adeline. Elle

l'attendit, amusée de constater qu'il lui avait suffi
de voir apparaître une inconnue pour renoncer à son
sport. « Mais, se dit-elle, j'ai peut-être franchi les
limites de la propriété de Mooey et ce jeune homme
ne s'approche de moi que pour me dire que je suis en
contravention. Ce doit être ça. » Et elle prit son air
le plus arrogant. Ce jeune homme montait vers elle
du pas assuré de celui qui connaît son chemin par
cœur. Les chiens, après un aboiement de pure forme,
s'élancèrent à sa rencontre en agitant la queue.

« Hello, Bridget ! Hello, Bruce ! leur cria-t-il, puis,
s'adressant à Adeline :

— Je pense que vous devez être Miss Whiteoak; je
suis l'ami de Maurice...

— Ne me dites pas votre nom ! dit-elle en l'interrompant. Laissez-moi le deviner ! »

Souriant, le visage empourpré, il attendit qu'elle
le nommât. Elle aurait voulu dire : « Vous êtes Pat
Crawshay », mais il avait été si cérémonieux avec son
Miss Whiteoak qu'elle dit avec dignité : « Je crois
que vous êtes Sir Patrick Crawshay.

— Vous souvenez-vous vraiment de moi ? s'écria-t-il,
ravi.

— Je sais que vous êtes le voisin de Maurice.

— Mais vous ne vous souvenez pas de moi ?

— Si. Je vous ai rencontré à la chasse à courre quand
je suis venue ici étant enfant.

— Parfait ! Moi, je n'oublierai jamais ni vous ni
notre séparation après la chasse. Vous la rappelez-
vous ? »

Elle se la rappelait fort bien. Il lui avait demandé
de l'embrasser, et elle avait essayé de lui prouver sa
force en l'étreignant avec violence. Elle rit et il rit
avec elle à ce souvenir.

« Combien de temps restez-vous ici ? demanda-t-il.

— Tout l'été.

— Bravo ! Il n'y aura pas de chasse pour vous distraire, mais le pays offre bien d'autres ressources.

— Est-ce que je peux voir vos poissons ? » demanda-t-elle.

Il ouvrit le panier et elle aperçut les formes compactes, les écailles irisées et les derniers tressaillements de vie que renfermait cet étroit espace.

« Oh ! merveilleux ! murmura-t-elle.

— Vous aimez pêcher ?

— Je ne sais pas. Je n'en ai jamais eu l'occasion. J'aimerais savoir lancer la ligne comme vous le faites.

— Je vous l'enseignerai.

— Merci, mais pas maintenant. Ils vont commencer à se demander ce que je suis devenue.

— Je vais vous accompagner si vous le permettez. »

Tout en marchant, elle l'observa et le trouva très différent de tous les jeunes gens qu'elle connaissait. D'abord, il y avait son teint rose et blanc que le soleil semblait n'avoir jamais bronzé et qu'aucun vent sec et chaud n'avait fripé. Puis, il y avait un air d'innocente robustesse, un air de n'avoir connu aucune discipline; on pensait, en le voyant, à un jeune animal innocent et sain, à un être qui avait toujours eu tout ce qu'il avait voulu et qui n'avait jamais rien voulu de mal. Elle chercha le moyen de le faire parler de Fitzturgis, mais aucune manœuvre habile ne lui vint à l'esprit. Alors, elle finit par demander simplement :

« Avez-vous entendu parler d'un nommé Maitland Fitzturgis ?

— Maitland Fitzturgis, répéta-t-il de sa voix liquide d'Irlandais. Non, je n'ai jamais entendu ce nom-là. Est-ce qu'il habite dans les parages ?

— Je... je ne sais pas. Du moins, je crois que

c'est encore assez loin. Je l'ai rencontré à bord du
bateau.

— Ah ! je vois. Comment est-il ? Jeune ?

— Beaucoup plus âgé que vous. Il a fait la guerre.

— Vous dites qu'il est Irlandais ?

— Avec ce nom naturellement.

— Il y a eu échange de noms entre les deux pays.

— Sa mère était Anglaise.

— Ah ! je comprends.

— Je suppose que vous êtes étonné qu'un Irlandais
ait fait la guerre ?

— Non, il y en a beaucoup qui l'ont faite —
Montgomery, notamment. »

Ils étaient proches de la maison. Elle s'arrêta, lui
fit face et dit en rougissant :

« Je préférerais, s'il vous plaît... »

Elle ne parvint pas à continuer.

« Oui ? fit-il pour l'encourager.

— Je vous demande de ne pas dire que je vous
ai interrogé au sujet de Maitland Fitzturgis. Il n'a
pas été sympathique à Maurice. »

Elle sentit qu'elle avait livré son secret. Afin de
cacher la honte qu'elle en ressentait, elle entra d'un
air fier et froid dans le hall où attendaient Maurice
et Finch.

« Il est temps que tu rentres ! s'exclama Maurice.
Nous étions sur le point d'organiser une expédition de
secours ! » Puis, apercevant le jeune Crawshay, il
courut pour l'accueillir. « Hullo, Pat ! Voici qui
explique tout ! Oncle Finch, je te présente mon ami
Pat Crawshay. »

Il resta déjeuner. Finch vit avec plaisir Maurice
s'épanouir dans son rôle de maître de maison hospi-
talier et sûr de lui. Piers lui avait sans aucun doute

fait du tort. Quel dommage que Pheasant ne pût voir son fils faire aussi bonne figure !

Le repas fut très gai. Après, Finch et Adeline allèrent écrire des lettres dans leurs chambres, laissant les deux jeunes hommes tout seuls. Maurice ne fut pas long à demander :

« Y a-t-il dans le voisinage un type du nom de Fitzturgis ?

— Peut-être des douzaines pour tout ce que j'en sais.

— Celui dont je te parle était sur le bateau avec nous. Il a entendu parler de toi.

— Comment est-il ?

— Il ne m'a pas beaucoup plu, dit Maurice en haussant un peu les épaules.

— Et à ta cousine ?

— Adeline ? Oh ! il lui a été assez sympathique.

— Pourquoi t'intéresses-tu à lui ?

— Il ne m'intéresse pas particulièrement. C'est simplement... qu'il présente quelque chose d'un peu bizarre.

— T'a-t-il dit près de quel village il demeure ?

— Non.

— Qu'est-ce qu'il fait ? A-t-il de la fortune ?

— Il fait un peu d'élevage. Je crois qu'il a quelques ressources. Il a été grièvement blessé en Orient et il doit avoir une pension.

— Joli garçon ?

— Quelle question de ta part ! dit Maurice en riant. Comme si ça pouvait compter pour toi !

— Pas pour moi, mais pour quelqu'un d'autre.

— Pour qui ?

— Ta cousine.

— Est-ce qu'elle t'a interrogé à son propos ? demanda Maurice avec un certain étonnement.

— En voilà une idée! Voyons, je la connais à peine!

— Elle l'a fait, j'en suis sûr... la petite idiote!

— Au nom du Ciel, ne lui laisse pas savoir que tu m'as pris en défaut.

— Tu n'es pas capable de me mentir, Pat. »

Les deux amis étaient assis tout près l'un de l'autre sur le large appui d'une fenêtre. Ils allumèrent de nouvelles cigarettes.

« C'est épatant de t'avoir de nouveau ici! s'écria Pat Crawshay. Je n'ai pas d'autre ami qui puisse te remplacer. Mais je parie que tu en as fait un tas au Canada.

— Pas un seul. Des connaissances agréables, mais pas un seul ami. »

Ils fumèrent un moment sans rien dire, puis Maurice demanda brusquement :

« Comment en est-elle venue à te parler de lui?

— Je ne m'en souviens pas. Sans aucun préambule, je crois.

— Bon sang!

— Ne t'en fais pas. N'importe quelle fille...

— Adeline n'est justement pas n'importe quelle fille. Elle n'a encore jamais manifesté de préférence...

— Il faut bien qu'elle commence une fois. Laisse-la commencer par lui.

— Tu ne comprends pas.

— Je crois que tu l'aimes joliment toi-même, Maurice.

— Peu importe mes sentiments, dit Maurice avec amertume. Ce qui importe est qu'il nous faut l'empêcher de revoir ce type.

— Je me renseignerai sur son compte.

— Fais-le, Pat, comme un bon ami, mais ne lui en parle pas à elle.

— Au début, il t'a plu, n'est-ce pas ?

— Oui, beaucoup. »

« Alors, ce n'est que de la jalousie », se dit Pat Crawshay, légèrement jaloux lui-même de ce Fitzturgis inconnu.

Trois jours s'écoulèrent avant qu'il en eût recueilli des nouvelles à apporter à Maurice. Pendant ce temps, il avait passé de nombreuses heures à Glengorman, et les trois Whiteoak avaient dîné chez lui avec sa mère. Entraînant Maurice à l'écart, il l'avait conduit dans un petit bureau aux murs garnis de livres.

« J'ai eu des tuyaux sur ton type, dit-il. Son père était Irlandais, sa mère Anglaise. Il a été au collège en Angleterre et ensuite à l'Université d'Oxford. De là, il est entré dans l'armée et a fait la campagne de Birmanie. Après la guerre, sa mère et lui sont venus en Irlande et ont acheté la petite propriété où ils vivent. Comme moi, il habite avec sa mère, mais si la mienne est délicieuse, j'ai des raisons de croire que la sienne ne l'est pas. Il a une sœur mariée en Amérique; c'est pour la voir qu'il y est allé. On m'a dit qu'ils vivent très solitaires; il y a chez eux quelque chose qui cloche... Je veux dire qu'ils ne se sont liés avec personne. »

Maurice tambourina sur l'appui de la fenêtre.

« Merci, dit-il pensivement. Je suppose que nous ne le reverrons plus. Note bien que je n'ai rien à lui reprocher. Il m'a été sympathique jusqu'à ce que j'aie découvert qu'il avait courtisé Adeline en cachette. C'était honteux parce qu'elle n'est qu'une gosse et que je suis supposé veiller sur elle. »

Gloussant de rire, Pat dit :

« Tu es plutôt à la manque comme bonne d'enfants, Maurice ! »

Son jeune front tout plissé, Maurice dit :

« Je suis sans inquiétude. Ils ne se reverront pas. J'y aurai l'œil. »

Quand on lui remit le courrier du matin, il regarda presque en tremblant s'il ne s'y trouvait pas une lettre à l'adresse d'Adeline portant un timbre irlandais. Il ne se demanda pas ce qu'il ferait au cas où il en arriverait une, mais il s'imagina confusément la jetant au feu ou la portant à sa cousine et exigeant avec un regard accusateur qu'elle l'ouvrît et la lui lût... ou encore la donnant à Finch et lui demandant conseil... L'idée ne lui venait pas d'attribuer sa fureur à la jalousie. Non, il éprouvait une juste colère du fait qu'Adeline, avant même que le navire eût atteint les rives de l'Irlande, avait accordé son premier amour à un étranger. Il ne considérait pas Fitzturgis tout à fait comme un scélérat, mais presque. A peine son oncle et son cousin, les gardiens de cette sotte jeune fille, avaient-ils eu le dos tourné, il s'était mis à lui faire la cour.

De son côté, Adeline attendait ardemment une lettre ; mais, les premiers jours, elle était trop pleine du bonheur d'être amoureuse pour que sa déception durât plus d'un instant. Ses journées s'écoulaient comme un rêve dans lequel elle revivait sans cesse les heures passées sur le pont obscur, la veille de leur arrivée en Irlande.

Puis, soudain, son humeur changea. Une nuit de vent souleva la mer en vagues furieuses ; la pluie glaciale qui tombait du ciel noir et fouettait les vitres empêchait Adeline de dormir. Elle n'avait jamais eu un bon sommeil. Tout enfant, quand son petit lit était encore dans la chambre de sa mère, celle-ci avait souffert presque intolérablement des insomnies qui faisaient bavarder, chanter et rire Adeline au beau milieu de la nuit comme en plein jour.

Maintenant, à Glengorman, c'était son amour pour
Fitzturgis qui la tenait éveillée. Elle passait, dans son
lit, des heures à évoquer chacun de ses traits,
chacun des propos qu'ils avaient échangés, et elle
imaginait des conversations où elle lui disait des choses
si spirituelles qu'elle en riait tout haut, si belles que,
parfois, les larmes lui en venaient aux yeux.

Mais cette nuit de tempête, ce fut une criante nouvelle qui la priva de sommeil; pourquoi ne lui écri-
vait-il pas ? Pouvait-il l'avoir oubliée ?

Puis, elle se souvint qu'il lui avait dit combien il
était mauvais épistolier, et sa panique se calma. Il
n'aimait pas écrire; cela expliquait tout. Ecrire ne lui
suffisait pas; il lui fallait la voir. Il devait avoir eu
beaucoup de besogne après une aussi longue absence.
Demain, ses affaires remises en ordre, il viendrait.
La pluie aura cessé et ils iraient tous deux se promener au bord de la mer.

Cette pensée ne la tranquillisa pas longtemps; de
nouveau, des doutes torturants l'assaillirent : « S'il
m'aimait vraiment, rien ne l'empêcherait de venir.
Il me ferait passer avant toutes choses. Il ne m'aime
pas ! »

Les joues en feu, elle rejeta son oreiller et chercha
la fraîcheur des draps. Son immobilité ne dura guère;
fiévreuse, elle se leva, s'approcha de la fenêtre ouverte
et un vent humide plaqua contre elle sa chemise de
nuit. Elle écouta rugir la mer, craquer les branches
des arbres, siffler l'ouragan qui secouait les volets et la
grille du jardin. « Oh ! où es-tu, mon cher amour ? »
dit-elle à haute voix, et elle se le figura non pas
dormant, mais, comme elle, debout devant une fenêtre
regardant les ténèbres. Cette idée la réconforta, elle
gagna son lit et finit par s'endormir.

Le lendemain matin, le soleil brillait. Les pierres

et le toit de la maison, les feuilles des lauriers lui-
saient comme s'ils avaient été polis, et des pétales de
rhododendrons étaient répandus partout. Les tiges des
campanules ne pouvaient plus supporter le poids de
leurs fleurs et les inclinaient vers la terre. Le vent
était tombé et l'air était chaud.

Finch et Maurice devaient inspecter le voilier que
Patrick Crawshay venait d'acheter; Adeline avait dit
qu'elle voulait explorer la grève. Ils partirent sans
elle. Incapable de supporter une nuit d'inquiétude
de plus, elle était décidée à découvrir la retraite de
Fitzturgis. Elle dit à Patsy qu'elle allait prendre la
voiture.

« Ma bonne demoiselle, vous serez dans le fossé en
moins de deux, sûr et certain. Vous savez qu'on ne
conduit pas ici comme dans votre pays.

— Je le sais, et je saurai suivre les règlements.
Ne vous tourmentez pas. Si mon cousin rentre le premier, dites-lui que je serai de retour avant la nuit. »

Tout en prophétisant un désastre, le vieux serviteur amena la voiture. Il déversa dans les oreilles
d'Adeline un flot de conseils qu'elle ne comprit pas
et la regarda démarrer en secouant lugubrement la
tête. Elle constata qu'en effet les engrenages et le
mécanisme de commande différaient de ceux auxquels
elle était habituée, et elle se félicita de ne croiser
sur la route pendant les premiers kilomètres qu'un
tombereau de gravier traîné par un maigre cheval
et une charrette à âne remplie d'enfants conduite
par une femme. Elle se sentait fière de sa détermi-
nation et regrettait de ne pas avoir eu plus tôt cette
excellente idée. Jusqu'alors, Finch et Maurice ne
l'avaient pour ainsi dire pas quittée; c'était sa première chance d'échapper à leur surveillance et elle en
profitait.

Elle atteignit une bourgade, s'arrêta dans un magasin et demanda le nom du village dont Fitzturgis lui avait dit le nom. Les indications qui lui furent données étaient si détaillées, si compliquées qu'elle n'en retint que la moitié. Elle se remit en route. Elle avait faim et regretta de ne pas avoir acheté une tablette de chocolat dans la boutique. Elle avait déjà roulé pendant trente kilomètres quand elle se trompa de bifurcation et se trouva dans les ornières boueuses d'un petit chemin en face d'une paire de chevaux attelés à un fardier chargé d'un énorme chêne au tronc couvert de lierre. Les bûcherons vinrent obligeamment lui fournir des explications dont elle ne comprit qu'une faible partie.

Un peu découragée, elle sortit du chemin en marche arrière. De nouveau sur la route, elle consulta sa montre : quatre heures moins le quart. Elle se répéta « Oh ! Mait, dites-moi où vous êtes, je veux vous retrouver, dites-moi où vous êtes... » Et, obstinément, elle continua d'avancer jusqu'au moment où elle vit sur la route un pasteur protestant à bicyclette. Arrêtant la voiture, elle l'interpella. Il mit pied à terre et s'approcha, la regardant de ses yeux candides.

« Fitzturgis, voyons, Maitland Fitzturgis... oui, j'ai entendu ce nom-là, dit-il. Laissez-moi réfléchir... Oui, il a acheté la propriété de Mr. Brady il y a quelque temps. Son grand-père possédait un vaste domaine, mais, du temps de son père, il a été vendu.

— Il vit seul avec sa mère, dit Adeline, afin de bien montrer qu'ils ne lui étaient pas étrangers.

— Sa mère, oui. Et je crois qu'il y a aussi une sœur.

— Oui, mais elle est à New York.

— Oh, vraiment ? Eh bien, maintenant, je vais vous dire comment vous rendre chez eux. Prenez le troi-

sième embranchement à gauche, puis, tout droit jusqu'à
un pont en dos d'âne, après cela, le second embranchement à gauche — toujours sur votre gauche, notez-
le bien — et vous arriverez jusqu'aux ruines d'une
petite église. Si vous avez le temps, elles valent d'être
visitées; il reste de belles fenêtres sculptées trilobées
et de très intéressantes sépultures.

— Je crains de ne pas en avoir le temps aujour-
d'hui. Pourriez-vous me dire où je dois passer après
l'église ?

— Eh bien, vous prendrez le deuxième embranchement à votre droite et vous verrez dans un pré les
ruines d'un ancien château. Si vous avez le temps, elles
valent certainement...

— Je suis désolée, interrompit Adeline, désespérée
avec un coup d'œil furtif sur sa montre, mais je suis
terriblement pressée. Après les ruines du château,
quel chemin dois-je prendre ?

— Quel dommage que vous soyez pressée ! Peut-être
qu'une autre fois...

— Oui, je l'espère...

— Eh bien, pour ce qui est du chemin, à vous
parler franc, après le château, je ne saurais pas vous
l'indiquer clairement, mais vous rencontrerez sûrement
quelqu'un qui le connaîtra. »

Adeline le remercia et repartit. L'après-midi décli-
nait déjà qu'elle n'avait pas encore atteint le pont en
dos d'âne. Mais elle était décidée à poursuivre sa
route coûte que coûte, jusqu'à la tombée de la nuit.
Il lui eût été impossible de revenir sur ses pas.
Soudain, elle vit le pont devant elle; dans le ruisseau
qu'il enjambait se tenait un jeune homme en hautes
bottes, une canne à pêche à la main. Adeline descendit
de voiture, se pencha sur le parapet du pont et cria
au pêcheur :

« Excusez-moi de vous déranger, mais pouvez-vous m'indiquer où habite Mr. Fitzturgis ? »

Le jeune homme leva la tête, sortit de l'eau, escalada la rive et, rejoignant Adeline, demanda d'une voix maussade :

« Qui est-ce que vous cherchez ? »

Quand elle le lui eut répété :

« Ce n'est pas un endroit facile à trouver, dit-il, mais comme c'est par là que je dois aller, si vous voulez m'emmener, je vous conduirai jusqu'à la porte. »

Avec joie, elle lui ouvrit la portière et il s'assit timidement à côté d'elle. Le chemin qu'il lui fit suivre était si compliqué qu'elle douta de pouvoir se le rappeler pour rentrer.

« C'est beaucoup plus loin que je le croyais, dit-elle.

— Ah ! fit-il, de sa voix plaintive et haut perchée, nous ne sommes pas très précis quant aux distances, chez nous, et vous en trouverez peu qui soient capables de vous indiquer le chemin correctement.

— Connaissez-vous Mr. Fitzturgis ? demanda Adeline.

— Non, mais mon père connaissait le sien qui a été fort riche autrefois. »

Des collines vertes et désertes ils voyaient l'opulente richesse des vallées, leurs champs entourés de murs de pierre et leurs fermes blanches.

« Comme c'est paisible ici ! s'écria Adeline.

— Oui, c'est assez paisible. Ça ne l'est pas dans le pays d'où vous venez ?

— Ah ! répondit-elle, exactement du ton d'Ernest, il n'est plus ce qu'il était naguère. Il est mécanisé. Les jeunes gens préfèrent les villes; ils n'ont pas d'amour pour la terre... Vous dites que vous n'avez jamais vu Mr. Fitzturgis ?

— Je ne l'ai jamais vu, mais j'ai entendu dire

qu'il est un jeune homme très bien. Nous voici à sa
porte. Vous le verrez lui-même. »

Il descendit de l'automobile, salua poliment et disparut bientôt entre les haies fleuries qui bordaient
le chemin. Devant elle, Adeline aperçut, entre les
rhododendrons chargés de fleurs rosés et blanches,
une maison de stuc blanc, à demi couverte de gly-
cines, avec un vestibule vitré, flanquée d'une petite
serre et précédée d'une pelouse bien tondue.

Pour une raison qu'elle n'aurait pu expliquer, cette
maison la déçut. Ce n'était pas le genre de maison
où elle l'aurait imaginé et, tout à coup, elle se sentit
très timide. Comment oserait-elle se présenter à sa
porte et demander à le voir ? Si seulement il pouvait
surgir sur la route et sourire de joie en la découvrant !
Mais au lieu de lui, elle vit s'avancer un troupeau
de bœufs conduits par deux gamins pieds nus qui
agitaient des bâtons et poussaient des cris auxquels
les bestiaux ne faisaient aucune attention. Effrayée,
elle franchit la grille de la propriété et arrêta la voiture. Une jeune fille fraîche et rebondie descendait
l'allée, venant de la maison. Adeline mit pied à terre
et lui demanda :

« Pouvez-vous me dire si Mr. Fitzturgis demeure ici ?

— Mais oui, répondit l'autre d'une voix cordiale,
seulement il est sorti. »

La déception d'Adeline fut si vive en apprenant
cette nouvelle imprévue qu'elle resta muette en regardant tristement la jeune paysanne.

« Vous le trouverez chez le vieux Tim Rafferty,
dit celle-ci. Il a dit qu'il y allait. C'est de l'autre côté
de la route, un peu plus bas.

— Est-ce que je peux laisser ma voiture ici ?

— Bien sûr, et je vais vous montrer le chemin de
la maison du vieux Rafferty. »

Les deux jeunes filles durent attendre dans le fossé que les bœufs eussent passé. Un petit nuage bas les arrosa d'une légère averse. Au bout de quelques minutes de marche, perchée sur le flanc escarpé de la colline une chaumière blanche devint visible de la route.

« Etes-vous sûre qu'il est là ? demanda Adeline avec nervosité.

— Je l'ai vu y entrer de mes propres yeux. Le vieux Tim avait des ennuis et Mr. Fitzturgis est allé l'apaiser.

— Je comprends. Merci beaucoup. »

Adeline prit congé de sa compagne, puis elle ouvrit la barrière de bois, et, escortée par une demi-douzaine de poules, traversa la petite cour de la chaumière. La porte en était grande ouverte; sur un banc, auprès du feu, elle vit Fitzturgis assis à côté d'un vieil homme aux joues roses et aux cheveux gris plantés très bas. Il lui semblait être séparée de lui depuis si longtemps qu'elle s'attendait presque à ce qu'il eût changé. Mais non, il était exactement le même que lors de leurs adieux, à Cobh, sauf que maintenant son visage s'éclairait d'un étonnement incrédule, comme s'il apercevait une vision.

XV

FITZTURGIS CHEZ LUI

« Hello, Mait, j'ai eu l'idée de venir vous surprendre,
dit Adeline d'une voix tremblante, le cœur battant.

— Adeline ! est-ce possible ? » fit-il, haletant, en
s'approchant d'elle les mains tendues.

Elle fut incapable de répondre, car maintenant,
son corps tremblait tout entier d'un amour éperdu à
la vue de ses yeux au regard intense fixés sur elle,
de son sourire troublé, de la belle ossature de son
visage, de ses cheveux bouclés que la lueur du feu
faisait chatoyer comme du bronze.

« Qui vous a amenée ? demanda-t-il.

— Je suis venue toute seule, répondit-elle très bas,
incapable d'émettre plus qu'un murmure.

— Seule ! » dit-il. Et il leva les bras comme pour
l'enlacer, puis il les laissa retomber.

Son indécision fortifia Adeline qui dit avec audace :
« Oui, seule, et personne ne sait que je suis venue. »

Debout, les yeux dans les yeux, ils revoyaient tous
deux la mer obscure et le pont du navire où ils
s'étaient avoué leur amour.

« Personne ne sait que vous êtes venue », répéta-
t-il, et elle le vit rougir comme s'il était gêné qu'elle
eût pris les devants à sa place.

Le vieil homme assis sur le banc avait les yeux brillants de curiosité. Il tenait de la main gauche un œuf à la coque qu'il avait été en train de manger, et de la droite, une cuiller levée comme en matière de salut. Ses pieds nus reposaient côte à côte sur le sol en terre battue.

« Voici Tim Rafferty, dit Fitzturgis; Tim, cette jeune dame vient de très loin : du Canada.

— Soyez la bienvenue dans mon pays et sous mon toit, rugit le paysan avec cordialité. Je voudrais pouvoir me lever et vous recevoir convenablement, mais les rhumatismes me tiennent si fort que c'est tout juste si je peux aller de mon lit à ce banc avec l'aide de ma nièce.

— J'en suis désolée », dit Adeline en lui tendant la main, mais le vieillard ne lui demandait évidemment pas de pitié. Il l'enveloppa d'un regard rayonnant, posa sa cuiller sur le banc, et lui serra chaleureusement la main.

Une femme dépenaillée s'avança avec un sourire triste et serra également la main d'Adeline.

« Tim a été un grand pêcheur dans son jeune temps, dit Fitzturgis. Il n'y a pas un cours d'eau de ce canton qu'il ne connaisse par cœur.

— Et tous les poissons qu'il contient ! cria Rafferty. Je n'ai jamais jeté ma ligne en vain, et c'est à pêcher nuit et jour que j'ai attrapé mes rhumatismes. »

Il se poussa sur le banc que sa nièce essuya avec son tablier sale avant qu'Adeline y prît place. Fitzturgis s'assit en face d'eux, de l'autre côté du feu. La cheminée de pierre occupait toute une paroi de la pièce; par terre, les poules picoraient des miettes.

« Je vous en prie, finissez votre œuf, dit Adeline.

— Oh ! il peut attendre. Ce n'est pas souvent que nous avons d'aussi belles visites que vous, madame. »

Et, désignant Fitzturgis du bout de sa cuiller : « J'ai
travaillé pour le père de ce monsieur-là et pour son
grand-père, il possédait toute la terre du pays, et
c'était le plus bel homme que j'aie vu de ma vie.
Va chercher son portrait dans la chambre à coucher,
Katie, pour le montrer à la jeune dame. »

Adeline remarqua alors que la nièce était elle aussi
pieds nus. Ses cheveux noirs pendaient en mèches le
long de ses joues. Elle revint avec une grande photographie encadrée représentant un homme d'une qua-
rantaine d'années portant une haute cravate et
d'imposants favoris; elle l'essuya également avec son
tablier avant de la présenter à Adeline.

« Il est très bien, dit celle-ci à Fitzturgis en contemplant son grand-père. Vous le rappelez-vous ?

— Non, et je le regrette. »

Rafferty se lançait dans une longue histoire concernant ce grand-père; au fur et à mesure qu'il parlait,
son accent irlandais devenait de plus en plus prononcé
si bien qu'Adeline finit par ne plus pouvoir le suivre.
Elle avait envie de s'en aller, d'être seule avec Fitzturgis. Pourquoi restait-il là, souriant, comme s'ils
avaient des heures devant eux, alors que la journée
était presque achevée ? Obéissant au pressentiment qui
s'empara d'elle, elle dit :

« Je crois qu'il va falloir que je parte, et elle se leva.

— Oui, naturellement, dit Fitzturgis en se levant à
son tour. Miss Whiteoak reviendra peut-être, Tim, et
vous pourrez terminer votre histoire.

— Et puis, vous avez votre œuf à finir, dit
Adeline.

— Eh bien, s'il faut que vous partiez, dit Rafferty
avec un grand geste de la main qui tenait l'œuf, je
vous souhaite bon voyage, que Dieu vous bénisse et
vous accorde le mari que vous méritez. »

Quand, enfin, ils furent seuls sur la route, le soleil glissait vers la montagne entre des nuages de brume. En bas, dans la vallée, sur une petite rivière, on voyait, parmi les roseaux, les formes blanches des cygnes sauvages. D'un ton terre-à-terre, Fitzturgis demanda :

« Où est votre voiture ? »

D'une toute petite voix, elle répondit :

« Dans l'allée de votre maison. Une jeune fille en sortait et elle m'a dit où vous étiez. Vous comprenez, je faisais une promenade en voiture, je savais que vous habitiez par ici et l'idée m'est venue de vous dire bonjour en passant. »

Elle défaillait de faim, son cœur battait lourdement, et il lui semblait soudain qu'un abîme s'était creusé entre elle et Fitzturgis. Il était devenu presque un étranger. Elle tourna la tête et leurs regards se croisèrent, mais un instant seulement. Ils se détournèrent aussitôt comme si toute intimité leur était insupportable. « Qu'est-ce qui se passe ? » se demanda-t-elle. « Qu'est-ce qui a tout gâté ? » Sous ses pieds, la terre lui parut moins sûre, et elle qui marchait d'ordinaire aussi légèrement qu'une biche, trébucha. Il lui prit le bras et prononça son nom avec sollicitude.

« Entrez ici vous asseoir », dit-il en lui faisant franchir la grille, et, dépassant la voiture, il la conduisit à un banc placé sous un triste chêne-liège au feuillage d'un vert gris. Il régnait à cet endroit une pénombre qui sentait l'humidité.

« Adeline... commença-t-il.

— Oui ? fit-elle en l'encourageant des yeux, tout son être contracté par l'attente.

— Je désire vous expliquer pour quelle raison j'ai agi comme je l'ai fait... quoique rien de ce que je puisse dire ne soit susceptible de rendre ma conduite excusable.

— Comment cela ? demanda-t-elle en levant la tête.

— Je n'avais pas le droit, reprit-il d'une voix basse, de vous faire la cour... je veux dire de vous dire ces mots d'amour.

— Vous voulez dire que vous êtes déjà fiancé ?

— Non.

— Marié ?

— Non. Je ne suis pas marié, mais je ne suis pas libre. Je suis irrévocablement lié. Vous m'avez demandé si je vivais seul et je vous ai dit que ma mère venait parfois demeurer avec moi. Le fait est qu'elle vit avec moi. Elle dépend de moi parce que mon père a perdu toute sa fortune... il l'a bue jusqu'à en mourir.

— Ce n'est que ça ! s'écria-t-elle, soulagée.

— Je le voudrais bien. Mais ma sœur aussi est à ma charge. Elle habite également ici.

— Je croyais qu'elle vivait à New York.

— Oui, celle qui est mariée. L'autre est plus jeune. Elle a vingt-huit ans. Elle avait épousé l'un de mes amis et elle attendait un bébé. Il est venu à Londres en permission et a été tué lors d'un bombardement, sous les yeux de ma sœur qui l'adorait. Une chose horrible; elle a été éclaboussée de son sang. Son enfant est né mort; elle a failli en mourir, et son désespoir lui a dérangé l'esprit. Elle a passé plusieurs années dans une maison de santé. Quand je suis revenu de la guerre, les cliniques étaient toutes archipleines, les médecins qui la soignaient l'ont déclarée presque guérie et elle a été rendue à ma mère. Elles sont l'une et l'autre complètement incapables de gagner leur vie et de se diriger toutes seules, comme vous le verrez, et elles n'ont que moi...

— Désirez-vous que je les voie ?

— Certainement. Mais vous comprenez maintenant pourquoi je n'avais pas le droit de vous parler d'amour. Je ne suis pas libre. Et je suis pauvre. Je parviens tout juste à subvenir à nos besoins.

— C'est affreusement triste, Mait. Je regrette que vous ne me l'ayez pas dit plus tôt.

— Cette traversée a été pour moi une période si heureuse; je n'ai pas eu le courage de vous avouer ma situation. Tout en aurait été changé.

— Rien n'est changé pour moi », dit-elle d'une voix basse et ferme.

En vérité, elle ne voyait pas le rapport entre ces faits et leur amour. Leur amour était comme les montagnes d'au-delà de la vallée; elles étaient masquées par des nuages mais ils ne les modifiaient pas.

« J'ai eu tort d'éveiller en vous un sentiment pour moi, dit-il du ton d'un homme qui connaît son pouvoir.

— Vous ne pouviez vous en empêcher, dit-elle. Rien que d'être auprès de vous me faisait... »

Elle ne put continuer; sa voix tremblait. Elle serra ses mains entre ses genoux. Il fixait sur elle des yeux pleins de pitié et de désir.

« C'est très dur pour vous », dit-elle.

Il eut un rire bref.

« Avant de vous rencontrer, je ne songeais pas à m'apitoyer sur moi-même. A présent, j'avoue que je le fais.

— N'y a-t-il vraiment pas moyen de remédier à cette situation ?

— Attendez d'avoir vu ma mère et ma sœur et vous connaîtrez la réponse à votre question. »

Le ciel s'assombrit; des gouttes de pluie se mirent à tomber sur le feuillage. Fitzturgis prit dans sa main les deux mains d'Adeline. Elle tourna vers lui ses yeux ardents, mais, avec sa dignité innée, elle ne lui offrit pas ses lèvres.

« Il commence à pleuvoir », dit-elle.

Il se pencha sur les mains qu'il tenait et les baisa.

« Il faut que je m'en aille, dit-elle en les retirant doucement.

— Vous ne pouvez pas vous en aller sans être entrée dans la maison et sans faire la connaissance de ma famille. Comment êtes-vous arrivée jusqu'ici ?

— J'ai demandé mon chemin.

— Et Finch et Maurice vous ont laissée venir toute seule ?

— Je vous l'ai dit : ils n'en savent rien.

— Bon Dieu ! que vont-ils penser ?

— Je ne peux pas me l'imaginer, dit-elle en souriant.

— Avez-vous déjeuné ?

— Non.

— Avez-vous goûté ?

— Non.

— Mais, ma chérie ! s'écria-t-il, consterné, vous devez mourir de faim !

— J'ai assez faim... Non, je crois que ma faim est passée. »

Il regarda sa montre.

« Il est cinq heures, dit-il. Venez à la maison et ma mère vous offrira le thé.

— Vous croyez qu'elle sera disposée à me voir ?

— Elle en sera ravie. Vous pouvez en être sûre.

— Et votre sœur ? demanda Adeline qui avait un peu peur de cette personne à l'esprit dérangé.

— Oh ! elle est très silencieuse », dit-il.

Ils se levèrent. Au-delà de l'arbre qui les abritait, la pluie formait comme un rideau.

« Courons, dit-il; donnez-moi la main. »

La porte d'entrée de la maison était ouverte; sur une table du vestibule, des tulipes s'épanouissaient dans un bol. Fitzturgis conduisit Adeline dans une longue pièce au plafond bas où le thé était servi devant un maigre feu de bois vert. Une femme d'une cinquantaine d'années était assise auprès de la table à thé; elle avait le visage pâle et rond, les yeux bouffis, et son abondante chevelure était teinte au henné. Elle portait un chandail vert, un collier de grosses perles et des boucles d'oreilles assorties. La surprise lui dilata les yeux à la vue d'Adeline.

« Mère, dit Fitzturgis, je te présente Miss Adeline Whiteoak. Nous avons fait connnnaissance à bord du paquebot. Elle vient du Canada. »

Mrs. Fitzturgis serra chaleureusement la main d'Adeline et la retint.

« Ah ! oui, dit-elle. Je suis enchantée que vous soyez venue nous voir. Il y a si peu de monde dans ce trou que n'importe quelle visite est la bienvenue. Je veux dire que les gens d'ici ne sont pas de ceux que peut fréquenter une femme comme moi, habituée à choisir ses relations. Je vous assure que si j'avais su d'avance que je serais réduite à une pareille solitude j'en serais devenue folle... je ne veux pas dire littéralement démente, mais j'en aurais été profondément ulcérée.

— Oui, mère, intervint Fitzturgis. Veux-tu nous donner du thé ? Miss Whiteoak est affamée. »

Mrs. Fitzturgis se leva d'un bond et saisit la théière. Elle la tint dans un équilibre si précaire que le thé se mit à couler sur le tapis.

« Mère ! regarde ce que tu fais ! s'écria Fitzturgis en étendant la main vers la théière.

— Ce vieux tapis ! fit-elle avec mépris sans se troubler. Je suis certaine que Miss Whiteoak pensera que rien ne peut le rendre plus laid. »

Ce disant, elle avait dirigé le bec dégouttant de la théière vers Adeline.

« Mère ! s'écria Fitzturgis en remettant de nouveau la théière d'aplomb.

— Ne sois pas aussi tatillon, Maitland. Tu m'as fait complètement perdre le fil de mes idées. » Elle porta une main à son front. « Vous ne pouvez savoir, Miss Whiteoak, vous êtes trop jeune pour savoir à quel point une inquiétude constante peut vous détruire la mémoire. Non que j'aie jamais eu beaucoup de mémoire. Ma mère me disait toujours : « Alicia, ta tête est comme une passoire. » Mais vous savez ce que sont les jeunes filles, ma chère, d'autant que vous en êtes une vous-même, et très jolie. Bien que mon fils me fasse les gros yeux, je veux vous dire que vos cheveux sont exactement de la même nuance que les miens il n'y a pas beaucoup d'années. Tu t'en souviens, Mait ?

— Oui, répondit-il, les sourcils froncés. Laisse-moi faire le thé, mère.

— Jamais de la vie. Je suis très méticuleuse en ce qui concerne le thé, comme tu le sais parfaitement.

— Ne croyez-vous pas qu'il en reste suffisamment dans la théière ? demanda Adeline.

— Il doit être trop infusé et complètement froid. Nous avons attendu mon fils aussi longtemps que nous l'avons pu. Il semble se faire un devoir d'être en retard pour le thé. Ainsi, rien qu'hier... non, ce n'était pas hier mais le jour d'avant... »

D'un coin sombre où se trouvait un canapé, une voix basse et nette prononça :

« Au nom du Ciel, fais le thé, si tu dois le faire. »

Adeline sursauta et aperçut, en tournant la tête, une jeune femme vêtue d'un costume de tweed et qui fumait une cigarette.

« Oh ! Sylvia ! dit Fitzturgis, je ne t'avais pas vue ! »
Et, avec un sourire forcé, il fit les présentations :
« Ma sœur, Sylvia Fleming, Adeline Whiteoak. »

La ressemblance entre le frère et la sœur était
frappante. Elle avait les mêmes traits, trop marqués
toutefois, vu son extrême maigreur; les mêmes cheveux bouclés, mais blonds, et ses yeux étaient grands
et bleus, au lieu d'être étroits et gris comme ceux de
Fitzturgis. Adeline éprouva un certain soulagement :
cette sœur n'était pas aussi bizarre qu'elle se l'était
figurée. Elle était même attrayante, et quand elle
traversa le salon pour s'approcher de la table ce fut
avec une démarche singulièrement gracieuse.

« Je vais préparer d'autres tartines de beurre, dit-elle
en prenant le plat.

— Non, je t'en prie, Sylvia, dit Mrs. Fitzturgis
avec anxiété. J'ai toujours peur quand tu manies un
couteau. Tu es tellement...

— Reste ici et cause avec Adeline, dit Fitzturgis
en l'interrompant. C'est moi qui vais préparer les tartines; il nous en faudra beaucoup. »

Et il suivit sa mère qui, tenant la théière de travers,
continua à arroser le tapis.

Bien que l'aspect normal de Sylvia eût rassuré Adeline, elle n'avait guère envie d'être laissée seule avec
elle tant sa répugnance enfantine pour l'anormal était
vive. Elle s'efforça cependant de parler d'une façon
naturelle :

« Je me demande ce que mon oncle et mon cousin
vont penser de ma longue absence. Ils ne savaient
même pas que je sortais.

— Vous êtes venue à la recherche de Mait, n'est-ce
pas ? »

Adeline s'empourpra.

« Oh ! non, dit-elle. Je me promenais par ici; je

me suis égarée, et je l'ai rencontré dans la chaumière
où j'ai demandé mon chemin. Nous nous sommes
retrouvés par le plus grand hasard.

— Vous avez de la chance d'avoir une voiture à
votre disposition, dit Sylvia en écrasant le bout de
sa cigarette. Nous n'avons pas les moyens d'en acheter
une, et même si nous les avions, ils ne me la confie-
raient pas. Vous avez vu comment ma mère m'a empê-
chée de couper du pain. Ils se sont mis en tête que
je suis... très nerveuse, alors qu'en réalité c'est eux
qui le sont. Ils se comportent quelquefois comme s'ils
étaient piqués. »

Elle alluma une nouvelle cigarette.

Adeline s'efforça de sympathiser avec Sylvia, de
parler avec légèreté de choses et d'autres, mais elle
regardait non sans appréhension à la fois Sylvia et
la pluie dont la violence s'accroissait.

« Il va faire un temps de chien, cette nuit. J'adore
ça; pas vous ? demanda Sylvia.

— Pas quand je suis obligée de conduire une
voiture inconnue par des routes qui ne me sont pas
familières.

— Vous feriez mieux de coucher ici.

— Ce n'est pas possible. »

Sylvia contempla pensivement Adeline un moment
puis elle dit :

« Je vous conseille de ne pas débuter dans la vie
en prenant les choses trop à cœur.

— Est-ce que vous le faites ? demanda Adeline, et
elle regretta aussitôt sa question.

— Autrefois, oui... mais plus maintenant. J'ai découvert que rien ne vaut qu'on s'arrache les cheveux.

— Je suppose que c'est une opinion sensée.

— Oui. Je me suis fait une philosophie à ma convenance. Malheureusement, ils ne l'approuvent pas. »

« Mon Dieu, songea Adeline, si seulement Mait
pouvait revenir ! »

Son vœu ne tarda pas à être exaucé. Il revint
portant la théière, accompagné de sa mère chargée
d'un plateau sur lequel il y avait un plat de tartines
de beurre, une coupe de confitures et un gâteau carré
aux raisins. Fitzturgis alla chercher une petite table
et la plaça auprès d'Adeline. Mrs. Fitzturgis lui posa
de nombreuses questions sur son foyer et sa famille
et elle répéta combien elle déplorait que son fils eût
été forcé de s'établir en Irlande dans un coin aussi
retiré.

« Il réussissait si bien dans une plantation de
caoutchouc, en Malaisie; il y avait le plus bel avenir.
A présent, il ne pouvait naturellement plus en être
question, et nous avons décidé que le meilleur parti
à prendre était de revenir en Irlande où ce lopin de
terre est tout ce qui reste de la propriété dont mon
mari a hérité. Il était l'un de ces malchanceux, bien
que certaines gens pensent que sa conduite a été blâ-
mable. Tout serait, en effet, différent aujourd'hui s'il
avait été différent; mais on peut dire que les choses
seraient encore plus différentes si nous étions tous
autrement que nous sommes. Moi, je dis que nous
sommes tous le jouet de circonstances aussi indépendantes de notre volonté que la tempête de pluie qui
fait rage dehors; il est cependant évident que tout
ce qui manquait à mon mari était un peu d'empire
sur lui-même. N'êtes-vous pas de cet avis ? »

Adeline répondit avec ferveur qu'elle le partageait.
Elle avait une telle faim, les tartines, la confiture et
le thé étaient si délicieux qu'elle oubliait son inquiétude au sujet du trajet de retour pour ne penser qu'au
plaisir d'être auprès de Fitzturgis. Chaque fois que
leurs regards s'accrochaient, le cœur lui battait plus

vite, et ses lèvres s'entrouvraient en un sourire involontaire. Sylvia ne dit plus rien; elle fumait, les yeux
fixés sur la pluie torrentielle du dehors.

Après le thé, Adeline et Fitzturgis passèrent dans
le vestibule; devant la porte d'entrée demeurée ouverte et dont la tempête mouillait le seuil de pierre.
Adeline demanda :

« Croyez-vous que la pluie cessera bientôt ?

— Non. Et même si elle cessait, il serait impossible
que vous rentriez à Glengorman ce soir. Il faudra que
vous restiez chez nous. Ma mère me l'a dit.

— Mais je ne le peux pas ! Ils s'affoleraient si je ne
rentrais pas !

— Vous pouvez leur téléphoner.

— Oh ! fit-elle avec un soupir de soulagement, vous
avez le téléphone ?

— Oui. Il nous est indispensable de pouvoir appeler
un médecin en cas de besoin.

— Je crois que je ferais bien de téléphoner tout
de suite, alors. Ils doivent se figurer qu'il m'est arrivé
un accident. »

Il la conduisit dans une petite pièce exclusivement
meublée d'un téléphone, d'une chaise de cuisine et
d'un grand calendrier servant de réclame à une
marque de whisky. Il alluma l'ampoule électrique nue
qui éclairait le réduit, et sa lumière crue leur révéla
l'un à l'autre, intimement, leur pâle visage.

« Voulez-vous que je vous les appelle ?

— S'il vous plaît. »

Il chercha le numéro dans l'annuaire, le demanda et
mit le récepteur dans la main d'Adeline. Puis, il la
laissa, refermant la porte derrière lui. Ce fut Maurice
qui répondit. Dès ses premiers mots, elle eut conscience
de la tension de sa voix.

« Allô ! fit-elle.

— C'est toi, Adeline ?

— Oui.

— Au nom de Dieu, dis-moi ce qui t'est arrivé !

— Rien. Je vais bien. Je serai de retour demain matin.

— Où es-tu ?

Elle se félicita d'être aussi loin de lui, heureuse de ne pas avoir à lui faire face. Un peu haletante, elle répondit :

« Je passe la nuit chez Mrs. Fitzturgis. »

Elle parlait si indistinctement que Maurice ne saisit pas le « Mrs. » et n'entendit que « Fitzturgis ».

« Fitzturgis ! cria-t-il. Es-tu complètement folle ?

— Je n'y vois aucun mal, répondit-elle avec véhémence.

— *Mal !* aucun *mal !* répéta-t-il. Où est sa maison ?

— Je ne connais pas assez bien le chemin pour te l'expliquer. Ne te tourmente pas; je serai rentrée demain matin.

— Envoie-moi cet homme à l'appareil, dit Maurice.

— Très bien. »

Elle ouvrit la porte et dit :

« Pourriez-vous parler à Mooey, je vous prie, Mait. Il est dans une colère terrible.

— En colère ? contre vous ?

— Contre nous deux, je suppose. »

Il prit le récepteur :

« Allô, Maurice », dit-il.

Adeline entendait la voix furieuse de son cousin vibrer dans le téléphone.

« Il est insensé de vous mettre dans un état pareil, Adeline est en parfaite sécurité, ici. »

Il écouta un moment, puis s'écria :

« Mais grand Dieu ! nous ne sommes pas seuls ! Ma mère et ma sœur sont avec nous... Adeline vous l'a dit... j'en suis sûr. Dites donc, Maurice, pour quel genre de scélérat me prenez-vous ?... Eh bien, j'espère que vous viendrez vous en rendre compte vous-même... Vers quelle heure?... Entendu. Nous vous attendrons. »

Il se tourna vers Adeline et dit en souriant :

« Il croyait que je vivais seul. Il semble avoir une bien piètre opinion de moi.

— Je lui ai dit que je restais coucher chez votre mère ! s'écria-t-elle. Vraiment, Mooey est un être auquel il est impossible de rien expliquer. Il ne vous écoute pas. »

Ils étaient tout près l'un de l'autre dans la minuscule chambrette. La regardant intensément, il demanda tout bas :

« Maintenant que vous les avez vues, vous comprenez?

— Vous voulez savoir si je comprends pourquoi vous n'êtes pas venu me voir et pourquoi vous ne m'avez pas écrit ?

— Oui.

— Eh bien, je ne le comprends pas.

— Adeline, dit-il, presque fâché, vous devez certainement comprendre dans quelle situation difficile je me trouve. Je n'avais pas le droit de vous montrer que je vous aime.

— Alors, vous m'aimez toujours ? dit-elle d'un ton joyeux.

— Vous avez constamment occupé ma pensée depuis que nous nous sommes quittés.

— Et vous n'avez pas cessé un instant d'occuper la mienne ! »

Il détourna la tête comme s'il ne pouvait supporter de voir son visage heureux.

« Ma chérie, dit-il, vous et moi n'avons rien à espérer de l'avenir... du moins ensemble.

— Est-ce que nous n'allons pas nous marier, Mait ?

— Comment le pourrions-nous ? Je n'ai rien à vous offrir. Vous voyez ce qu'est ma vie. D'abord, je suis pauvre; il est vrai que je saurais y remédier rapidement si j'étais libre. Mais je ne suis pas libre. Ma mère et ma sœur sont entièrement à ma charge. Vous voyez combien ma mère est peu pratique, bien qu'elle ne renâcle pas à la besogne. Quant à ma sœur... eh bien, il y a des jours où je suis seul à pouvoir lui faire entendre raison.

— Elle ne semble pas si... anormale. Elle m'est plutôt sympathique.

— Elle a été l'une des jeunes filles les plus séduisantes que j'aie connues. Gaie, pleine de feu... mais maintenant, il y a des jours où elle est plongée dans la mélancolie et d'autres où, comme je vous l'ai dit, je suis le seul qui parvienne à lui faire entendre raison.

— Est-ce qu'elle ne guérira jamais ?

— C'est possible, son état peut aussi empirer.

— En ce cas, vous seriez obligé de la mettre dans une maison de santé, n'est-ce pas ?

— Cela l'achèverait.

— Mais on y soigne pourtant les gens pour les guérir.

— Nous avons consulté les meilleurs spécialistes. Ils nous ont dit de la faire vivre à la campagne avec aussi peu de contrainte que possible. Le médecin d'ici est très bon et sait très bien la prendre.

— Elle ira mieux. Il le faut ! s'écria Adeline.

— Cela demandera longtemps.

— Des années ?

— Oui, des années.

— Et nous ne pouvons nous fiancer ?

— Non.

— Je le voudrais tant.

— Oh ! imprudente enfant ! Vous ne vous rendez pas compte de ce que vous dites !

— Vous, vous ne vous rendez pas compte à quel point je vous aime... Vous savez, Mait, toute ma famille affirme que je suis exactement comme était l'arrière-grand-mère dont je porte le nom. Elle a eu beaucoup de petits béguins dans sa vie, mais un seul grand amour. Je serai pareille, et c'est vous qui êtes mon grand amour. »

Il se tourna vers elle, le visage enlaidi par, la souffrance.

« Vous me rendez ma situation terriblement pénible, dit-il.

— Elle n'aurait pas besoin de l'être.

— Adeline... vous ne savez pas ce que vous dites. Un jour, dans l'avenir, vous penserez à moi comme ayant été l'un de vos petits béguins.

— Jamais de la vie ! » s'écria-t-elle en éclatant en sanglots.

Consterné, il ferma la porte de la petite pièce. Il entendit des voix au-delà du vestibule et il éteignit la lumière. Il l'enlaça, l'embrassa en murmurant des paroles apaisantes et, quand elle cessa de sangloter, des mots d'amour passionnés.

La voix de sa mère l'appela avec insistance. Il repoussa doucement Adeline, ralluma l'électricité, ouvrit la porte et, traversant le vestibule, dit :

« J'aidais Miss Whiteoak à téléphoner à son cousin. Je l'ai persuadée de passer la nuit chez nous. Il viendra la chercher demain matin. »

Adeline apparut à cet instant et fut chaleureusement accueillie par Mrs. Fitzturgis.

« Cela me rappellera le bon temps d'autrefois d'avoir une jeune personne sous mon toit, dit-elle. Nous

recevions beaucoup et nous recevrons encore davantage quand ma fille sera rétablie. Nous ne sommes
pas habitués à vivre comme ça, vous savez. Je me
rappelle une époque où... »

Elle continua sur ce ton pendant que Fitzturgis
retournait dans le salon et arrangeait le feu. Sylvia
arpentait l'étroite et longue pièce, les mains croisées
derrière son dos.

« Je me sens énervée, ce soir, dit-elle. Ce temps
m'agite. Je voudrais être un poisson au milieu des
vagues furieuses de la mer, avec ce ciel d'orage au-
dessus.

— Eh bien, dit-il gaiement, il se trouve que tu es
dans ta propre maison avec un bon feu et une
agréable visite. Il faut que je lui dise de te parler
de Jalna, la propriété où elle habite; cela t'amusera.
Elle raffole des chevaux et a remporté de nombreux
prix aux concours hippiques de là-bas.

— Je voudrais tant avoir un cheval de selle, dit
Sylvia. Si seulement je pouvais galoper pendant des
heures, je me débarrasserais de ces idées confuses que
j'ai dans la tête. Je suis sûre qu'un exercice violent
m'y aiderait. Crois-tu que tu pourrais m'acheter un
cheval, Maitland ? Je vis trop claquemurée avec mère.

— Oui, dans quelque temps, quand tu seras plus
forte », dit-il afin de la calmer, tout en tendant
l'oreille pour entendre la conversation qui avait lieu
entre sa mère et Adeline.

Elles revinrent au salon et il fut surpris par la
pâleur qui accentuait la noirceur lumineuse des yeux
d'Adeline.

« J'ai dit à ma sœur combien vous aimiez monter
à cheval, dit-il. Vous lui ferez plaisir en lui parlant
de votre vie à Jalna. Racontez-lui la guerre qui met
aux prises votre père avec ce Clapperton.

— Dire que vous vous rappelez ça ! s'écria-t-elle en le caressant du regard.

— Oh ! oui, racontez-la-nous ! dit Mrs. Fitzturgis, aussi contente qu'un enfant devant la perspective d'une distraction. Nous allons nous asseoir bien confortablement autour du feu et vous nous décrirez la vie au Canada.

— J'aimerais bien y aller, dit sa fille.

— Comment, ma chère ! Nous parvenons à peine à te décider d'aller au village !

— Ce n'est pas la même chose, dit Sylvia d'un air sombre.

— Je suis sûre, dit Mrs. Fitzturgis, que tout doit être mieux au Canada qu'en Irlande, sans quoi tant d'Irlandais n'y auraient pas émigré.

— Oh ! non, dit Adeline. Il y a beaucoup de choses qui sont bien mieux ici. Mais nous en avons quelques-unes de meilleures.

— Quoi, par exemple ? demanda Mrs. Fitzturgis, serrant ses mains sur son ventre avec bonheur.

— Le bois à brûler, par exemple, dit Adeline, les yeux fixés sur le feu. Vous devriez voir le feu de bûches de bouleau devant lequel se tiennent mes grands-oncles. C'est du bouleau argenté, très blanc et très joli, et les flammes crépitent et dansent et donnent une chaleur terrible.

— Que ce doit être beau ! s'exclama Mrs. Fitzturgis. Et est-ce que vous avez le chauffage central ?

— Oh ! oui. Mes grands-oncles ne peuvent supporter le moindre courant d'air. Mon oncle Ernest *sait* immédiatement dans tout son corps dès que le thermomètre descend au-dessous de 20 degrés ! Et mon oncle Nicolas est un merveilleux vieillard ! il joue du piano, quoiqu'il ait quatre-vingt-seize ans. Pas des morceaux nouveaux, naturellement, mais des passages

de ceux qu'il a appris il y a longtemps. Nous espérons
qu'il vivra jusqu'à cent ans comme mon arrière-grand-
mère. »

Elle regarda autour d'elle avec fierté. Fitzturgis l'en-
couragea à parler de Jalna, des chevaux, de l'équitation, jouissant de la voir tantôt sérieuse, tantôt
pleine d'une animation heureuse. Il était assis accoudé
au bras de son fauteuil, sa main cachant les
lèvres qui auraient révélé son désir. La douce lueur
du feu lui semblait les réunir, lui, sa mère, sa
sœur et Adeline, dans une étroite intimité, comme s'ils
s'étaient connus depuis des années.

Quand ce fut l'heure de préparer le dîner, Mrs. Fitzturgis se leva avec dignité en disant :

« Je fais moi-même toute ma cuisine, Miss Whiteoak,
et puisque vous m'avez demandé de vous appeler
par votre prénom, je le ferai, bien que je n'approuve
pas l'usage de l'employer quand on vient de faire
connaissance. Mais vous êtes si jeune, si aimable que
je vous appellerai Adeline. Comme je vous le disais,
je fais toute la cuisine moi-même, sauf le peu
d'aide que mon fils peut m'apporter. Car il est occupé
toute la journée par sa ferme... pas exactement
toute la journée, parce que je le crois enclin
à la paresse comme l'était son pauvre père. Cependant, je n'ai jamais vu personne se laisser absorber
autant que mon mari par ce qui l'intéressait vraiment, si ce n'est mon fils. Je vais donc aller
maintenant préparer le dîner. Heureusement, j'ai un
poulet en train de cuire, enfin, pas précisément un
poulet, car il n'est pas très jeune, mais il y a si longtemps qu'il mijote dans la casserole qu'il sera sûrement tendre, ou sinon tendre, du moins mangeable.
Mike, l'homme qui travaille pour mon fils, m'épluche
toujours les pommes de terre, pour que je ne m'abîme

pas les mains, ou, plutôt, pour me rendre service;
il est si obligeant; et je ne permets pas à Sylvia de
rien faire avec un couteau; elle est tellement nerveuse.
Alors, si tu veux bien me donner un coup de main,
Maitland, le dîner sera bientôt prêt, mais il est
peut-être prétentieux de qualifier de dîner un repas
de deux plats très simples dont l'un au moins est
problématique. »

Elle sourit à Adeline d'un air enjoué et les flammes
firent scintiller ses boucles d'oreilles. « Elle sourit,
pensa Adeline, mais ses yeux paraissent avoir beaucoup pleuré. »

« Je vous en prie, permettez-moi de vous aider,
dit-elle. Cela me fera plaisir. »

Elle redoutait de rester seule avec Sylvia, qui, comme
si elle en avait eu conscience, dit de sa voix
musicale :

« Oui, laisse-la t'aider, mère. Je ne suis pas d'humeur
sociable. »

Et, réglant la question, elle prit un livre et y enfouit
son nez.

La joie d'être dans cette cuisine à l'ancienne mode
avec Fitzturgis qui lui dérobait un baiser chaque
fois qu'il la frôlait, car il cessa un moment de réfréner
son amour, remplit Adeline d'une folle exaltation.
Par contagion, Mrs. Fitzturgis se sentait heureuse,
et tous trois oublièrent leurs soucis. Adeline refusait
de penser au lendemain et sa gaieté se communiqua
à tous ses compagnons. Sylvia elle-même éclatait de
rire en entendant les amoureux échanger, à table,
quelque puérile extravagance. Au son du rire de sa
fille, Mrs. Fitzturgis se leva, fit le tour de la table,
l'embrassa et retourna à sa place les larmes aux yeux.

« Oh ! quel bonheur vous nous apportez ! » s'écria-
t-elle.

Elle ne fournit à son fils et à Adeline aucune occasion de tête-à-tête, non qu'elle voulût les séparer, mais parce qu'elle prenait elle-même tant de plaisir à la société de la jeune fille, l'accablant de banalités refoulées depuis longtemps, d'attentions maternelles, hospitalières et amicales.

Adeline avait espéré que la mère et la fille se coucheraient de bonne heure et qu'elle demeurerait seule avec Maitland devant le feu. Mais il n'en fut rien. Mrs. Fitzturgis l'accompagna à sa chambre, lui apporta une chemise de nuit de Sylvia et un petit paletot de laine pour mettre dessus. Cette chambre était si froide qu'Adeline se dit qu'elle ne devait pas avoir été habitée depuis une éternité; tout ce qu'on y touchait était gluant. Dehors, la pluie fouettait toujours l'épais feuillage des rhododendrons... Dans le couloir, une horloge grinça, puis sonna douze coups... Adeline s'endormit.

Bien qu'elle ne l'eût pas entendue, l'horloge venait de sonner une heure quand Adeline fut réveillée par un bruit de voix en colère. Celle de Sylvia prononça :

« Lâche-moi ! Je te dis que je veux m'en aller ! Ni toi ni personne ne pourront m'en empêcher ! »

Puis, Fitzturgis répliqua, mais Adeline ne put distinguer ses paroles. La voix de Sylvia s'éleva de nouveau, avec une force accrue :

« Tu ne peux pas m'en empêcher ! Il faut que je sorte ! »

Il y eut un bruit de lutte, puis celui d'un coup sourd sur la porte de la chambre. Une jeune fille moins impulsive ou plus timide se serait enfouie, de peur, sous ses couvertures, mais Adeline sauta hors du lit, ouvrit la porte et, debout, en chemise de nuit, regarda de ses yeux effrayés, le frère et la sœur aux

prises comme deux gladiateurs. Fitzturgis essaya de lui
sourire et dit afin de la rassurer :

« N'ayez pas peur. Sylvia est énervée. C'est tout. »

Il lâcha la sœur qui se retourna en levant vers
Adeline des mains suppliantes. Son visage était blême
d'émotion; elle avait les pieds nus et portait un
manteau par-dessus ses vêtements de nuit.

« Dites-lui de me laisser partir, dit-elle. Vous comprenez sûrement qu'il me faut sortir de cette maison,
être en plein air, sous la pluie. Vous aimez Mait.
Je le vois bien. Obtenez de lui qu'il me laisse
sortir, sinon, je jure que je commettrai un acte
désespéré.

— Voyons, voyons, Sylvia », dit Fitzturgis en la
prenant doucement par le bras.

Mais elle se détacha d'un geste violent.

« Voulez-vous m'expliquer, dit Adeline en s'efforçant d'agir comme son père le ferait en pareille circonstance, pour quelle raison vous désirez sortir ? Il
fait un temps épouvantable, vous savez. Vous vous
feriez tremper jusqu'aux os.

— Peu m'importe ! s'écria Sylvia avec véhémence.
Je suffoque dans cette maison.

— Vous avez sans doute fait un mauvais rêve, dit
Adeline calmement quoique son cœur battît à tout
rompre.

— Oui, c'est un cauchemar qui m'a réveillée, dit
Sylvia, et elle passa la main sur son front couvert de
gouttes de sueur. Un terrible cauchemar. Mon bébé,
mon pauvre petit bébé était avec moi dans mon lit.
Il était vivant et cherchait mon sein, mais mon cœur
se brisait et je savais que mon lait s'était transformé
en sang. Puis, la fenêtre s'est ouverte et Dick, mon
mari, est entré dans la chambre. Il m'a dit : « Je suis
« venu, à travers la tempête, pour chercher le bébé. »

J'ai répondu : « Tu ne peux pas le sortir. Ça le
« tuera. » Il a ri aux éclats et il a dit : « Le tuer !
« mais il est déjà mort et bien mort ! » J'ai tâté
auprès de moi, et au lieu de mon bébé, mes doigts
ont rencontré un clou froid comme de la glace planté
dans mon cœur !

— Voilà le genre de crises qui la prennent », dit
Fitzturgis d'une voix mortellement lasse.

Sylvia appuya son avant-bras contre le mur et y
cacha son visage. Elle tremblait de froid, de la tête
aux pieds.

« Retourne dans ton lit comme une bonne fille, lui
dit son frère.

— Non !

— Il le faut, dit-il avec autorité. Tu sais très bien
que je ne te laisserai pas sortir. »

Posant la main sur l'épaule tremblante de Sylvia,
Adeline dit :

« Voulez-vous me permettre d'aller avec vous dans
votre chambre ? Nous pourrions causer. »

Sylvia releva la tête, et, fixant sur Adeline le regard
pénétrant de ses yeux bleus mouillés de larmes :

« Oui », murmura-t-elle.

Elles entrèrent ensemble dans la chambre de Sylvia.
Sur le seuil, Fitzturgis, hésitant et anxieux, demanda à
Adeline :

« Puis-je vous parler un instant ?

— Parler de moi ! c'est ça que tu veux faire ! intervint sa sœur.

— Du tout. Il s'agit de quelque chose qui ne regarde
que nous.

— Bon. Parle-lui, alors », dit Sylvia, et elle s'effondra
sur son lit, épuisée.

Adeline suivit Fitzturgis dans le couloir.

« Je crois qu'elle est calmée maintenant, dit-il à

262 LA FILLE DE RENNY

voix basse. Mais je suis navré que vous ayez ainsı
été privée de sommeil. J'espère que vous n'avez pas eu
trop peur.

— Oh ! non.

— Je vais laisser la lumière allumée dans le couloir;
quand elle sera tout à fait tranquille, vous retournerez
dans votre chambre. Au cas où elle s'agiterait de
nouveau, sachez que je reste là à faire le guet. »

Elle lui sourit, mais elle était tellement fatiguée
qu'elle avait plutôt envie de bâiller. Elle n'éprouvait
plus aucune émotion.

« Vous devez regretter d'être venue me voir », dit-il.

Avec le même pâle sourire, elle répondit :

« Non, je ne suis désolée que pour vous. »

Elle regagna la chambre de Sylvia et referma la
porte derrière elle. Sylvia s'était mise au lit.

« Dois-je éteindre la lumière ? demanda Adeline.

— Oui. Je ne crains plus l'obscurité maintenant
que vous êtes là. »

Adeline éteignit, s'approcha du lit à tâtons et y
entra au côté de Sylvia. Elle l'entoura de son bras.
Qu'elle était donc maigre, comparée à la rondeur svelte
de son propre corps !

« Parlez-moi, dit Sylvia. Parlez-moi sans arrêt, de
vos chevaux, de vos chiens, de vos vieux oncles, de
n'importe quoi, pourvu que vous parliez. C'est le
silence qui est si horrible. »

La tenant fermement, Adeline lui raconta comment
un poulain était né le jour même de son départ pour
New York; elle lui décrivit son pelage, entra dans
tous les détails du pedigree de son père et des prix
qu'avait remportés sa mère. Quand ce sujet fut épuisé,
elle lui parla de M. Clapperton et de la menace de
ses bungalows, de Tom Raikes et de la réputation
qu'il se faisait d'être buveur, destructeur de voitures

et malhonnête à l'égard de ses patrons. Elle parla,
parla jusqu'à s'enrouer, mais dès qu'elle se taisait,
comme une enfant insatiable, Sylvia disait : « Continuez. Encore »

Quand elle eut évoqué successivement tous les
membres de sa famille, tracé la biographie de chacun
d'eux avec une curieuse franchise, elle sentit enfin
se détendre sous son bras le corps contracté de Sylvia
dont bientôt, les images des habitants de Jalna lui
ayant permis de s'oublier elle-même, la poitrine se
souleva et s'abaissa régulièrement et elle glissa dans
le sommeil.

Adeline remercia Dieu d'avoir réussi à rester éveillée
aussi longtemps et s'endormit à son tour.

XVI

ALTERCATION AVEC MAURICE

Il était neuf heures quand Adeline se réveilla et vit Sylvia en train de s'habiller dans la chambre qu'inondait le soleil. Un instant, elle se demanda qui était cette mince jeune femme à la peau blanche, aux cheveux blonds bouclés et aux grands yeux bleus. Sylvia lui sourit.

« Vous avez passé une bonne nuit ? demanda-t-elle comme si ce genre de nuit n'avait rien présenté que d'ordinaire.

— Oh ! oui, répondit Adeline, en se rappelant tout. Est-il tard ?

— Pas très, mais plus tard que je n'ai dormi depuis longtemps. Il fait un temps magnifique. »

Adeline s'étira avec un sentiment de bien-être. Puis, tout à coup, se souvenant qu'elle allait avoir à affronter Maurice, elle releva les genoux et s'enfouit sous les couvertures.

« Qu'est-ce qu'il y a ? demanda Sylvia.

— Mon cousin... il va venir me chercher et il sera furieux contre moi.

— Pourquoi ?

— Je n'aurais pas dû venir jusqu'ici avec sa voiture

sans le prévenir. Ce n'est naturellement pas à cause de
la voiture qu'il sera fâché mais à cause de moi.

— Il est coléreux ?

— Je... en vérité, je ne le sais pas.

— Eh bien, dit Sylvia en riant, il sera amusant de
savoir à quoi s'en tenir.

— Je l'espère, mais j'en doute, dit Adeline.

— Vous avez l'air d'avoir peur de lui.

— Oh ! je saurai me défendre ! »

Elle se leva d'un bond et se mit à s'habiller.

Sylvia ne semblait plus rien présenter d'étrange,
et Adeline se dit en se félicitant qu'elle lui avait
peut-être fait du bien. Ou peut-être sa maladie ne se
manifestait-elle que par accès. En tout cas, elle ne
voulait plus jamais en être témoin et, en jeune animal
sain, elle repoussa ce désagréable spectacle de la nuit
et la perspective de sa prochaine entrevue avec Maurice, et ne s'occupa plus que de l'homme qu'elle aimait.

« Quels cheveux vous avez ! et quels yeux ! dit
Sylvia. Je ne m'étais pas rendu compte, hier soir,
à quel point vous êtes belle !

— Je me disais la même chose à votre propos.

— Oh ! moi ! dit Sylvia en haussant les épaules, j'ai
perdu tout ce que j'ai possédé de beauté.

— Je vous admire beaucoup, dit Adeline, et elle
ajouta d'un ton pensif : vous ressemblez beaucoup à
votre frère.

— Oh ! lui ! » s'exclama Sylvia du même ton dont
elle avait dit : « Oh ! moi ! »

« Qu'est-ce que vous lui reprochez ?

— Il n'est qu'un Irlandais paresseux; il préfère
aller à la pêche ou bavarder avec Tim Rafferty à
tout travail sérieux. Le petit élevage qu'il fait ici est
insignifiant. Il avait un bel avenir, avant la guerre.

Maintenant, il n'en a aucun. Nous pourrions, ma
mère et moi, nous débrouiller sans lui, mais il ne
veut pas que nous le tentions. »

Elle prit un bâton de rouge et se mit d'une main
tremblante à farder ses lèvres pâles.

« Je ne crois pas qu'il soit paresseux, dit Adeline
avec chaleur. Votre mère l'a peut-être persuadé de
rester ici.

— Je suppose que c'est la scène de la nuit dernière
qui vous le donne à penser, mais je vous affirme que
sa présence ne fait que m'énerver davantage. J'allais
bien mieux pendant qu'il était en Amérique. Non...
je ne suis que son prétexte pour rester à la maison. »

« Inutile de discuter avec elle, songea Adeline;
mieux vaut aller dans la salle de bain et m'y enfermer
un bon moment. »

Quand elle revint, elle parla d'autre chose et peu
après elles descendirent déjeuner. Fitzturgis avait déjà
mangé et était sorti. Adeline fut si désappointée
qu'il lui fut difficile de se montrer aussi gaie que
Mrs. Fitzturgis. Celle-ci avait apparemment bien dormi
et, pendant tout le repas, elle parla avec animation
sinon avec clarté. Elle ne portait pas, le matin, des
boucles d'oreilles aussi longues que le soir; elles
l'étaient cependant assez pour osciller vivement chaque
fois qu'elle remuait la tête. Malgré tout, Adeline
apprécia les œufs au bacon.

Au-dessus du paysage que la pluie qui venait de
tomber faisait briller, des nuages ronds et blancs pla-
naient, immobiles. Les tulipes avaient posé leurs têtes
sur la terre mouillée. Les rhododendrons avaient
perdu la moitié de leurs fleurs. Mais les fuchsias
n'avaient pas souffert de la tempête et les giroflées
répandaient un parfum délicieux.

« Une merveilleuse matinée, se dit Adeline, seule

devant la maison, et je ne peux en jouir à cause de ce qui m'attend. »

Fitzturgis parut à l'angle de la maison. Il l'aperçut et fut auprès d'elle en trois pas.

« Allons dans un endroit où nous puissions être seuls, dit-il après un bref bonjour.

— Où cela ? »

Il la conduisit jusqu'à un bouquet de vieux arbres noueux dont les troncs s'élevaient parmi l'herbe haute où retombaient leurs branches et parmi laquelle croissaient des fougères et des campanules.

« Vous allez vous tremper les pieds, dit-il.

— Ça ne fait rien », répondit-elle avec un sourire heureux.

Il ne lui rendit pas son sourire mais lui prit la main et la porta à ses lèvres.

« Oh ! Adeline, dit-il, vous voyez à présent quelle est ma vie; vous comprenez que je n'ai pas le droit...

— Peu m'importe, je vous aime et je ne crains pas de le dire.

— Vous ne le devez pas. Je ne suis pas en situation...

— Ça ne durera pas toujours. Votre sœur se rétablira.

— J'en doute, dit-il avec amertume. Je crois parfois qu'une tragédie est suspendue sur nous.

— Ne dites pas ça ! s'écria-t-elle, effrayée. Sylvia a dormi tranquillement toute la nuit.

— Ce que vous avez été chic de coucher avec elle ! Nous devons vous sembler une famille bien étrange.

— Pas étrange. Victime de la guerre, tout simplement. »

Au bout d'un silence, elle demanda :

« Désirez-vous que nous nous fiancions, Mait ? demanda-t-elle.

— Quelle question ! Il me semble que je vous ai

montré que c'est la chose dont j'ai le plus envie au
monde !

— Vous ne me l'avez jamais demandée, dit-elle avec
audace. Si vous me la demandiez, je vous dirais oui.

— Adeline, vous me torturez, dit-il, exaspéré. Vous
êtes trop jeune pour comprendre qu'un homme a
besoin d'une certaine liberté pour pouvoir se marier.

— Je n'ai pas dit nous marier ! J'ai dit nous fiancer !
Je ne veux pas me marier... encore.

— Je n'ai pas le droit de vous demander de nous
fiancer. Que diraient vos parents si vous leur annon-
ciez que vous vous êtes fiancée à un Irlandais sans le
sou ayant sa mère et une sœur malade à sa charge ? »

Elle sourit malicieusement :

« Je pourrais ajouter à cette description ce que votre
sœur dit de vous !

— C'est-à-dire ?

— Que vous êtes paresseux. »

Il rougit.

« Elle a dit ça ?

— En fait, elle m'a dit que vous n'étiez pas nécessaire ici, qu'elle et votre mère sauraient s'y débrouiller
toutes seules.

— Oh ! ce n'est pas la première fois qu'elle m'accuse
d'être paresseux. Je le suis peut-être. Il ne me restait pas beaucoup d'ambition quand j'ai fait votre
connaissance. Mais je peux vous certifier qu'il n'y a
rien dont j'aie plus envie maintenant que de travailler
et... il s'arrêta et son visage s'assombrit.

— Me fiancer ! acheva-t-elle avec animation.

— Oh ! ma chérie. Si seulement je le pouvais !

— Vous n'avez qu'à me le demander, dit-elle en
l'invitant du regard.

— Je ne vous le demanderai pas, répliqua-t-il,
presque brutalement. On a déjà suffisamment médit

de moi; je ne veux pas qu'on me reproche de m'être
fiancé avec une jeune fille que je n'ai pas la possibilité
d'épouser.

— Vous croyez maintenant qu'il n'y a aucune possibilité ?

— Vous avez vu comment était ma sœur, la nuit
dernière !

— Pendant que vous étiez à New York, elle et votre
mère ont bien réussi à...

— Quand je suis revenu, j'ai trouvé ma mère à
bout de forces. Elle n'avait pas passé une seule nuit
en repos au cours de mes trois semaines d'absence.
Elles étaient toutes deux sur le point de s'effondrer.
Sylvia a beau dire, mais elle s'appuie sur moi de tout
son poids. Si je n'étais pas là... Dieu sait ce qui se
passerait. Si je n'avais pas été ici hier soir, elle serait
sortie dans la tempête. Mère est incapable de la dominer. Mieux vaut qu'elle ne s'en occupe pas.

— J'ai assez bien su m'y prendre avec Sylvia, n'est-ce
pas, Mait ?

— Mieux que moi. Vous avez été admirable.

— Eh bien, alors, pourquoi ne pourrais-je habiter
ici un certain temps ? je la distrairais. Elle me fait
tellement pitié. Elle m'est sympathique. Ce serait
autant pour lui venir en aide que pour... Oh ! vous
ne croyez pas que je pourrais essayer ? Je réussirais
même peut-être à la guérir. Que pensez-vous de cette
idée, Mait ?

— Ce n'est pas possible.

— Qu'est-ce que vous avez donc ? s'écria-t-elle, soudain irritée. Je vous fais une proposition parfaitement
sensée et vous la repoussez comme si j'étais...

— Vous êtes un amour, dit-il avec douceur, et je
vous aime de tout mon cœur, mais nous ne pouvons
laisser les gens dire...

— Quelles gens ?

— Votre famille.

— Dire quoi ?

— Que j'ai abusé de votre générosité... que j'ai essayé de vous prendre au piège.

— Mes parents ne diraient pas ça. Je ne le leur permettrais pas.

— Vous êtes très courageuse et très jeune. On ne peut pas empêcher les gens de dire et de faire certaines choses. Vous vous en apercevrez.

— Je suis libre de faire ce que je sais être bien.

— Ce n'est pas bien et il ne faut pas y songer.

— Vous voulez dire que vous ne *voulez* pas que je vienne ici aider à soigner Sylvia ? demanda-t-elle, les joues empourprées.

— Aimeriez-vous passer ici des années comme une espèce d'infirmière auprès de Sylvia ?

— Sa guérison pourrait se produire très rapidement.

— Peut-être jamais, aussi. Songez à tout ce à quoi vous renonceriez; à toute la vie que vous aimez.

— Vous seriez là.

— Ma chérie, vous me détesteriez, vous nous détesteriez tous les trois avant six mois. »

Il cassa un rameau de l'arbre sous lequel ils se tenaient et l'aspira comme si c'eût été une fleur.

« Voyez-vous, dit-il, si Sylvia se remet, j'ai des projets... j'irai alors au Canada vous demander quels sont vos sentiments... voilà l'offre que je dépose à vos pieds. »

Il eut le tort de prononcer ces mots d'un ton léger. Blessée, elle recula, sans remarquer le tremblement de la main qui tenait le rameau.

« J'entends corner une automobile. C'est Mooey », dit-elle.

Il lui prit le bras et l'attira vers lui...

« Un baiser avant que vous partiez », dit-il.

Elle se dégagea :

« Non, je ne vous embrasserai pas », s'écria-t-elle, et elle partit en courant à travers les hautes herbes mouillées.

Finch et Maurice étaient debout auprès d'une canadienne. Mrs. Fitzturgis était sortie de la maison à leur rencontre. Elle exprima avec effusion le plaisir que lui avait fait Adeline en passant la nuit sous son toit. Finch lui sourit mais jeta un regard anxieux sur le couple qu'il vit sortir du bosquet, sur les joues rouges d'Adeline et ses souliers trempés. Il serra la main de Fitzturgis dont les pommettes paraissaient être devenues plus hautes et les yeux plus caves depuis un quart d'heure. Maurice inclina la tête en ne simulant que légèrement la cordialité.

« Où est la voiture ? demanda-t-il à Adeline.

— Dans le garage, répondit Fitzturgis. Je vais vous l'amener.

— Je vous accompagne, dit Finch, comme pour s'échapper.

— Vous avez été très aimable d'offrir l'hospitalité à ma cousine, dit Maurice à Mrs. Fitzturgis.

— Ah ! mais nous n'avons été que trop enchantés de sa visite. Nous avons si peu de société, à présent. La santé de ma fille n'est pas très bonne, vous savez. J'espère, maintenant que la glace est rompue, avoir souvent le plaisir de voir votre cousine et vous aussi. Vous ne vous figurez pas combien nous trouvons la vie ennuyeuse en Irlande. Je me demande comment un jeune homme tel que vous... il est vrai que la jeunesse n'est jamais triste. Je me rappelle à quel point je pouvais être gaie... et cependant j'avais toujours besoin d'amusement... pas exactement d'amusement, mais d'avoir conscience de vivre, ce qui n'est pas le cas ici, quoique le nombre de choses qui s'y passent vous surprendrait si vous l'appreniez. Par exemple... »

La voiture apparut dans l'allée. Mrs. Fitzturgis pria les trois Whiteoak de rester déjeuner ou sinon déjeuner d'accepter un verre de xérès. Lorsque cette invitation fut refusée avec une grave politesse par Maurice, avec un désir évident de s'en aller par Finch, et avec une docilité désespérée par Adeline, elle s'écria :

« Comme ma fille regrettera de vous avoir manqués ! Mais vous reviendrez, n'est-ce pas ? Mon Dieu, où est Sylvia ? Maitland, sais-tu où est ta sœur ? »

A ce moment, Sylvia sortit de la maison, à la surprise évidente de sa mère et de son frère. Ils échangèrent un regard par lequel ils semblaient se dire : « Quelle va être sa prochaine extravagance ? » Mais la jeune femme avait l'air en même temps calme et aimable. Elle bavarda d'une façon si naturelle avec Maurice et Finch qu'Adeline se demanda un instant si la scène de la nuit avait été un rêve. Non, elle avait bien été réelle : l'expression des yeux de Maitland tandis qu'ils reposaient sur sa sœur le démontrait. Et son sourire contraint était celui d'un homme qui s'attend au pire.

Mrs. Fitzturgis eut beau se cramponner affectueusement à ses visiteurs, ils finirent par lui dire adieu. Adeline exprima tout bas à Finch son désir de faire le trajet du retour avec lui, mais Maurice le devança et sauta dans la canadienne à côté d'elle. Finch les suivit dans la voiture. Serrant de la gauche sa paume droite où elle conservait la poignée de main de Maitland, Adeline regardait sans rien dire le profil de Maurice qui gardait, les yeux fixés sur la route, un silence lourd de reproches. Elle savait qu'elle avait

eu tort de s'aventurer toute seule à la recherche de
Fitzturgis, mais elle en voulait à Maurice de lui
témoigner un tel ressentiment. Quand elle ne fut
plus capable de supporter ce silence, elle dit :

« Tu as l'air aussi morose que tous les rabat-joie
de la terre réunis.

— Merci, dit-il en remuant à peine les lèvres. Il
m'est agréable de savoir ce que tu penses de moi.

— Je pense simplement ce que me suggère ton
attitude.

— Comme tu t'exprimes clairement !

— Es-tu d'aussi mauvaise humeur rien que parce
que j'ai pris ta voiture sans t'en demander la permission ? »

Il tourna la tête pour la regarder.

« Fais attention! s'écria-t-elle. Tu as failli écraser
cette poule. »

La poule s'envola en glapissant.

« As-tu si peu de cœur, Adeline, que tu ne comprends pas combien tu m'as blessé ?

— Tu n'as pas le droit de te servir de ce mot pour
désigner ma conduite.

— Est-ce que tu oublies que tu viens de me traiter
de rabat-joie? Je suppose que tu étais, en effet, en
train de passer des heures joyeuses.

— Pas du tout. Je... » Elle ne put continuer; sa voix
s'étrangla dans un sanglot.

« Est-ce que tu te figures ce que j'ai pu éprouver
hier en découvrant que tu avais filé et quand,
après des heures et des heures, Fitzturgis nous a
annoncé, tranquille comme Baptiste, que tu étais chez
lui ? J'avais téléphoné à la police, à l'hôpital, pour
savoir si tu n'avais pas eu d'accident. J'étais presque
fou d'inquiétude. »

Elle ne parvint pas à lui dire qu'elle en était désolée; elle resta silencieuse, les sourcils froncés, se mor-
dant la lèvre inférieure.

« Puis, continua-t-il, j'apprends que tu es allée
relancer ce type. Te rends-tu compte de quoi ça a
l'air ? Que t'imagines-tu qu'en dirait ton père ?

— Eh bien... il aura le droit de le dire.

— Et je ne l'ai pas ?

— Non. »

Il continua à conduire en silence, penché sur le
volant. La familiarité datant de leur enfance qui faisait
de chaque expression de leur visage, de chacun
de leurs gestes quelque chose d'instantanément révé-
lateur pour l'autre s'était soudain rompue. Ils s'écar-
tèrent l'un de l'autre comme d'un étranger redouté et
suspect.

Adeline ne voyait pas les montagnes arides qu'ils
traversaient; elle revivait les minutes passées avec
Fitzturgis sous les arbres. Son imagination forgeait à
cette scène des fins différentes dont l'une entrouvrit
ses lèvres en un sourire radieux et dont l'autre lui
remplit les yeux de larmes brûlantes. Maurice lui
parla deux fois avant qu'elle l'entende.

« Qu'est-ce que tu as dit ? demanda-t-elle.

— J'ai dit que j'aimerais savoir ce que tu as l'intention de faire.

— Je ne sais pas, répondit-elle.

— Es-tu fiancée à cet homme ?

— C'est mon affaire.

— Elle ne sera pas longtemps seulement la tienne.

— Cela signifie-t-il que tu vas l'écrire à la maison ?

— Tu as une bien mauvaise opinion de moi.

— Tu pourrais difficilement avoir agi envers moi
d'une façon plus mesquine que tu l'as fait depuis mon
arrivée ici. »

Il arrêta brusquement la voiture.

« Comment oses-tu me dire une chose pareille ? s'écria-t-il. Tu sais que, depuis des années, je me suis réjoui d'avance de ta venue à Glengorman !

— Oui ! parce que tu voulais m'épater de tes richesses et faire le grand seigneur devant moi. Tu voulais que j'agisse exactement à ton gré. Et parce que je refuse de t'admirer et de me montrer fière de tes attentions, tu te comportes comme si...

— Je t'aime, Adeline, dit-il en l'interrompant.

— Tu as une drôle de manière de me le prouver.

— Que veux-tu que je fasse ?

— Ce que tu fais m'est indifférent.

— Je devrais prendre des leçons d'amour avec cette brute...

— Si c'est de Mait que tu parles, tu pourrais, en effet, apprendre de lui pas mal de choses. »

Ils se foudroyaient mutuellement du regard. Le moteur vrombissait. Derrière eux, Finch fit marcher son klaxon.

« Je vais rentrer avec oncle Finch », dit Adeline en commençant à ouvrir la portière. Maurice étendit le bras et saisit fortement la poignée.

« Laisse-moi descendre ! s'écria-t-elle. Je ne veux pas que tu m'en empêches.

— Tu vas m'écouter. »

Elle se mit à lui frapper l'avant-bras de son poing fermé.

« Très bien, dit-il calmement. Va-t'en. Au diable si tu en as envie. »

Un instant plus tard, elle avait pris place à côté de Finch et les deux voitures se remirent en marche.

« Cela ne sert à rien de se mettre dans tous ses états », dit Finch.

Elle se mordit les lèvres pour retenir ses sanglots.

« Oh ! oncle Finch ! comme je regrette d'être partie avec Maurice !

— Vous vous êtes querellés ?

— La dernière chose qu'il m'a dite est d'aller au diable.

— Ce n'est rien.

— Ce n'est peut-être rien pour toi, mais je n'y suis pas habituée.

— Il épanchait simplement sa bile.

— Je me rends compte que j'ai mal agi et je t'en demande *terriblement* pardon, mais si tu savais ce que j'ai éprouvé ces derniers jours...

— Ne te tourmente pas, dit Finch d'un ton réconfortant. Maurice se consolera.

— Tu veux dire qu'il cessera de vouloir m'épouser ?

— A ce sujet-là, je ne garantis rien, mais il oubliera cette histoire avec Fitzturgis.

— Il l'oubliera peut-être, mais moi pas !

— Bon, bon, nous verrons. Tu nous as fait rudement peur, tu sais.

— Je n'avais aucune idée du temps qu'il me faudrait pour découvrir la propriété de Mait.

— Quel était ton but, en y allant, Adeline ? »

Tournant vers lui ses yeux candides, elle répondit :

« Je voulais savoir s'il m'aimait toujours et pourquoi il n'était pas venu.

— Et l'as-tu appris ?

— Oh ! il m'aime de tout son cœur, mais...

— Mais quoi ? » demanda Finch.

Comme un torrent printanier, Adeline déversa l'histoire incohérente de son séjour chez les Fitzturgis.

Elle jeta à la tête de Finch tous les mots pittoresques et passionnés qu'elle avait recueillis au cours de sa brève existence, tant était véhément son désir de le convaincre de la réalité de son amour pour Fitzturgis et de celui qu'il lui portait.

Finch était un confident modèle. Il ne la blâmait pas, n'offrait pas de solution au problème, mais elle était sûre qu'il la comprenait. Une sympathie profonde émanait de lui; de temps en temps, sa main quittait le volant pour la tapoter et il murmurait : « Tout s'arrangera », comme s'il savait par expérience qu'il devait en être ainsi.

A Glengorman, Maurice fit un grand effort pour se conduire comme si rien n'était arrivé, mais son amabilité était si forcée, son affliction si palpable, son attitude envers Adeline si tacitement accusatrice qu'après deux jours passés dans cette atmosphère, Finch proposa d'emmener Adeline faire avec lui le voyage à travers l'Irlande dont il avait déjà tracé l'itinéraire. Elle commença par s'y refuser, craignant qu'une lettre de Fitzturgis pût ne pas lui parvenir. Mais comme, d'autre part, elle souhaitait vivement s'éloigner de Maurice, elle finit par écrire le billet suivant, de son écriture étonnamment ferme et bien formée :

Mon cher Maitland,

(Dans mon cœur, je commence ces lignes par le mot « chéri », mais, comme vous ne m'avez pas écrit, je ne l'emploierai pas.) Je veux vous dire que je pars en voyage pour un certain temps avec oncle Finch, qui est le meilleur oncle qu'une fille ait jamais eu. J'espère vous revoir quand je reviendrai — si toutefois vous en avez envie.

Je vous répète que je suis comme mon arrière-grand-mère. Elle a été fidèle toute sa vie à un seul amour — et je serai comme elle.

                                        ADELINE.

Le lendemain, elle et Finch se mirent en route.

XVII

CROISSANCE DE L'AMOUR
ET DE LA COLERE

LA prophétie de Noah Binns s'était réalisée et à un printemps tardif avait succédé brusquement un été très chaud. Faute de pluie, le feuillage des arbres présentait dès avant juillet son aspect du mois d'août. Les herbages souffraient de la sécheresse et un vent chaud agitait légèrement les petits grains secs du blé et de l'avoine. Les pas d'un homme chaussé de lourdes bottes ne laissaient aucune empreinte sur le sol durci. Le lait ne gonflait plus le pis des vaches dont des essaims de mouches tourmentaient les naseaux et les yeux.

Les seuls à goûter cette excessive chaleur étaient Noah Binns, heureux de se voir aussi bon prophète, et les deux vieux oncles, Ernest et Nicolas, qui s'épanouissaient dans la canicule comme les fleurs sèches des immortelles. Ils avaient beaucoup souffert de la prolongation de l'hiver, mais maintenant, ils se sentaient plus robustes qu'ils ne l'avaient été depuis longtemps. Leurs vieux corps étaient à l'aise, pénétrés de chaleur de part en part, et leurs vieilles paumes sèches s'humectaient de sueur. Ils se taquinaient et riaient d'une façon qui réjouissait le cœur de Renny.

Il leur racontait tout ce qui se passait à la ferme et aux écuries et ne leur épargnait pas non plus les nouvelles désagréables, telles que les agissements d'Eugène Clapperton. C'était afin de maintenir éveillé leur intérêt pour la vie. Mais Alayne se demandait parfois s'il leur était salutaire d'entrer si violemment en furie. « Infâme vieil intrus ! » grondait Nicolas en frappant du poing le bras de son fauteuil. « Méprisable vieux parvenu ! » s'écriait Ernest en reniflant de dédain. Ils le maudissaient rarement sans faire allusion à son âge quoiqu'il eût au moins vingt-cinq ans de moins qu'eux.

Tout semblant de relations cordiales entre les deux maisons avait disparu. Les hostilités étaient désormais ouvertes. Alayne n'éprouvait d'antagonisme que par réflexion; elle désirait surtout ne plus entendre parler des détestables entreprises de leur voisin. Le seul nom de Clapperton l'ennuyait et la rendait presque malade. Elle trouvait honteux que les dernières années de deux vieillards fussent empoisonnées par la haine et la crainte de Clapperton. Cependant, elle se rendait compte que l'irritation qu'il leur inspirait les revitalisait. Il fournissait toujours un sujet de conversation animée. Il était à présent certain qu'une fabrique allait être construite sur le terrain acheté aux Black. Le contrat devait être signé sous quinze jours et, dans peu de mois, une hideuse structure s'élèverait à un jet de pierre de Jalna. Pour une raison obscure, Renny paraissait moins outragé à l'idée de cette perspective qu'il ne l'était par la présence des bungalows proches de ses écuries. Leur vue l'insultait dans toutes ses activité qui, invariablement, le conduisaient tôt ou tard aux écuries, tandis que les bois lui cacheraient la future usine. Deux nouveaux bungalows avaient été bâtis en autant de mois. Il paraissait impossible, en dépit de ce qu'affirmait Eugène Clapperton, que la construction fût de bonne qualité. Il venait chaque jour surveiller les progrès des travaux, se montrait amical à l'endroit des locataires des autres pavillons, faisait ses délices de l'odeur propre des planches empilées par terre et du bruit des marteaux et des scies. Son énergie demeurée considérable trouvait un exutoire à faire exécuter ses projets, et il éprouvait une véritable joie à surmonter l'opposition de Renny Whiteoak. Renny s'était efforcé de soulever les propriétaires des environs; il leur avait fait signer des pétitions et les avait présentées aux autorités sans aucun résultat. « Le temps s'approche, se dit-il, où nous serons forcés de vendre Jalna — mais pas de mon vivant et tant que je pourrai lutter. »

Un jour, à midi, alors que la température dépassait 32 degrés, il sortit de la fraîcheur relative des écuries, et sous un soleil torride, marcha, selon son habitude, jusqu'à un point d'où il voyait nettement les bungalows. Il était seul, car lorsqu'il avait quitté la maison, son chien de berger, le regardant à travers les mèches laineuses de ses poils, lui avait dit aussi clairement que s'il avait parlé qu'il ne faisait pas un temps à se promener et s'était jeté sur le sol dallé du hall. Le bouledogue et le terrier écossais avaient suivi leur maître, côte à côte, jusqu'à mi-chemin d'un pré que Piers était en train de faucher; là, le petit terrier, après avoir lancé à Renny un long regard de reproche, avait résolument fait demi-tour et regagné la maison. Le bouledogue avait assisté en haletant à la conversation des deux frères, puis, quand Renny s'était remis en route, il avait attendu la croisée des chemins pour demander des yeux la permission de prendre celui de la maison. Renny la lui avait accordée en disant :

« Oui, mon vieux, rentre; je conviens qu'il fait une chaleur infernale. »

Mais il était de ces hommes qui ne semblent jamais souffrir de la chaleur ni du froid; son teint coloré restait toujours le même, et ses cheveux d'un roux foncé à peine clairsemés de blanc, ne se collaient jamais de sueur mais couvraient sa tête sculpturale de leur masse crépelée. Une fois au moins chaque jour il s'infligeait, comme maintenant, la torture de se rendre à l'endroit situé derrière les écuries d'où il pouvait apercevoir les cinq pavillons qui s'élevaient au bord de la combe où se trouvait Vaughanlands. Ils étaient à ses yeux comme une éruption de vilains boutons défigurant un visage aimé.

Les trois ouvriers déjeunaient dans un coin ombragé; ils buvaient les boissons fraîches de leurs thermos. Leur vieille Ford tachée de boue était arrêtée non loin d'eux. Mrs. Barker était si sociable qu'elle avait profité de leur moment de détente pour venir leur parler.

« Bon sang ! ce que vous devez avoir chaud à couvrir ce toit de bardeaux !

— Vous pouvez le dire, répondit l'un des ouvriers. C'est en plein soleil.

— Quand aurez-vous fini ?

— A la fin de la semaine.

— Vous travaillez rudement vite.

— Nous travaillons avec ce Clapperton tout le temps sur le dos, dit l'homme en riant.

— Le voilà qui s'amène, dit un autre ouvrier. Pourquoi qu'il ne reste pas au frais chez lui ?

— Il aimerait mieux mourir d'une insolation que perdre un centime.

— Ne dites pas de mal de lui, intervint Mrs. Barker. Il a été très bon pour moi. Il m'a donné un tas de bons conseils.

— A quel sujet ?

— La nature humaine, si vous voulez le savoir. Il l'étudie tout spécialement.

— Haha ! haha ! rit l'homme. Il ferait bien d'étudier celle de Tom Raikes. Il s'instruirait beaucoup.

— Tiens ! regardez qui est sur le toit ! s'écria Mrs. Barker en désignant le nouveau bungalow.

— Du diable si ce n'est pas le colonel Whiteoak ! et il arrache aussi vite qu'il le peut les bardeaux que je viens de poser ! »

Leur thermos à la main, les trois ouvriers regardèrent bouche bée le maître de Jalna, à califourchon sur la poutre de faîte, en train d'enlever un bardeau après l'autre à l'aide des dents d'un marteau. Au même moment, Eugène Clapperton, surgissant de l'autre côté du chemin, s'arrêta figé de stupeur à la vue de ce spectacle. Un instant, il n'en crut pas ses yeux, puis, s'avançant, il cria :

« Comment osez-vous faire cela ?

— Ça s'enlève rudement facilement; plus facilement encore que je l'aurais cru, répondit Renny.

— Descendez de ce toit, hurla Clapperton. Sinon, j'appelle la police ! »

Un bardeau lancé à toute volée faillit l'atteindre au visage. S'adressant aux ouvriers, il ordonna :

« Faites descendre cet homme. »

Tous trois sourirent d'un air penaud.

« Mieux vaut appeler la police, dit enfin l'un d'eux.

— Est-ce que vous auriez tous les trois peur de le faire descendre ?

— Je n'aimerais pas m'attaquer à lui, dit le second.

— Je ne m'y risquerais pas sur ce toit, dit le troisième.

— Ne vous en faites pas, Mr. Clapperton, dit Mrs. Barker; les hommes remettront les bardeaux. »

Eugène Clapperton lui jeta un regard furieux et s'approcha du bungalow. Des enfants des autres pavillons s'étaient rassemblés et regardaient, les yeux écarquillés, les bardeaux s'envoler du toit.

« Je rentre immédiatement chez moi téléphoner à la police ! » cria Clapperton d'une voix que brisait la rage.

Renny Whiteoak enjamba le faîte du toit, glissa jusqu'à l'échelle, la descendit et, d'un pas nonchalant, vint faire face à Clapperton. Celui-ci, déjà en Californie par la pensée, s'était acheté un costume d'étoffe légère d'un beige clair et une cravate aux dessins voyants. Il ne portait pas de gilet.

Renny le parcourut d'un regard étonné et dit :

« Ainsi, vous en êtes arrivé à ce point !

— Allez-vous-en de ma propriété !

— Avec plaisir; dès que je vous aurai bien regardé. »

Saisissant doucement l'extrémité de la cravate :

« Coûteuse, dit-il, mais quel dessin ! je suis surpris que votre femme le tolère ! »

Reculant comme au contact d'une vipère, Clapperton dit :

« Vous ne vous en tirerez pas comme ça. Je n'en ai pas fini avec vous.

— Ni vous avec moi. Je viendrai tous les jours démolir le travail de vos ouvriers. Je crois que je suis capable d'aller aussi vite qu'eux.

— Faites sortir le colonel Whiteoak de ma propriété », commanda Clapperton à ses ouvriers. Ils ricanèrent mais ne bougèrent pas.

Avec calme, cette fois, il dit :

« Vous serez demain traduit en justice pour violation de propriété et dommages causés au bien d'autrui, monsieur.

— Voilà parler comme un homme, dit Renny, mais je n'aime toujours pas votre cravate. »

Il reprit le chemin de Jalna. Sur la pelouse, ses oncles étaient à demi étendus dans de confortables fauteuils, à l'ombre. A la maison, il trouva Alayne, sa sœur Meg et sa fille Patience, assises derrière des volets clos, énervées par la chaleur. Comme toujours heureux de la voir :

« Te voilà, Meggie ! s'exclama-t-il, et toi aussi, Patience ! Qu'est-ce qui vous a fait sortir par cette chaleur ? »

Meg lui entoura le cou de son bras dodu et le tint contre elle un moment.

« Oh ! gémit-elle, notre petite maison est comme une fournaise par ce temps; alors, je me suis traînée jusqu'à la voiture et Patience m'a amenée. Alayne a eu la bonté de nous inviter à déjeuner. »

Leur arrivée ayant coïncidé avec l'heure de ce repas, Alayne n'avait vraiment pas eu le choix.

« Personne ne souffre de la chaleur autant que moi, dit Meg.

— Personne n'est aussi gros, dit son frère.

— Grosse ! je suis grosse, moi ! je ne pèse pas un gramme de plus que soixante-quinze kilos !

— Je te défie de venir dans la grange te peser », dit Renny, taquin.

Elle l'ignora et reprit :

« Ce qui me rend la chaleur si pénible est d'être obligée de faire mon ménage moi-même et de manger aussi peu.

— Je croyais que Patience faisait tout le travail.

— Ne me taquine pas; il fait trop chaud.

— Je suppose que je trouverai la prison agréablement fraîche, dit-il.

— Explique-toi ! dit Alayne.

— Clapperton va déposer une plainte contre moi pour avoir démoli l'un de ses bungalows et tiré sa cravate.

— Il fait trop chaud pour plaisanter, dit Alayne, si toutefois c'est ça que tu essaies de faire.

— Je n'ai jamais été plus sérieux, répliqua-t-il. Je n'ai pas rasé le bungalow jusqu'à terre, mais j'ai arraché une partie de son toit, et je n'ai pas abîmé la cravate, l'objet le plus obscènement hideux que j'aie jamais vu bien qu'ayant fait les deux guerres.

— Tout cela va provoquer de gros ennuis, dit Alayne en appuyant sa main contre son front.

— J'aurais donné n'importe quoi pour assister à cette scène, dit Patience repliée sur elle-même et secouée par un rire intérieur. Non qu'oncle Renny ait eu raison, à mon avis.

— Raison ! s'écria Alayne. Il a commis un acte de pure folie qui va nous valoir la publicité la plus déplaisante !

— Voilà le gong qui sonne ! dit Meg. Je me réjouis de manger quelque chose, car depuis qu'il fait chaud, ce que j'ai pris ne maintiendrait pas un moineau en vie. »

A table, Renny informa les deux oncles de l'incident, et y ajouta des détails. Ils en furent enchantés; Nicolas se le fit répéter deux fois. Ernest frappa la table de son poing grêle et s'écria :

« Bravo, Renny ! Tu as donné une leçon à ce vieux ! »

Mais il n'expliqua pas en quoi consistait la leçon.

Regardant toute la tablée comme s'il la défiait, Renny prononça :

« J'affirme que Clapperton ignore ce que c'est que d'avoir une impulsion généreuse. En outre, il est

lâche, car il a reculé quand je me suis avancé
vers lui.

— Il est méchant et lâche, ajouta Ernest. Et avec
ça vindicatif. »

L'objet de ces critiques sentait effectivement flageoler
ses jambes après sa rencontre avec Renny et ne
songeait qu'à se venger. Il revoyait le sourire moqueur
de Renny tandis qu'il arrachait les bardeaux, les
sottes figures des ouvriers, et la femme qui se délectait
de ce spectacle avec ses poings sur les hanches.

La fraîcheur de son salon fut un baume pour son
être bouleversé. Il y faisait sombre et, en y entrant,
il ne distingua que vaguement les formes figurées
sur son tableau bien-aimé. Il s'assit devant l'image du
naufrage et fit effort pour se détendre. La pendule de
la cheminée sonna la demie. La porte s'ouvrit doucement et sa belle-sœur entra. Elle s'approcha de lui
et le regarda.

« Eh bien ? demanda-t-il avec irritation.

— Eugène, dit-elle à voix basse, j'ai quelque chose
à vous dire. »

« Qu'est-ce qu'il y a encore ? » se demanda-t-il,
aussitôt inquiet.

« C'est au sujet de la jument, poursuivit-elle rapidement. Celle que vous avez vendue à cause de ses
yeux. Eh bien, ils n'ont rien du tout, ses yeux. Je
l'ai appris ce matin. J'étais dans les bois de Jalna
en train de peindre un groupe de ces ravissants bouleaux argentés et...

— Continuez, ordonna-t-il d'une voix brève.

— Ce Wright est arrivé et s'est mis à parler des
arbres...

— Que diable les arbres ont-ils à faire avec la
jument ?

— Il dit qu'elle n'a absolument rien aux yeux; il

l'a vue hier chez le fermier qui l'a achetée à Raikes.
Le fermier dit qu'elle n'a jamais eu la vue menacée.
Et, de plus, elle est pleine. Elle l'était quand il l'a
achetée, et, naturellement, Raikes la lui a vendue plus
cher à cause de ça. Wright trouve que vous devez en
être informé. Mais, je vous en prie, ne dites pas à
Gem que c'est moi qui vous l'ai dit.

— Pourquoi ? parvint-il à dire en dépit de la rage
qui l'étranglait.

— Oh ! elle croit que Raikes est parfait, tout comme
vous le croyez vous-même... Non, pas comme vous.

— Pas comme moi... pas comme moi. D'une autre
manière, alors ? C'est cela que vous essayez de me
dire ?

— Non, non ! » s'écria-t-elle, et elle quitta la pièce
en courant.

Il s'appuya à la cheminée pour ne pas trébucher;
la tête lui tournait. Des soupçons lui étaient venus
quant à l'intégrité réelle de Raikes, mais il les avait
repoussés. Il avait obstinément voulu conserver sa
bonne opinion de cet homme. Raikes exerçait sur lui
un effet apaisant, et il savait que le calme lui était
salutaire. Mais quels noirs soupçons Althea venait
d'implanter dans son esprit ! Il ne s'agissait plus seulement de Raikes et de la jument, mais de Raikes
et de Gem ! Un millier de menus incidents affluèrent
à son cerveau embrasé. Pourquoi n'avait-il pas obligé
Althea à être plus explicite ? Elle avait des idées très
claires sous ses bizarreries.

Il se mit à arpenter le salon en se répétant : « Cesse
de penser; détends tes nerfs... Voilà, je suis calmé. »
Mais il sursauta violemment quand Gem ouvrit la
porte.

« Tom demande, dit-elle, si les hommes doivent
replacer les bardeaux.

— Mon Dieu ! quelle question ! s'écria-t-il, furieux. Bien sûr ! Dis à Raikes de leur en donner l'ordre et ensuite de venir me parler ici. Tout de suite.

— Qu'est-ce que tu as, mon gros loup ?

— J'ai mal à la tête.

— Oh ! pauvre chéri. Ton déjeuner te fera du bien. Il est prêt.

— Je ne déjeunerai pas.

— Oh ! mon gros loup... elle se rapprocha de lui.

— Va donner mes ordres à Raikes », dit-il sèchement.

S'humectant les lèvres du bout de sa langue, il recommença à se dire : « Je détends mes nerfs. Je suis calmé. Tout finira par s'arranger... »

Raikes apparut sur le seuil. Pour la première fois, Clapperton vit en lui le mâle susceptible de plaire aux femmes; il remarqua les contours lisses de son cou mis en valeur par le col danton de sa chemise. D'une voix dure, il dit :

« Je viens d'apprendre que vous m'avez menti à propos de la jument. Je sais que sa vue est parfaite et qu'elle est pleine. Je sais tout. Il est donc inutile de continuer à me mentir. »

Eugène Clapperton se tenait droit; sa silhouette était, à ce moment, presque imposante. Néanmoins, au fond de son cœur, il espérait que Raikes nierait tout et qu'il serait capable de prouver son innocence. Il éprouvait le sentiment d'être un père en train d'accuser son fils.

Mais Raikes ne nia rien. Après avoir ouvert les yeux d'étonnement, il baissa la tête comme un fils coupable. Clapperton s'obligea à dire :

« Je pourrais vous faire arrêter, mais je m'en abstiendrai. Je vais vous donner un mois de gages et

vous partirez demain matin. Vous ne remettrez jamais
plus les pieds ici.

— J'ai beaucoup travaillé chez vous.

— Vous avez travaillé à me nuire.

— Vous ne trouverez pas un autre homme qui tra-
vaillera autant que moi.

— Sortez avant que je vous flanque dehors ! »

Cette menace fit sourire Raikes. Il retourna à la
cuisine. Ouvrant la porte de la salle à manger, il y
vit Gem assise seule à table avec une assiette de salade
devant elle.

« Où est Miss Althea ? demanda-t-il.

— Elle ne veut pas déjeuner ; Mr. Clapperton non
plus. Je ne sais pas ce qui se passe dans cette famille. »

Elle parlait sur le ton d'une familiarité complète.
Raikes s'avança sur la pointe des pieds. Un sourire
aimant éclairait son visage. Il se pencha sur elle et
lui frôla les cheveux de ses lèvres.

« Il faut nous dire adieu, dit-il tout bas.

— Comment ?

— Il m'a congédié. »

Elle leva sur lui des yeux incrédules :

« Il n'a pas pu... il ne pourrait pas...

— Il l'a fait.

— Oh ! Tom ! fit-elle, consternée. Mais pourquoi ?

— Des bruits qui lui sont revenus.

— A notre sujet ?

— Grand Dieu, non.

— Je ne le permettrai pas.

— C'est fait. »

Elle se couvrit le visage de ses mains et dit :

« Oh ! Tom ! je te suivrais jusqu'au bout de la
terre. »

Il la contempla comme un objet désirable, mais qui
n'était pas pour lui.

« Il m'a bel et bien renvoyé, dit-il. Je dois partir demain.

— Demain ! » s'écria-t-elle comme si ce devait être le jour de sa condamnation à mort.

Il introduisit ses doigts dans l'encolure de la jeune femme, contre sa peau chaude et crémeuse. Il chercha en vain ce qu'il pourrait lui dire pour rompre et la consoler à la fois. Leurs pensées tumultueuses se brisaient comme des vagues sur le roc de la décision de Clapperton. Devant Gem, il n'y avait plus qu'une existence vide; devant Raikes, un nouvel emploi.

Ils entendirent une porte s'ouvrir. A l'instant même Raikes quitta la pièce. D'un pas lourd, le mari traversa le vestibule et s'approcha de la table.

« As-tu fait du café ? demanda-t-il.

— Oui.

— J'en prendrai volontiers », dit-il en se laissant tomber sur une chaise, flasque comme si toute sa force l'avait abandonné.

Elle lui versa une tasse de café et il y mit quatre morceaux de sucre. Le sucre donne de l'énergie.

« J'ai saqué Raikes, dit-il en la fixant de ses yeux perçants.

— Oh ! fit-elle calmement.

— Cela te contrarie ?

— On trouvera à le remplacer.

— J'avais pensé que nous l'emmènerions en Californie.

— Qu'est-ce qui t'a fait changer d'avis ? demanda-t-elle sans manifester la moindre émotion.

— Oh ! des choses que j'ai entendu dire, répondit-il en remuant soigneusement le sucre dans sa tasse.

— Dis-les-moi.

— Tu veux les savoir ? »

Il remarqua en elle quelque chose de nouveau: une

vulgarité voulue, insultante pour lui, et qui, comme
par perversité, la lui rendait encore plus désirable.
Son cœur se souleva. Il avala son café et dit en se
levant :

« Je vais m'étendre un peu; nous causerons quand
cette terrible chaleur sera tombée. »

Elle le regarda sortir de la salle à manger, immobile, seuls ses yeux vivant dans son visage exsangue.

Il monta, prit dans la salle de bains trois comprimés
soporifiques et alla s'allonger sur le lit de la chambre
d'amis. Enfermé dans cette pièce inutilisée, il se sentait séparé du reste de la maison et de tous ceux
qu'elle abritait. Il attendit l'effet de la drogue; il
fut très long à se produire. Souvent, un seul comprimé
avait agi plus efficacement que ces trois-là. Volontairement détendu, il repoussa l'affreuse pensée d'être
un mari trompé, d'avoir eu tort de se marier. Une
secousse spasmodique agita tout son corps; il roula
sur le côté et s'assoupit. Il dormait encore lorsque
Gem alla se coucher.

Raikes s'était tenu à l'écart; il ne voulait de scène
ni avec Clapperton ni avec Gem. Ce chapitre de sa
vie était terminé. Empocher ses gages et partir tranquillement était tout ce qu'il désirait. Ce soir, il
prendrait la voiture, irait au club dire adieu à ses
amis, boire et jouer une dernière fois avec eux. Quand
la maison fut plongée dans l'obscurité, il sortit sans
bruit la voiture du garage et s'engagea dans le chemin
qui longeait les bungalows. Le nuit était étouffante;
le vol des lucioles y traçait des lignes lumineuses et
des myriades de grillons la faisaient retentir de leur
chant fiévreux.

XVIII

FLAMBEE DE JUILLET

Seule une chance inouïe permit à Raikes de ramener
la voiture à Vaughanlands sans accident. Zigzaguant
d'un côté de la route à l'autre, elle manqua de
justesse d'entrer en collision avec un camion, de se
renverser dans un fossé et d'être prise en écharpe par
l'express au passage à niveau. Mais en atteignant le
garage dont le vent avait refermé la porte, il fonça
dedans, entendit craquer le bois et fut projeté sur
le volant. Le choc le dégrisa un peu. Il mit pied à
terre et contempla tristement les dégâts... Tant pis,
le matin. il pousserait la voiture dans le garage, fer-
merait la porte brisée, et le dommage ne serait découvert qu'après son départ. Il s'en foutait bien. Il
tituba vers la maison; sur le gazon, devant la porte
de la cuisine, il vacilla, s'agrippa à un jeune arbuste,
mais celui-ci n'ayant pas la force de le soutenir, il
le déracina en s'effondrant par terre. Couché dans
l'herbe, il se réjouit d'être au repos, sans avoir à
conduire une voiture ou à tenter de marcher. Il était
alors minuit.

A trois heures du matin, il ouvrit les yeux. Des
milliers d'étoiles étincelaient au ciel et les lucioles
volaient autour de lui comme si elles tissaient un

filet de lumière. Inlassablement, les cigales l'assour-
dissaient. Les membres engourdis, il se dit qu'il serait
mieux au lit. Il se releva difficilement et gagna
la cuisine. L'instinct lui dit qu'il ne serait pas capable
de faire bouillir de l'eau pour la tasse de thé dont
il avait envie. Eh bien, à son défaut, il fumerait une
cigarette pour se consoler. Il en tira une d'un paquet,
l'alluma, éteignit l'allumette, puis laissa tomber la
cigarette par terre. Gem n'aura qu'à la ramasser et
que le diable l'emporte !

Il passa dans sa chambre sans trébucher, enleva
sa chemise et se jeta sur le lit.

Dans la maison, tout reposait, à une seule petite
exception près. Au dernier étage, Althea dormait,
nue, sur son drap. Son grand danois haletait sur le
plancher, le museau sec de chaleur. La tortue som-
meillait dans sa carapace fraîche. L'exception était
la cigarette que Raikes avait laissé tomber sur la
table de la cuisine et au-dessus de laquelle de vieux
journaux s'empilaient sur une planche. Seule une
légère lueur rouge montrait que la cigarette n'était
pas tout à fait éteinte; mais une bouffée d'un vent
chaud fit choir l'un des journaux sur la table. L'étincelle minuscule de la cigarette devint au bout d'un
moment une petite flamme rampante. Puis, tout à
coup, le journal s'enflamma. Bientôt toute la pile de
journaux avait pris feu; ensuite, ce furent les rideaux
des fenêtres, les boiseries, et enfin la cuisine tout
entière.

L'âcre fumée se répandit dans le hall et son odeur
éveilla Gem Clapperton. Elle se leva d'un bond, courut,
par le couloir, jusqu'à la chambre où dormait son
mari et, le secouant, cria :

« La maison brûle ; la maison brûle ! »

Il fut sur pied en un instant. Elle le quitta et

courut dans l'escalier en appelant sa sœur. Il entendit
Althea descendre et le chien aboyer, descendit quatre
à quatre et se garda d'ouvrir la porte de la cuisine
où l'incendie faisait rage, préoccupé surtout de sauver
le tableau du naufrage. Mais d'abord, appeler les
pompiers. Sans s'affoler, il téléphona à Stead. Les deux
femmes apparurent, Althea tenant le grand danois par
son collier.

« Sortez de la maison, ordonna-t-il; j'ai appelé les
pompiers.

— C'est horrible. Oh ! j'ai peur ! » balbutièrent les
lèvres blêmes de Gem.

Puis, se rappelant soudain Raikes, elle courut vers
le fond du hall; mais une épaisse fumée et de sinistres
craquements la firent reculer.

Althea se débattait avec la serrure de la porte
d'entrée.

« Idiote ! hurla Clapperton en se laissant aller à
exprimer ce qu'il avait toujours pensé d'elle. Nous
n'avons pas besoin d'un courant d'air ! »

Il poussa devant lui les deux sœurs dans le salon
et claqua la porte derrière lui. Le feu n'avait pas
encore atteint cette pièce; l'odeur de fumée y était
bien moins forte que dans le hall.

« Tom ! Tom ! » cria Gem et, repoussant le volet,
elle escalada l'appui de la fenêtre ouverte.

Eugène Clapperton décrocha la peinture du naufrage.

« Je vais sauver mes tableaux, dit-il.

— Passez-les-moi », dit Althea.

Elle franchit à son tour l'appui de la fenêtre et prit
le tableau des mains de son beau-frère.

« Est-ce que la maison va être détruite ? lui demanda-t-elle.

— Toute la partie de derrière est un enfer.

— Les pompiers arriveront-ils bientôt ?

— Comment puis-je le savoir ?

— Tom va être brûlé dans son lit.

— Le diable prend soin des siens. »

A toute vitesse, il décrochait les tableaux et les passait à Althea. Ils travaillaient ensemble avec un accord parfait à sauver ces toiles qu'elle détestait et en se méprisant l'un l'autre.

Gem avait couru à la fenêtre de la chambre de Raikes. Elle la vit pleine de fumée à travers le volet qu'elle ne parvint pas à ouvrir.

« Tom ! Tom ! » cria-t-elle en tapant sur les lattes. Il s'éveilla, se leva, toussa et enjamba l'appui de la croisée au moment où des flammes rouges pénétraient dans la chambre.

« Oh ! Tom, chéri ! cria-t-elle en enlaçant son torse lisse. Dieu soit loué ! te voilà sauvé !

— Est-ce que la maison brûle ? demanda-t-il, hébété.

— C'est un brasier. »

Une femme habitant l'un des bungalows et qui veillait un enfant malade avait vu la fumée rouge s'élever du toit ; elle avait envoyé son mari donner l'alarme de porte en porte, et, maintenant, tout le voisinage était sur pied.

On entendait des voix, on voyait surgir des lumières de tous côtés, et, comme l'aube pâlissait l'Orient, les sirènes des pompiers annoncèrent les voitures rouges qui, une minute plus tard, franchirent la grille de la propriété.

En un clin d'œil, les échelles furent prêtes et les hommes casqués se mirent à l'œuvre.

Dès qu'il le put, Raikes aborda Eugène Clapperton et dit avec sa politesse habituelle :

« Nous pourrions encore sortir beaucoup d'objets de valeur, vous et moi, monsieur.

— Sauvons l'argenterie de la salle à manger; le feu n'y est pas trop violent. »

Ensemble, ils vidèrent le buffet de son contenu et passèrent les chaises par la fenêtre. Une lueur charbonneuse coulait sur le visage de Clapperton mais une étrange exaltation s'était emparée de lui. Lutter contre un désastre, surmonter des pertes matérielles lui donnait un sentiment de puissance qu'il n'avait pas éprouvé depuis longtemps.

Le chef des pompiers s'approcha de lui :

« Ça flambe rudement, dit-il. Tout est sec comme de l'amadou. Tout le monde est sorti de la maison ?

— Oui, tout le monde.

— Bon. Je ne crois pas que nous pourrons sauver l'immeuble.

— Ça m'en a l'air. »

L'incendie n'avait pas encore gagné les pièces du devant. Pendant que Raikes et les garçons de ferme de Jalna sortaient des meubles et des couvertures, les pompiers braquaient leur pompe sur le salon qui fut bientôt inondé d'eau.

Althea, qui avais mis son chien en sécurité, arriva en courant, l'air égaré, et cria à sa sœur :

« La tortue ! je l'ai oubliée ! Je ne me le pardonnerai jamais ! Il faut que je la sauve ! »

Avant que Gem pût l'en empêcher, elle avait atteint une porte de côté donnant sur un couloir d'où l'escalier de service menait à l'étage supérieur.

Gem cria aux pompiers d'arrêter sa sœur, mais ils ne l'entendirent pas. Elle vit alors son mari trottant dans la direction qu'Althea avait prise.

« Eugène ! hurla-t-elle. Ramène Althea ! Elle est retournée à l'intérieur ! »

Il tourna la tête vers elle et, rassemblant ses forces, se précipita dans la maison.

En fait, il n'avait pas saisi les paroles que lui avait criées Gem. Il avait cru qu'elle l'implorait d'éviter le danger, et, en dépit de son anxiété, il ressentit un frisson de bonheur, touché par sa sollicitude... Il s'était soudain souvenu d'un beau service à thé que ses employés lui avaient offert à l'occasion de son premier mariage. Il y attachait un grand prix et le gardait dans un placard fermé à clef du couloir où Althea devait s'être engagée.

La fumée s'y épaississait et la chaleur y était presque insoutenable. Il prit à tâtons la clef du placard, accrochée à un clou, et en ouvrit la porte. Une masse de fumée en sortit. Il retint son souffle, prit le plateau d'argent supportant la théière; le sucrier et le crémier. Le tenant devant lui, il s'avança résolument au milieu d'une fumée roussâtre, semblable à quelque grotesque caricature d'un maître d'hôtel. Le feu, à présent, faisait rage. Eugène Clapperton oublia la petite marche du couloir; il trébucha et tomba avec un fracas d'argenterie renversée.

Renny Whiteoak venait de sauter de sa voiture et il demeura un instant épouvanté par le spectacle de l'incendie. Puis, il aperçut Gem Clapperton qui se tordait les mains et gémissait :

« Ma sœur est à l'intérieur... et Eugène aussi... Il y est entré pour la sauver ! »

Barker et Raikes arrivèrent en courant :

« Je l'ai vu entrer, dit Barker, et je me suis dit que c'était risqué. »

Une fumée noire mêlée de flammes sortait de la porte ouverte. C'eût été folie de s'aventurer dans cette fournaise.

Renny vint mettre son bras autour des épaules de Gem et dit :

« Ne regardez pas, ne regardez pas. »

Mais elle lui échappa pour rejoindre Althea qu'elle voyait émerger des buissons.

« Je n'ai pas osé entrer ! C'était trop terrible ! Il m'a fallu la laisser mourir ! Je ne me le pardonnerai jamais ! » s'écria Althea à travers ses larmes. C'était sa tortue qu'elle pleurait.

« Althea ! cria Gem, délirante de joie. Tu es saine et sauve ! »

Et elle serra sa sœur entre ses bras.

Les pompiers accoururent et dirigèrent le jet sur l'ouverture de la porte; mais à cause de la sécheresse, la pression de l'eau était faible et les flammes semblèrent la laper comme des langues assoiffées. Tout le monde savait qu'Eugène Clapperton se trouvait quelque part dans ce piège embrasé... rassemblés en face de la porte fatale, les gens se disaient qu'il ne pouvait en sortir vivant.

Piers et ses fils arrivèrent, et Piers dit à Renny : « Il paraît que Clapperton est mort là-dedans. Une fin affreuse.

— La fin d'un héros, dit Renny, en levant le bras en un geste de salut tragique. Il est retourné dans la maison pour sauver Althea Griffith.

— Mais elle est là-bas, avec sa sœur.

— Il la croyait dans la maison. Sa femme me l'a dit. »

Les femmes des bungalows entouraient Gem, pleurant, et lui offrant leurs condoléances. Puis, quelqu'un cria que le bungalow le plus proche avait pris feu et elles partirent en hurlant vers leurs maisons. L'incendie avait également atteint le toit du garage. Raikes poussait la voiture afin de la mettre à l'abri dans l'allée. Puis, risquant sa vie, il sortit la Cadillac et la sauva aussi.

Les pompiers se hâtèrent vers les bungalows, mais

ils n'y trouvèrent rien à quoi brancher leur tuyau. Les locataires des pavillons, les ouvriers agricoles et les palfreniers de Jalna combattirent ce nouvel incendie avec des seaux d'eau prise aux robinets.

Vaughanlands flambait maintenant d'un bout à l'autre. On ne pouvait plus songer à sauver le bâtiment. Les meubles qu'on avait réussi à sortir étaient entassés sur la pelouse piétinée. Soudain, l'un des pins dont un groupe s'élevait au-delà de la pelouse, s'enflamma comme une torche; toutes ses aiguilles se détachèrent, portées au rouge, sur le ciel. Une étincelle jaillit sur le pin voisin.

« Les arbres ! les arbres ! cria Piers aux pompiers. Apportez votre machin ! Votre extincteur ! »

Ils inondèrent les pins de leur produit chimique. Certains arbres, rougis par le feu d'un côté restaient verts de l'autre. Seul le plus jeune pin du groupe demeura indemne; il se dressait, tout vert, sous les rayons du soleil levant.

L'idée qu'il devait retirer le corps d'Eugène Clapperton de la fournaise obsédait Renny. Deux fois, Piers et les pompiers l'empêchèrent de pénétrer dans le couloir. Il attendait maintenant avec impatience le moment de le faire.

« Quand penses-tu pouvoir entrer ? lui demanda son neveu Philip.

— Dans une minute. Tout est trempé d'eau; il n'y a plus de danger.

— On dit que le toit va s'effondrer.

— Je veux y aller avant.

— Est-ce que je peux venir avec toi, oncle Renny ?

— Non. Reste où tu es. »

Il franchit le seuil et foula le plancher mouillé, carbonisé; l'air âcre lui piqua les narines et les yeux. Au bout d'une demi-douzaine de pas seulement, il

trébucha sur le cadavre de Clapperton. Etonné, il
recula. Avoir été terrassé si près du salut ! Renny se
pencha, saisit le corps noirci et le traîna au-dehors.
Le jeune Philip n'y jeta qu'un regard et blêmit :

« Oh !... je l'ai rencontré hier... », bégaya-t-il.

Renny ôta sa veste et en couvrit la tête sans cheveux et les épaules nues et noircies.

« Tu as été imprudent d'entrer là-dedans, dit Piers
qui s'était approché avec les pompiers.

— Il a dû être asphyxié par la fumée, dit le capitaine. C'est malheureux, c'est malheureux !

— Enlevez vos casques et saluez le corps d'un
héros, dit Renny. Il a donné sa vie en essayant d'en
sauver une autre ! »

Gênés, les hommes se découvrirent et inclinèrent la
tête. Le soleil du matin étincelait sur les ruines et
transformait en or la fumée qui s'élevait du toit.

Noah Binns, haletant, arriva, la figure toute tordue
de désappointement.

« Ciel et terre ! s'écria-t-il, moi qui n'aurais pas
voulu manquer ce spectacle pour rien au monde ! Oh !
quelle conflagration ! Cette grande maison n'est plus
qu'une ruine ! Et qu'est-ce qui est là, par terre ? *Lui*,
hein ? Lui qui possédait tout ça ! Est-ce que je ne
vous avais pas prédit que cet été serait *brûlant* ? Les
gens se sont moqués de moi. Maintenant, ils voient
que j'avais raison ! » Il souleva un coin du veston
de Renny et regarda le mort sans sourciller. « Et
voilà ce qu'est devenu en une heure cet homme
orgueilleux ! Personne d'autre n'a été brûlé ? Non ?
Eh bien, lui qui croyait tout savoir, du diable s'il
sait tout, à présent ! »

XIX

APRES LE SINISTRE

Quand, une heure plus tard, Renny revint à Jalna, Alayne lui ouvrit la porte. Elle était en robe de chambre et son visage était crispé par l'émotion. Elle étendit les mains vers lui, puis, les retira en s'écriant :

« Dans quel état tu es ! Tu pues la fumée.

— Oui... Est-ce que les oncles sont au courant ?

— Ils dorment encore. Ils n'ont pas sonné pour leur petit déjeuner.

— Dieu, comment le leur dire ?

— Est-ce que la maison est complètement détruite ? »

Il la précéda dans la bibliothèque et referma la porte derrière eux.

« Oui. Juste avant que je m'en aille, le toit s'est effondré.

— Oh ! Renny... Où est la famille ?

— Clapperton est mort. »

Elle blêmit ; il fit le geste de la soutenir, puis le réprimant, il dit :

« Il ne faut pas que je te touche... Oui, il est mort, et voici comment : sa femme lui a dit qu'Althéa était retournée dans la maison. Elle était alors pleine de fumée et la partie de derrière brûlait. Il est entré

pour sauver Althea et la fumée l'a asphyxié. J'ai moi-
même sorti son cadavre.

— Et Althea ?

— Saine et sauve. Elle n'avait pas osé pénétrer
dans la maison. Il a donc sacrifié sa vie pour rien.
Mais il est mort en héros.

— Comme c'est tragique.

— Je ne me suis jamais autant trompé en jugeant
quelqu'un. On ne peut savoir ce que valent les gens
avant de les mettre à l'épreuve.

— Pauvre homme !... Où est sa femme ? »

Un sourire éclaira le visage de Renny que couvrait
un mélange de suie et de sueur.

« Elle et sa sœur sont dans le plus neuf des bungalows, celui dont j'ai arraché les bardeaux. Dieu !
n'était-ce qu'hier ? Alayne, les bungalows ont pris feu;
il y en a trois de brûlés. Seuls subsistent celui qu'habitent les Barker et le nouveau. J'ai demandé à
Gem et Althea de venir ici, mais je n'ai pu les en
persuader. »

Elle s'efforça de dissimuler son soulagement et demanda :

« Elles sont dans une maison sans meubles ?

— Oh ! elles n'en manquent pas; on en a sauvé.
Raikes et Barker leur apportent le nécessaire.

— Mrs. Clapperton est-elle très bouleversée ?

— Alayne, je n'ai jamais autant plaint un homme.
Le voilà mort... et sa femme, dès qu'elle a su que sa
sœur était sauve, n'a plus manifesté la moindre
douleur.

— Tout le monde sait qu'elle ne l'aimait pas, dit
Alayne avec un petit sourire.

— Moi, je le haïssais ! oui, je le haïssais ! Mais maintenant, je le vénère comme un homme très courageux

et noble... Ne crois-tu pas que nous devrions faire
partir son convoi d'ici ?

— Non ! s'écria-t-elle, je m'y refuse.

— Pourquoi ?

— Ce serait abominable. Chacun sait quels étaient
nos sentiments à son égard.

— C'est une raison de plus.

— Où est son corps ?

— Chez l'entrepreneur de pompes funèbres.

— Alors, que le convoi parte de chez lui. Je ne peux
et ne veux supporter qu'on l'apporte ici. »

Renny se vit obligé de capituler.

« Très bien », dit-il à contrecœur.

Leur conversation fut interrompue par Archer qui,
ouvrant brusquement la porte, fit face à ses parents
et demanda d'un ton de vif reproche :

« Pourquoi est-ce que je n'y étais pas ?

— Ce n'était pas la place d'un enfant, répondit
Alayne.

— J'y vais de ce pas.

— *Non*, Archer.

Croisant les bras sur son ventre, il se courba comme
en proie à une intolérable souffrance :

« Oh ! oh ! je ne peux pas le supporter ! gémit-
il. Je ne fais jamais rien de ce que j'ai envie de
faire !

— Je t'emmènerai quand j'y retournerai, dit Renny.

— Quand y retourneras-tu ? demanda Alayne. Archer
n'y courra-t-il pas de danger, même avec toi ?

— Il n'y a aucun danger, répondit-il. Il faut maintenant que j'aille apprendre la nouvelle aux oncles.

— C'est déjà fait », dit Archer.

Ses parents le dévisagèrent avec consternation.

« Toi ! s'écria Alayne. C'était très mal.

— Le choc aurait pu les tuer, dit Renny. Si j'avais

le temps, je te donnerais une raclée que tu n'oublie-
rais jamais. Comment ont-ils réagi ? »

D'un air bénin, Archer répondit :

« Oh ! ils l'ont très bien pris. Je crois qu'ils ont été
contents que ce soit moi qui le leur dise.

— Il faut que j'aille les voir tout de suite.

— Je peux venir ? » demanda Archer.

Alayne interposa son corps entre celui de son mari
et celui de son fils et dit à Renny :

« Ne ferais-tu pas mieux de prendre un bain
d'abord ? »

Renny monta l'escalier. Une profonde gratitude lui
remplit le cœur à la pensée que Jalna demeurait
intact : la vieille maison, si sereine sous le soleil
matinal, lui semblait le connaître comme il en connaissait lui-même chaque chambre, chaque recoin, chaque
poutre. C'était sous son toit qu'il avait vu le jour et
qu'il voulait mourir.

Par la porte ouverte de la chambre d'Ernest, il vit
le vieillard assis dans son lit avec son frère Nicolas,
dans un fauteuil, à son chevet. Ils avaient tous deux
les cheveux en désordre, l'air affligé, et pourtant
arrachés à l'acquiescement indifférent du grand âge
par la nouvelle du désastre.

Ernest accueillit Renny en disant :

« J'attends une tasse de thé bien chaud pour me
remonter. Quel terrible événement !

— Je suis navré que vous l'ayez appris par ce garçon,
dit Renny.

— Eh bien, dit Nicolas avec un rire sardonique, il
nous fallait l'apprendre tôt ou tard, et Archer nous
a promptement administré la pilule : il a simplement
ouvert ma porte et a dit : « La maison de Clapperton
« est en feu. Clapperton est mort. »

— Il s'y est pris exactement de la même manière avec moi, dit Ernest. Oh ! quel choc !

— Laissez-moi vous donner un peu d'alcool, oncle Ernest.

— Non, merci ; j'ai demandé du thé.

— Et vous, oncle Nick ?

— J'en ai déjà pris une goutte. »

D'une voix qui tremblait péniblement, Ernest reprit : « Il faut que tu nous racontes en détail tout ce qui s'est passé, Renny. Wragge a été tout à fait incohérent quand il a répondu à mon coup de sonnette... Mais tes mains sont noires...

— Qu'est-ce qui les a noircies ? » demanda Nicolas d'un ton inquiet, comme s'il en devinait la raison.

Renny regarda ses mains et les mit derrière son dos.

« Hier, dit-il, j'ai exprimé ma conviction qu'Eugène Clapperton n'avait jamais eu d'impulsions généreuses et qu'il était un lâche. Aujourd'hui je me repens d'avoir prononcé ces paroles. Il est mort en héros en essayant de sauver Althea Griffith.

— Est-ce qu'elle est morte elle aussi ? demandèrent les vieillards à l'unisson.

— Non, non. Elle n'était pas retournée dans la maison comme il le croyait... Vous m'avez bien entendu retirer ce que j'ai dit de lui et m'en repentir ?

— Oui, mon cher garçon, répondit Ernest. Tu as parfaitement raison. Il s'est conduit noblement et, comme toi, je rétracte tout le mal que j'ai jamais dit ou pensé sur son compte. »

Nicolas mâchonna le bout de sa moustache grise et grommela :

« Je n'ai jamais pu souffrir ce type-là. Je ne peux pas me le figurer comme étant un héros. Je n'essaierai même pas. »

XX

SCENES DIVERSES

Ce jour-là, un fort orage fut suivi d'une brève mais abondante pluie qui acheva d'éteindre l'incendie. Sous le toit effondré, dans les parties les plus reculées de la maison, quelques boiseries brûlaient encore sans fumée, mais tout le reste n'était plus que poutres carbonisées, briques et verre brisés. Les arbres roussis paraissaient plus rouges encore du fait qu'ils étaient mouillés, et ceux que le feu n'avait pas touchés, d'autant plus verts parmi leurs compagnons morts. On avait recouvert de toiles goudronnées les meubles sauvés qui n'avaient pas été portés dans le bungalow où s'étaient réfugiées les deux sœurs.

Personne n'avait travaillé au sauvetage avec plus d'ardeur que Raikes. Depuis l'instant où Gem l'avait réveillé, il avait déployé une activité infatigable. Noirci de suie, suant à grosses gouttes, il avait sans relâche sorti des ruines tout ce qu'il pouvait. Outre les deux voitures, il avait sauvé de pleins paniers de vaisselle et d'argenterie, soulevant des poutres pour prendre ce qui était coincé en dessous.

« Seigneur ! dit Mrs. Barker, comme il s'attablait avec elle et son mari pour dîner, vous avez l'air éreinté ! Vous devriez vous reposer un peu. »

La bouche pleine de pommes de terre frites, Raikes répondit :

« Je ne me reposerai pas avant que tous les décombres soient enlevés. »

Il n'avait révélé à personne que Clapperton l'avait congédié.

« Ces deux femmes ont de la chance de vous avoir, dit Barker. Elles sont tellement peu débrouillardes. Je me demande ce qu'elles vont devenir.

— Tu n'as pas besoin de t'en inquiéter, dit sa femme. Pense à tout l'argent qu'elles vont avoir.

— Attends de connaître le testament. Les testaments vous jouent parfois de sales tours.

— Tu verras qu'il aura tout laissé à sa femme. Il en était amoureux fou, n'est-ce pas, Tom ?

— Il lui parlait quelquefois assez sèchement, dit Raikes.

— Elle a l'air d'être plutôt coléreuse, dit Barker.

— C'est une délicieuse fille, dit Raikes.

— Et vous le savez mieux que personne, je parie ? fit Mrs. Barker en riant.

— Voyons, voyons, fit Raikes. Le malheureux est à peine refroidi. »

Barker nettoya son assiette avec un morceau de pain, le mit dans sa bouche, puis prononça solennellement :

« Mr. Clapperton était un héros.

— Il l'était, dit Raikes avec la même solennité.

— Je ne suis pas catholique, continua Barker, mais je n'ai pas honte de dire : « Que Dieu ait son âme. »

— Oui, dit Raikes, puisse-t-elle reposer en paix. »

Barker se leva et dit :

« J'aimerais que nous buvions un verre en son honneur. »

Et il alla chercher dans une armoire une demi-
bouteille de whisky.

Les deux hommes remplirent leurs verres de whisky
et d'eau .

« Puissions-nous tous vivre et mourir aussi noblement, dit Barker.

— Je veux former ce vœu avec vous, dit Mrs. Barker,
et, prenant le verre de Raikes, elle en but une gorgée
et jeta à l'Irlandais un regard aguichant qu'il parut
ne pas remarquer.

— C'est un heureux hasard si notre bungalow a
été épargné, dit Barker. Je croyais qu'il allait brûler
aussi et le nouveau avec. C'est une chance que ces
jeunes femmes aient eu un endroit où emménager.

— Maintenant, dit sa femme, Mrs. Clapperton
saura tout ce que tu fais.

— Je ne m'en tourmente pas. Elle sera trop occupée
pour faire attention à moi. C'est plutôt Tom qui
devra être prudent. »

Raikes grimaça un sourire à la fois niais et malicieux et vida son verre.

« Il faut que je vous quitte, dit-il.

— Vous n'avez pas mangé de dessert, dit
Mrs. Barker.

— Je n'ai plus faim. J'ai déjeuné très tard. »

Il sortit et parcourut du regard les ruines de la
maison et de ses communs, celles des trois bungalows,
les arbres roussis, le potager, qui avait été son orgueil,
maintenant tout piétiné, et cette dévastation lui
sembla, à son tour, le regarder avec reproche. L'origine de l'incendie était un mystère, sauf pour Gem
et Althea qui la soupçonnaient, mais Gem était
prête à dire, au cas où une enquête serait ouverte,
qu'elle avait elle-même fumé une cigarette à la cui-

sine, tard dans la soirée. Elle était prête à jurer
n'importe quoi pour protéger Raikes.

Il alla frapper doucement à la porte du nouveau
bungalow. Le grand danois se mit aussitôt à aboyer
furieusement.

« Voyons, voyons, Toby, tais-toi ! C'est moi », dit
Raikes.

Reconnaissant sa - voix, le chien se tut. La porte
s'ouvrit et Gem se montra, lasse, décoiffée, les yeux
lourds. Une barrière de gêne s'éleva entre eux.

« Qu'est-ce que je peux faire à présent pour vous
aider ? demanda-t-il.

— Rien. Nous nous reposons. On nous a envoyé
de Jalna un panier de victuailles.

— Je le sais. Un peu plus tard je prendrai la voiture et j'irai faire votre marché. C'est une chance,
n'est-ce pas, que j'aie pu sauver les deux voitures ? »

Elle sourit faiblement; leurs yeux se rencontrèrent
et se détournèrent de nouveau. Au bout d'un moment,
elle dit :

« Ma plus jeune sœur, celle qui a épousé le neveu
de Mr. Clapperton, va venir avec son mari.

— C'est lui qui s'occupera des obsèques et de
tout ça ?

— Oui... Mr. Clapperton avait une concession dans
un cimetière de la ville. C'est là qu'il va être enterré,
auprès de sa première femme.

— Je comprends, dit Raikes, avec gravité, puis,
toujours sur le même ton : eh bien, sa fin a été
rapide. Il n'a pas beaucoup souffert. »

En dépit de la chaleur, elle frissonna.

« Nous sommes tous destinés à mourir d'une
manière ou d'une autre, dit-il.

— Oui, dit-elle, et une lueur étrange éclaira son

visage, en balayant la lassitude. Je veux vivre, dit-elle,
très longtemps. Je n'ai pas encore *vécu.*

— Vous le pourrez maintenant, dit-il avec un sourire des yeux, qui laissa ses lèvres sérieuses. Vous êtes
libre.

— Taisez-vous », dit-elle sans pourtant s'éloigner.

Des trois familles ayant occupé les bungalows
brûlés, deux avaient été recueillies par des parents,
et la troisième au presbytère, par le pasteur. Les
bruits de leurs radios et les cris de leurs enfants
avaient cessé. Les volailles que Raikes avait chassées
du poulailler en flammes voletaient çà et là, cherchaient à se percher sur les arbres. Les voitures
des curieux venus voir les ruines d'une des demeures
les plus anciennes du pays, étaient reparties, mais il
venait d'en arriver une autre dont descendit Ernest
Whiteoak, lourdement appuyé au bras de son neveu
Renny. Il avait absolument voulu visiter le lieu du
sinistre, mais Nicolas, par contre, désirait conserver le
souvenir de Vaughanlands tel qu'il l'avait connu
autrefois. « Je l'emporterai dans ma tombe, avait-il
dit. Je suis trop vieux pour voir détruites les choses
familières. J'ai été témoin de trop de changements,
pour la plupart horribles. »

Maintenant, Ernest s'arrêta dans l'allée, presque
anéanti par le spectacle qu'offraient les murs sans toit,
les ouvertures béantes qui avaient été des fenêtres, la
porte d'entrée carbonisée suspendue à ses gonds. Tout
d'abord, il ne put parler, sidéré. Puis, un sanglot lui
échappa, et des larmes coulèrent le long de ses joues.

« Je vous avais déconseillé de venir, dit Renny
d'une voix anxieuse. Je n'aurais pas dû vous amener. »

Se maîtrisant d'un grand effort, Eugène tira son
mouchoir de sa poche, se moucha et s'essuya les yeux.

« Tranquillise-toi, dit-il. Je ne me laisserai plus

aller. Mais je n'ai jamais rien vu d'aussi désolé. »

Il se rapprocha de la ruine et, ses yeux bleus grands ouverts, il désigna un point du bout de sa canne en disant :

« Mes parents ont habité cette chambre, à gauche, pendant la construction de Jalna. Je me rappelle mon père racontant comment il mettait sa tête à la fenêtre pour fumer son dernier cigare parce que Mrs. Vaughan ne pouvait supporter qu'on fumât dans la maison. Mais qu'ils étaient bons, ces Vaughan ! Et bien autrement nobles que Mr. Clapperton, malgré sa mort héroïque, pauvre homme... Et là, dans la chambre de droite, notre Eden est mort... Ah ! le heurtoir de cuivre qu'ils ont rapporté d'Angleterre est resté sur la porte ! C'est une tête de lion, la gueule ouverte, en train de rugir. Bon Dieu ! Il a vraiment de quoi rugir ! »

Ernest insista pour faire le tour de la maison, à travers les décombres. Il la fit surgir à nouveau de ses ruines, remplie de ceux qu'il avait aimés. Près de la porte de service, ils tombèrent sur une peinture à l'huile dans son cadre doré, appuyée contre le tronc d'un arbre roussi.

« C'est un naufrage ! s'écria Ernest. Le tableau préféré d'Eugène Clapperton ! Vraiment, Renny, je crois qu'on devrait le mettre quelque part à l'abri.

— J'y veillerai, dit Renny.

— Quelle chaleur ! dit Ernest en se tamponnant le front avec son mouchoir. A l'heure de ma sieste, cet après-midi, il ne m'a pas été possible de dormir. Mais cette nuit, je dormirai, je te le garantis. Je me coucherai dès que nous rentrerons.

— Vous êtes trop fatigué, oncle Ernest.

— Non. Pas trop fatigué... simplement un peu ému. Quelque vieux qu'on soit, il arrive toujours des choses imprévues capables de vous émouvoir profondément. Je suppose que c'est ça qui fait la vie si intéressante. Tu sais, Renny, le grand âge ne m'a pas rendu égoïste... j'en remercie Dieu... » Il s'arrêta, puis il ajouta : « J'ai été conçu sous ce toit, par des parents... beaux et jeunes... »

Il se détourna en pleurant.

XXI

ERNEST DORT

Pendant la nuit, il y eut un nouvel orage, accompagné
celui-là d'un vent violent. A Jalna, les volets vibraient
et claquaient. A Vaughanlands, les cendres s'animèrent
de points rouges. L'air était plein de tumulte, et
de jeunes feuilles vertes, arrachées aux arbres, tour-
billonnaient comme des messagères entre les deux
maisons.

L'ouragan réveilla Renny. Il aspira profondément
l'air soudain refroidi et se dit que la vague de chaleur était finie. Puis, il se rappela combien Ernest
était sensible aux courants d'air et se dit qu'il devait
aller lui fermer ses fenêtres. Pendant qu'il traversait
le couloir, la pendule sonna quatre coups. C'était à
quatre heures que l'incendie avait éclaté, la veille. A
la lueur de la lune, il aperçut Alayne, en chemise
de nuit.

« Pourquoi es-tu levée ? demanda-t-il.

— Je suis allée dans la chambre d'Archer. Le vent
a failli le faire tomber de son lit et il était complètement nu. Où vas-tu ?

— Fermer les fenêtres d'oncle Ernest.

— Oh ! »

Elle attendit dans le couloir pendant qu'il entrait

dans la chambre. Elle l'entendit fermer doucement les fenêtres. Puis, ce fut le silence. Ensuite, les lumières furent allumées, mais le silence se prolongea. Le vieillard devait continuer à dormir. Il s'était couché extrêmement fatigué.

Renny sortit maintenant de la chambre, la laissant éclairée derrière lui. Il porta la main à ses yeux, puis à sa bouche.

« Qu'est-ce qu'il y a ? murmura-t-elle.

— Il est mort, balbutia Renny sans retirer sa main de devant sa bouche.

— Tu te trompes, dit-elle, tout en pensant le contraire. Il doit dormir profondément.

— Viens voir », dit-il, et il l'entraîna dans la chambre.

Il y régnait comme toujours, chez Ernest, un ordre parfait; ses vêtements étaient soigneusement pliés ou accrochés, ses draps bien lisses. Couché sur le côté, un bras sur le drap, l'autre recourbé, sa paume soutenant sa joue, la lampe de chevet éclairait en plein son visage.

« Est-ce que je me trompe ? demanda Renny d'une voix enrouée.

— Non... Comme il a l'air serein !

— Je lui ai tâté le pouls... le cœur... Oh ! Alayne ! Je n'aurais pas pas dû l'emmener voir ce spectacle. Il en a été bouleversé. »

Calmement, elle dit :

« Il a été agité toute la journée d'hier, sans arrêt. Je m'en suis bien aperçue. Mais... il est parti si paisiblement. »

Renny posa sa main sur l'épaule d'Ernest, comme pour le réconforter dans sa solitude.

« Je ne peux le croire, dit-il. Aussi loin que remontent mes souvenirs, je suis venu lui parler, dans cette chambre et, au cours de toutes ces années, jamais une parole dure ne lui est échappée.

— Et envers moi, il a toujours été si bon, si tendre... »

Son calme l'abandonna et elle se mit à pleurer :

« Pauvre oncle Ernest... pauvre oncle Nicolas.

— Tu as froid, dit-il, retourne dans ton lit.

— Non, non. Regarde, il fait jour. Je vais aller m'habiller... Comment pourras-tu le dire à oncle Nicolas ?

— Cela le tuera... son seul frère... Ils n'ont jamais été séparés depuis leur naissance. »

Elle s'essuya les yeux au pyjama de Renny.

« Cela ne le tuera pas, dit-elle. L'autre jour, il m'a dit qu'ils seraient bientôt séparés et que cette séparation devait être affrontée... Si tu veux, je le lui annoncerai.

— Tu veux bien ? Crois-tu qu'il faille faire venir un médecin ?

— Oui... Je suis en train de me geler... quel changement !

— Va t'habiller. Je veux rester seul avec lui un moment. »

Il toucha le visage d'Ernest.

« Il a dû passer il n'y a que quelques instants... Je ne peux pas le croire... non, je ne peux pas le croire... »

Quelques minutes plus tard, il alla rejoindre Alayne dans sa chambre. Elle achevait de s'habiller. Dans la maison le silence était profond, mais, par la fenêtre ouverte, on entendait chanter les oiseaux.

« Tu avais froid, et pourtant tu laisses ta fenêtre ouverte, dit-il.

— J'avais besoin d'air. »

Il remarqua qu'elle avait mis une robe de coton

imprimée noire et blanche avec une étroite ceinture
rouge.

« Est-ce que tu n'as pas de ceinture noire ? demanda-t-il.

— Oh ! Renny, comme si cela avait de l'importance !

— Oui, à mes yeux. »

Elle ôta la ceinture et en mit une noire.

« C'est mieux ainsi ? demanda-t-elle avec un léger
sourire.

— Oui.. j'ai téléphoné à Piers.

— A une heure pareille !

— J'ai envoyé un câble à Finch. »

Elle savait qu'il avait éprouvé du réconfort à le
faire.

« Il faut qu'ils rentrent, dit-il.

— *Ils ?* qui, *ils ?*

— Finch et Adeline. »

— Renny... comment as-tu pu... ?

— Il faut qu'ils soient ici...

— C'est *tellement* inutile ! leur faire traverser
l'Océan au beau milieu de leurs vacances, pour l'enterrement d'un grand-oncle ! C'est de la folie ! D'ailleurs, ils ne pourraient arriver à temps pour les
obsèques.

— Je leur ai télégraphié de prendre l'avion. »

Elle s'assit au bord du lit, accablée par le choc
et exaspérée.

« Oncle Ernest n'est pas un grand-oncle ordinaire.
Il était à Jalna dès avant leur naissance et y a toujours vécu depuis lors.

— Renny, il n'exigerait pas qu'ils viennent s'il était
encore ici.

— Il y est... il y sera jusqu'à ce qu'on le porte au
cimetière. »

Elle vit que toute discussion serait vaine. Renny n'en ferait qu'à sa tête.

« Je descends à la cuisine le dire aux Wragge, dit-il. Il faut qu'oncle Nicolas déjeune avant que tu lui apprennes la nouvelle. »

Alayne attira la tête de Renny et lui mit un baiser entre les sourcils.

« Je sais combien tu es affligé, dit-elle, mais cela devait inévitablement arriver sous peu. »

Il quitta la chambre, se rendit au sous-sol et frappa à la porte de la chambre des Wragge. Les ronflements s'arrêtèrent et le petit homme se montra. Son visage avait l'air d'un point d'interrogation et ses cheveux gris, clairsemés, étaient tout hérissés.

« J'ai une mauvaise nouvelle à vous donner, dit Renny. Mon oncle est mort pendant la nuit. »

Rags ouvrit et referma la bouche sans proférer un son.

« Quel oncle ? demanda, du fond de son lit, Mrs. Wragge.

— Mon oncle Ernest. »

Elle poussa un gémissement et se cramponna à ses draps. Les mâchoires tremblantes, Rags parvint à dire :

« Ça va être un coup dur pour Mr. Nicolas, monsieur. Ils étaient tellement attachés l'un à l'autre. On ne peut se les imaginer séparés.

— Je vais vous apporter un verre d'alcool, Rags, dit Renny.

— Merci, monsieur. Mes nerfs ne sont plus aussi solides qu'ils l'ont été. »

Il s'était habillé quand Renny revint avec un verre de whisky.

« Vous apporterez du thé pour moi et du café pour Mrs. Whiteoak dans la salle à manger. Quand Mr. Ni

colas sonnera, montez-lui son déjeuner comme s'il
n'était rien arrivé.

— Je m'efforcerai d'avoir l'air naturel, monsieur,
mais ce sera difficile. »

Renny sortit par la porte de la cuisine au moment
où Piers descendait de sa voiture.

« Un malheur après l'autre, dit-il en s'avançant vers
son frère.

— Oui, on a peine à y croire par une matinée
pareille », dit Renny en embrassant du regard le ciel
bleu et la fraîche verdure de la terre.

Archer passa la tête par la fenêtre de sa chambre
haut perchée et cria :

« Hullo ! Pourquoi vous êtes-vous levés d'aussi bonne
heure ?

— Ne fais pas de bruit, dit Renny, et viens me
parler dès que tu seras habillé.

— Il est arrivé quelque chose ?

— Oui.

— Je descends tout de suite », cria-t-il comme si
sa présence devait aplanir toutes les difficultés.

Quand il fut informé de la nouvelle, il dit aussitôt :

« Mieux vaut que je l'apprenne à oncle Nicolas.

— Si tu t'approches de sa chambre, je t'écorcherai
vif, dit Renny.

— Alors, est-ce que je peux aller voir oncle Ernest ?
Je n'ai pas vu Mr. Clapperton. Philip l'a vu, lui, et
il m'a dit... »

Le saisissant par son col, Renny ordonna :

« Non, et tu ne remonteras pas l'escalier sans ma
permission. »

Alayne sortit de la maison. Son fils courut à sa rencontre, lui entoura la taille de ses bras et leva les

yeux vers elle avec une expression de sympathie exagérée.

« Je voudrais tant vous aider ! supplia-t-il.

— Tu nous aideras le mieux en... » elle hésita, craignant de l'offenser.

« Fichant le camp, acheva Piers.

— Oui, dit Renny. Va dire à Mrs. Wragge de te donner ton déjeuner dans la cuisine. Nous voulons prendre le nôtre en paix. »

A regret, Archer s'éloigna.

A table, les trois adultes discutèrent de ce qu'il convenait de faire. Un sourire ironique se dessina sur le visage de Piers quand Renny lui dit qu'il faisait revenir Finch et Adeline.

« D'après ce que j'ai entendu dire, ils viennent d'arriver à Londres.

— Tant pis, dit Renny en tournant vers son frère ses yeux sombres. Il faut qu'ils soient ici pour l'enterrement.

— Il est heureux que la vague de chaleur soit passée », dit Piers.

Le coude sur la table, se soutenant le front de sa main, Renny resta silencieux. Par la fenêtre, Alayne vit Archer qui les regardait.

« Penser que nous ne reverrons jamais oncle Ernest assis à sa place à cette table ! s'exclama tout à coup Renny, en désignant d'un geste tragique la chaise habituelle d'Ernest.

— C'est triste, dit Piers, mais sa vie a été heureuse.

— Il souhaitait atteindre cent ans, comme Gran. Il l'aurait fait sans l'incendie. Et maintenant, le choc de sa mort produira le même effet sur oncle Nicolas.

— Ne sois pas aussi pessimiste, dit Alayne, oncle Nicolas sera courageux.

— C'est aujourd'hui qu'ont lieu les obsèques d'Eugène Clapperton, dit Piers.

— Mon Dieu ! Je l'avais oublié ! s'écria Renny en se levant brusquement. Cet homme si brave... J'ai à m'occuper d'un tas de choses. »

Il se mit à marcher en rond autour de la pièce. Archer entra tenant à la main une fleur de géranium blanche assez fanée qu'il présenta à sa mère en disant :

« J'ai pensé que cela te ferait plaisir. C'était l'une des fleurs préférées d'oncle Ernest. »

Réveillé par le mouvement qui se faisait dans la maison, Nicolas sonna de meilleure heure que de coutume, ce matin-là. Rags lui apporta son petit déjeuner de ses mains tremblantes avec une sollicitude excessive.

« Mon frère a-t-il déjà sonné ? demanda Nicolas.

— Non, monsieur, pas encore, répondit Rags.

— Tant mieux. Il était fatigué et avait besoin d'un long sommeil.

— Oui, monsieur.

— Prévenez-moi dès qu'il aura sonné.

— Oui, monsieur. » Et Rags, incapable d'en **sup**porter davantage, à bout de nerfs, se hâta de quitter la chambre.

XXII

EN ROUTE POUR LONDRES

Pendant un mois, Finch et Adeline avaient, avec mé-
thode, voyagé à travers l'Irlande. Parfois, si un endroit
où ils avaient projeté de rester une journée leur
plaisait, ils y passaient une semaine. Ils s'enten-
daient à merveille. Le même genre de choses les
émouvaient ou les faisaient rire. Ils avaient tous deux
horreur de la foule. Finch ne s'était pas aussi bien
détendu depuis des années. Il s'abandonnait, sans
songer à l'avenir, au seul plaisir de vivre le moment
présent et pensait qu'Adeline en faisait autant. Il ne
pouvait croire que, derrière son jeune visage heureux, son esprit ne cessait d'évoquer Fitzturgis avec
nostalgie et, souvent, avec désespoir. Il ne lui posait
aucune question, et elle ne lui confiait pas ses pensées.
A l'âge qu'elle avait maintenant, Finch n'avait pas
été capable d'empêcher son visage sensible de trahir
ses émotions, mais les traits fermement modelés
d'Adeline obéissaient à sa volonté et masquaient ses
sentiments quand elle le désirait. Elle songeait continuellement à Fitzturgis et attendait une lettre de lui
à chaque courrier. Il n'en vint pas une seule. Quand,
enfin, ils reprirent le chemin du Sud, elle brûlait

d'être de nouveau à Glengorman avec la possibilité
de le revoir.

Maurice l'accueillit affectueusement, mais toujours
avec méfiance. Il espérait de tout son cœur que ce
qu'il appelait son engouement lui avait passé. Profitant
de la première occasion où il se trouva seul avec
Finch, il lui demanda :

« Crois-tu qu'Adeline soit de nouveau normale ?

— Quelle drôle de façon de t'exprimer ! dit Finch
en riant. Les gens sont-ils jamais normaux ?

— Adeline l'était jusqu'à ce qu'elle rencontre ce
type.

— Rappelle-toi combien il nous a été sympathique
à tous deux, au début.

— Pas longtemps. Je sens qu'il y a en lui quelque
chose qui cloche. Pat a la même impression.

— Peut-être parce que Pat est, comme toi, amoureux d'Adeline.

— Pat n'a, pour l'instant, rien d'autre en tête que
son nouveau voilier et il m'a souvent dit que sa mère
suffit à lui remplir le cœur.

— Quelle chance ! » s'écria Finch avec envie.
L'amour et la société d'une mère lui avaient toujours
manqué.

« Les gens qui connaissent la famille Fitzturgis
disent qu'il y a une tare chez eux, continua Maurice.
Le grand-père est mort à demi fou. A la fin, il
a voulu donner tout ce qu'il possédait. Son fils est mort
d'alcoolisme après avoir perdu tout ce dont il avait
hérité. Sylvia, la sœur de Mait, est déséquilibrée.

— Je n'ai rien remarqué d'étrange en elle, dit Finch.

— Il paraît qu'on la rencontre errant seule sur les
routes au milieu de la nuit.

— Il paraît... il paraît ! Ne crois donc pas tous les
racontars qui te viennent aux oreilles, Maurice !

— Alors, tu approuves le sentiment d'Adeline pour Mait ?

— Comme tu déformes ce qu'on dit, Mooey ! Tu n'es pas raisonnable. Mais je crois que nous n'avons pas lieu de nous tourmenter au sujet d'Adeline. Pendant tout notre voyage, elle m'a semblé parfaitement heureuse.

— Je suis content de l'apprendre », dit Maurice d'un ton maussade.

Finch avait pitié de lui. Son retour en Irlande avait été si différent de ce qu'il avait rêvé. Et cependant, Maurice l'irritait en conservant cette attitude d'amoureux déçu. Il était sûr que ce n'était pas le moyen de plaire à Adeline. Elle, par contre, était revenue à Glengorman avec l'intention de jouer le rôle de la charmante cousine et de reprendre avec le jeune châtelain les relations amicales d'autrefois. Mais cela s'avéra impossible. De quel droit Mooey la regardait-il ainsi, lui reprochait-il silencieusement sa conduite, surveillait-il au microscope chacun de ses mouvements ? Elle avait envie de faire seule de longues promenades pendant lesquelles revivre ses souvenirs de Fitzturgis. Il y avait si peu de temps qu'elle le connaissait qu'elle craignait, certains jours, que son image s'estompât dans son esprit. D'autres fois, il lui semblait que son visage était plus nettement gravé dans sa mémoire que celui de toute autre personne sauf son père.

Dès que le pas lourd du facteur écrasait le gravier de l'allée, elle se précipitait sans honte à la porte et, sans honte, elle montrait son désappointement quand la lettre n'était que de Roma. Un matin, arriva enfin une enveloppe à son adresse d'une écriture masculine et portant un timbre irlandais. Maurice apparut dans le hall au même moment. Le facteur déposa le courrier sur une petite table proche de la porte.

Maurice l'atteignit le premier et s'empara des lettres.

« Celle-ci est pour moi ! s'écria Adeline en tendant la main vers sa lettre.

— Ce que tu es pressée ! » fit-il du ton qu'elle qualifiait de « supérieur » en gardant la lettre dans sa mains, hors de la portée d'Adeline.

Elle lui prit le poignet et ils luttèrent, tous deux rouges d'une colère qu'ils ne pouvaient dissimuler. La lettre fut déchirée en deux.

« Brute ! dit-elle entre ses dents serrées.

— Petite rageuse ! » répliqua-t-il en lui mettant dans la main sa moitié de l'enveloppe.

Pendant qu'elle l'emportait en courant dans sa chambre, il lui cria :

« Je te demande pardon. Je ne me doutais pas que tu prendrais de cette façon une petite taquinerie. »

Elle ne répondit pas. Dans sa chambre, elle resta un instant immobile, serrant la lettre mutilée sur sa poitrine, le souffle court. Puis elle sortit les deux moitiés de la lettre de l'enveloppe déchirée et lut :

Chère Miss Whiteoak,

Je me demande si vous vous souvenez de moi. Je suis le jeune homme de Chicago avec lequel vous avez dansé sur le bateau. Je ne vous ai pas oubliée et je serais heureux de vous revoir...

Elle froissa la lettre entre ses doigts et se mit à arpenter la chambre. Sa déception lui pesa sur le cœur comme une pierre. Pourquoi ne lui avait-il pas écrit ?

La honte de s'être battue pour cette lettre insignifiante se transforma en une violente colère contre Maurice. S'il n'avait été aussi inamical à l'endroit de Maitland, Maitland serait venu la voir. Elle ne pouvait plus supporter cet état d'incertitude; il fallait ou qu'il la rassurât ou qu'il rompît définitivement.

Par la fenêtre, elle vit Finch et Maurice gravir l'escalier de pierre du jardin, précédés des deux labrador bondissants. Vite, elle allait descendre téléphoner à Mait. Pourquoi ne pas y avoir pensé plus tôt ? Elle entendrait sa voix et lui demanderait tout de go s'il l'aimait.

Ce fut d'abord une voix de femme aux fort accent irlandais que lui répondit :

« C'est Mrs. Fitzturgis que vous demandez ?

— Non, *Mister* Fitzturgis.

— Oh ! le patron ! » fit la voix, puis ce fut le silence. Finalement, Adeline entendit des pas et la voix de Maitland, la seule réalité au monde, lui semblait-il, la fit tressaillir.

« Adeline !

— Oui. Il fallait absolument que je vous parle.

— Où êtes-vous ?

— A Glengorman. Je vais bientôt partir pour l'Angleterre.

— Oh !

— Ça vous est égal ?

— Vous connaissez mes sentiments.

— Cependant, vous ne m'avez pas écrit... pas une ligne. Vous n'avez même pas répondu à ma lettre.

— Vous savez pourquoi.

— Et nous devons ne plus jamais nous revoir ?

— Oh ! Adeline, vous me torturez.

— Mais je *veux* vous voir. Est-ce clair ?

— Je viendrai.

— Quand ? Que ce soit bientôt.

— Aujourd'hui; à trois heures. Où nous retrouverons-nous ? Non... il ne faut pas que ce soit secret. J'irai tout droit au château.

— Oh ! Maitland, comment vivrai-je jusque-là ? »

Elle rit de bonheur et il répondit par un rire bref, comme si lui aussi goûtait d'avance la joie de la revoir mais sans oser se le permettre. Elle mit, pour déjeuner, l'une de ses plus jolies robes. Finch la regarda avec une admiration un peu moqueuse. Il toucha le volant de sa manche et passa les doigts sur la rondeur du bras en disant :

« J'espère que c'est pour moi que tu t'es faite aussi belle. »

Prise de court, elle ne trouva rien à répondre.

« Pour qui, alors ? demanda-t-il.

— Est-ce que j'ai l'air tellement endimanchée ? demanda-t-elle.

— Elle attend Mr. Fitzturgis, dit Maurice.

— Eh bien, et si cela était ? » dit-elle en le regardant. Ni Finch ni Maurice ne virent dans cette riposte autre chose qu'un défi verbal. Il ne leur paraissait pas possible qu'elle se préparât si ouvertement à recevoir Fitzturgis si, en effet, elle l'attendait. Sous son regard sombre et lumineux, le cœur de Maurice fondit, et il lui sourit presque tendrement.

« Tu es ravissante, Adeline, dit-il.

— Tu aurais dû voir comme les gens nous regardaient dans les hôtels, dit Finch. Ils nous croyaient en voyage de noces ! Et quel couple mal assorti ! Ils se demandaient les uns aux autres comment elle avait pu épouser ce vieux bonhomme !

— Oh ! c'était amusant ! » s'écria Adeline, contente que la conversation prît un autre tour, mais les gens ne pensaient pas ce que suppose oncle Finch. Ils se demandaient : « Qu'est-ce que cet homme à l'air si distingué a bien pu trouver d'attrayant chez cette fille sans cervelle ? Elle le mènera par le bout du nez. »

« Et c'est ce que tu ferais », dit Maurice.

Le repas se poursuivit, animé par une conversation

aimable. Peu avant trois heures, les deux hommes
sortirent pour aller inspecter une chaumière dont la
toiture venait d'être refaite et laissèrent Adeline seule.

Elle se mit à faire les cent pas dans l'allée ombragée
de tilleuls, entre la grille d'entrée et la maison. Sa
situation lui paraissait romanesque. Qui ne l'aurait
trouvée telle ? Une belle jeune fille — car, quand elle
était seule, elle reconnaissait sa beauté — attendant
son amoureux dans un tunnel moussu fleuri de fuchsias
et d'églantines. Elle regretta que les deux beaux chiens
ne fussent pas à ses côtés pour compléter le tableau.
Elle fit effort pour ne pas regarder son bracelet-
montre plus souvent que toutes les cinq minutes.
L'oreille tendue vers la route, elle guettait le bruit
d'une voiture. Il en passait si peu que ce serait sûrement celle de Mait.

Ce ne fut qu'à trois heures et demie qu'elle en
entendit une; si ce n'était pas lui, elle se coucherait
sous les tilleuls et mourrait. Oui, elle mourrait, et,
quand ils découvriraient son cadavre, ils se repenti-
raient.

La voiture s'engagea dans l'allée et s'arrêta. Fitzturgis s'avançait vers elle, pâle et attentif. Elle remarqua la ligne de ses épaules et sa démarche aisée.

La gorge trop serrée pour parler, elle lui tendit les
deux mains. Il les prit et elle le regarda dans les yeux.
Elle en était si proche qu'ils lui semblèrent être deux
mondes, tellement mystérieux qu'elle ne pouvait s'y
plonger sans crainte. De quelle couleur étaient-ils ? De
celle de la mer par un temps couvert. « Oui, se dit-elle,
même assez près de lui pour que nos fronts se touchent,
ses yeux me resteraient étrangers. »

« Suis-je en retard ? demanda-t-il. J'ai été arrêté en
route par un homme qui m'a parlé et qui ne voulait
plus me lâcher. »

« Si j'allais vous voir, songea-t-elle, une armée entière ne parviendrait pas à m'arrêter. »

« Impossible de m'en dépêtrer, reprit-il. Vous n'avez aucune idée de ce que ce type est bavard. Il s'est lancé dans l'histoire d'un testament qu'il attaque et il n'y avait plus moyen de le faire taire. Je suis parti à l'heure, mais...

— Oh ! Mait ! Vous êtes ici et rien d'autre n'a d'importance. »

Il rit de bonheur, heureux d'entendre sa voix et de la voir.

« Qu'allons-nous faire ? demanda-t-il comme s'ils avaient eu longtemps devant eux et des endroits divers où aller.

— Oncle Finch et Maurice sont sortis. Nous pourrions nous asseoir ici et causer.

— Rentreront-ils bientôt ?

— Oui, mais ils n'ont pas besoin de nous voir. »

Il ouvrit les yeux tout grands et la regarda comme avec défi :

« Je ne veux pas qu'ils disent que je vous ai vue en secret. Je refuse de me conduire comme le genre de type auquel tout homme convenable aurait envie de flanquer un coup de pied.

— Que voulez-vous, alors ? Nous asseoir dans le hall, les yeux fixés sur la porte en les attendant ?

— Oh ! ma chérie ! Vous ne pouvez vous mettre à ma place, dit-il. Vous êtes trop jeune.

— J'ai beaucoup vieilli ces dernières semaines, répliqua-t-elle. Je ne suis plus une jeune fille insouciante... si c'est cela que vous supposez.

— Je me maudis de vous avoir appris la souffrance.

— Il fallait bien que je devienne adulte. »

Ils s'assirent sur le talus et il commença :

« Est-ce que je suis le premier homme que vous avez... »

Elle l'interrompit :

« Je vous l'ai déjà dit : le premier et le dernier, pour toujours.

— Que suis-je pour mériter cela ? » dit-il tout en la prenant entre ses bras.

A travers sa robe légère, il sentait les battements de son cœur. Elle lui mit les deux bras autour du cou.

« Vous êtes pour moi le seul homme.

— Je n'ose pas vous embrasser, dit-il en enfouissant son visage dans les cheveux d'Adeline. Si je vous embrasse, je suis perdu.

— Perdu... pour qui ? murmura-t-elle.

— Pour vous. Il ne le faut pas, ma chérie. Vous devez rentrer chez votre père libre de toute promesse. Vous pourrez lui dire, si vous le voulez, que vous avez fait la connaissance d'un Irlandais qui vous a été assez sympathique et, quand vous reviendrez séjourner chez Maurice, si je suis ici et si ma situation n'est plus la même...

— Savez-vous ce que vous êtes ?

— Non.

— Un amoureux tiède.

— Tiède ?

— Alors, embrassez-moi. Rien qu'un petit baiser, Mait, et je ne me sentirai plus aussi seule. »

Il lui souleva le visage, leurs lèvres se joignirent, leurs pouls affolés battirent à l'unisson et leur passion leur fit prononcer des phrases incohérentes, comme s'ils s'exerçaient à une langue nouvelle, tels des étrangers obligés de s'expliquer sur une question sérieuse.

« Est-ce que c'est une séparation ? demanda-t-elle en s'adossant à un arbre, comme prise de faiblesse.

— Si j'étais libre, nous ne nous séparerions plus jamais, dit-il.

— Si seulement je pouvais vous ramener à Jalna ! soupira-t-elle.

— Quel tableau ! quel trophée ! Oh ! ma chérie ! » fit-il avec un rire bref.

Elle se jeta contre son épaule, se cramponna à lui : « Ne dites jamais des choses aussi cruelles sur vous-même, Mait. Ça me fait mal, parce que vous êtes tellement merveilleux, tellement... »

Il la fit taire en l'embrassant, puis, il l'écarta et elle vit combien il était pâle. Timidement, elle lui toucha les cheveux.

« J'ai toujours eu envie de les toucher, dit-elle. Et vos cils aussi sont frisés... Mon Dieu, ce que vous êtes beau ! »

Il éclata de rire.

« Ce que l'amour déforme les choses ! s'écria-t-il. Je parie que votre Dad me trouvera aussi laid qu'un satyre. »

Des voix se firent entendre.

« Ils reviennent ! s'écria-t-elle. Nous ne bougerons pas ! Je resterai ici avec mes deux bras autour de votre cou. »

Mais avant qu'elle eût pu le saisir, il s'était levé et faisait face à la direction d'où provenaient les voix. Finch et Maurice apparurent au tournant de l'allée. D'un ton désespéré, Adeline s'exclama :

« Oh ! pourquoi sommes-nous restés ici... pour être découverts. Je connais au bord de la mer un endroit délicieux où nous aurions pu aller et où je vous dirais adieu si gentiment. Venez-y demain, Mait; dites que vous reviendrez ! »

Il l'entendit à peine. Les sourcils froncés, il regardait les deux silhouettes qui avançaient vers eux.

Maurice fixait les yeux sur lui et Finch dirigeait les
siens, avec inquiétude, sur le visage ému d'Adeline.

« Alors, vous êtes venu, Fitzturgis, dit Maurice.

— Oui, pour dire adieu à Adeline. » Puis, se tournant vers Finch : « Vous ne m'en voulez pas, j'espère.

— Cela dépend.

— De quoi ?

— De la façon dont vous le lui dites.

— Nous l'avons dit avec un baiser, prononça nettement Adeline. Il n'y a pas de mal à ça quand on aime
un homme, n'est-ce pas ?

— Vous savez ce que mon oncle et moi pensons là-
dessus, dit Maurice à Fitzturgis.

— Je ne peux m'empêcher d'éprouver certains sentiments pour Adeline. Les éprouvant, je suis venu lui
dire adieu. C'est bien un adieu. Je ne la reverrai pas
— tant que je ne serai pas en situation de lui proposer le mariage. »

Le mot mariage produisit sur Maurice l'effet du
défi d'un rival, d'une entrée en lice l'épée à la main.
Pour Finch il solidifia un sentiment jusqu'alors misé-
ricordieusement fluide. Il n'avait plus maintenant qu'à
emmener Adeline hors d'Irlande le plus tôt possible
et à la rendre à l'autorité de son père.

Quant à Adeline, ce mot la plaça dans une position
nouvelle. Elle se leva et vint se poster auprès de lui.
Une phrase de son manuel d'histoire lui revint à l'es
prit : « Ne tirez pas avant d'avoir vu le blanc de leurs
yeux. » Elle se redressa et regarda Maurice dans les
yeux.

« Je suis heureux de vous entendre parler comme
vous le faites. Vous comprenez, Adeline m'a été confiée;
j'en suis responsable devant ses parents.

— A dix-huit ans, une fille est majeure, dit Adeline. Non que j'aie l'intention de te défier, oncle Finch,

car aucun oncle ne pourrait être plus gentil que tu
l'es envers moi, mais je sais ce qu'il y a dans mon
cœur et je ne vois pas à quoi servirait de le cacher.

— Tu es une bonne fille, dit Finch en essayant, par
la douceur, de la ramener à la docilité de l'enfance

— Il n'y a plus rien à dire », ajouta Maurice.

Fitzturgis les regarda l'un après l'autre et dit :

« Je ferais aussi bien de m'en aller.

— Cela vaudrait beaucoup mieux », approuva Maurice.

L'Irlandais rougit du cou jusqu'au front et se détourna comme s'il craignait de ne pouvoir se maîtriser.

Finch lui tendit la main et dit :

« Au revoir, et j'espère que, lorsque nous nous reverrons, l'atmosphère sera plus sereine. Ne croyez pas,
je vous en prie, que je n'aie pas été heureux de faire
votre connaissance. C'est simplement que...

— Je comprends, répliqua Fitzturgis d'un ton froid.
Tout allait bien tant que je gardais mes distances.

— Précisément », dit Maurice.

Se tournant d'un air furibond vers son cousin, Adeline dit :

« Tu suffirais, Mooey, à me faire jeter à la tête de
Mait.

— Je n'en doute pas.

— Tu es abominable.

— Merci », dit-il, et il s'éloigna en direction de la
maison.

Finch hésita. Devait-il laisser Adeline seule avec Fitzturgis pour un dernier adieu ? Sa bonté le lui conseil-
lait. Mais il était responsable d'elle. Si elle se
sauvait avec son amoureux ? Le sang bouillonnant de
Gran coulait dans ses veines; elle serait capable de se
livrer à un exploit que Renny ne lui pardonnerait
jamais

Fitzturgis l'observait avec un sourire ironique.

« Je vais vous faciliter le problème », dit-il.

Il s'approcha d'Adeline, lui posa la main sur l'épaule.

« Au revoir, Adeline, dit-il, et il lui prit la main qu'il porta à ses lèvres.

— Ecrivez-moi, dit-elle.

— Non, dit-il. Il vaut mieux pas.

— Mais vous ne pouvez pas me quitter comme ça ! s'écria-t-elle.

— Si, je le peux... et je le dois.

— Si je vous écris, me répondrez-vous ? »

Fitzturgis interrogea Finch du regard.

« Je crois que vous pourriez répondre, dit Finch.

— Merci, dit Fitzturgis dont les yeux s'éclairèrent. Alors, je le ferai. »

D'un pas rapide, il gagna sa voiture.

Finch mit son bras autour d'Adeline. Elle demeura rigide pendant que Fitzturgis faisait reculer et tourner sa voiture. Il agita la main à la fenêtre. Adeline se dégagea du bras de Finch. Elle courut quelques mètres après la voiture, cria : « Au revoir, Mait ! » d'une voix étranglée, puis s'arrêta, regarda la voiture franchir la grille et revint, l'air égaré, auprès de son oncle.

« C'est gentil ce que tu viens de faire, oncle Finch », dit-elle tranquillement.

S'attendant de sa part à un éclat désespéré, il lui fut reconnaissant de son calme.

« Brave fille », dit-il, et, au lieu de lui dire : « Ça te passera », il lui demanda : « Aimerais-tu faire une promenade à pied ?

— Oui, répondit-elle, mais seule, si cela ne te fait rien, je désire réfléchir.

— Bien sûr, dit Finch, soulagé. Cela vaut mieux. Emmène les chiens.

— Oncle Finch...

— Oui ?

— Je voudrais m'en aller.

— Eh bien, nous partons dans une semaine.

— Je voudrais m'en aller tout de suite. Demain. Je ne peux plus supporter de rester ici. »

Finch était tout disposé à quitter Glengorman. Se rendre à Londres. La joie de revoir Wakefield, les théâtres, la foule distrairaient Adeline.

« Très bien, dit-il, nous partirons dès que j'aurai pu obtenir des places sur le bateau. Mais il faut que tu me promettes de te réconcilier avec Mooey avant notre départ.

— Je te le promets. »

Côte à côte, ils remontèrent l'allée. Devant la maison, Maurice jouait avec les labrador, affectant avec ostentation d'être à l'aise. Il leur jeta un bâton, et les deux corps fauves se précipitèrent en avant. La mère saisit le bâton, mais le fils le lui disputa et ils roulèrent en grondant sur le gravier; quand le fils eut réussi à prendre entre ses dents l'autre bout du bâton, réunis comme par un même mors, ils galopèrent gracieusement jusqu'aux pieds de leur maître.

Maurice ne regarda pas Adeline mais jeta de nouveau le bâton. Cette fois le fils l'attrapa et Bridget, la mère, dépitée, baissa la queue et se faufila parmi les rhododendrons. Lorsque Adeline atteignit le chemin qui menait à la mer, Bridget la suivit et trotta à ses côtés à travers les fougères. A leur droite croissaient des arbres; à leur gauche, le sentier descendait vers les rochers noirs de la grève. La marée montait, murmurant, clapotant, éclaboussait le sable et les algues de sa poussée inexorable. Adeline s'arrêtait de temps en temps pour regarder en bas, puis reprenait sa marche rapide. Elle voulait être seule sur la pointe rocheuse. Deux gamins qui avaient ramassé un plein

paniers d'œufs de mouettes étaient en train de tirer
leur barque dans une petite crique. Quand elle les eut
perdus de vue, quand elle fut sûre que personne ne
pouvait ni la voir ni l'entendre, elle abandonna toute
retenue et se mit à pleurer tout haut comme un enfant.
Devant elle, à l'extrémité de la falaise, s'étendait la
mer au mouvement éternel où ne se montrait aucune
voile. Peu à peu, elle se calma; ramassant un caillou,
elle le jeta et il ne fit aucun bruit en disparaissant
dans les flots. « Je disparaîtrai comme lui de la vie »,
songea-t-elle. Et elle se sentit pitoyablement petite
et impuissante au milieu de l'immensité de l'univers.
Par comparaison avec Roma, qu'elle tenait pour
faible, elle s'était toujours crue forte. Maintenant, elle
s'apercevait que rien ne l'avait préparée aux émotions qui la troublaient depuis la naissance de son
amour pour Fitzturgis. Elle luttait, seule, dans un
monde qu'elle ne comprenait pas. Son cœur souffrait
d'un amour qu'elle ne pouvait en arracher, et elle
avait conscience que Fitzturgis, endurci par la vie,
maître de lui-même, était capable d'affronter avec courage ce qui, elle, l'accablait. Elle lui en voulait
presque de sa force d'âme. S'il avait pleuré avec elle,
son fardeau eût été supportable. Mais cette solitude,
cette désolation... Elle se laissa glisser par terre,
recommença à sangloter et roula jusqu'au bord de
la falaise. Petit à petit, la montée monotone des vagues
l'apaisa; elle vit le soleil se perdre, à l'horizon,
derrière les nuages, et, se relevant, elle appela Bridget
qui s'était éloignée. Adeline la chercha un moment
parmi les rochers aux formes préhistoriques, puis, elle
la vit revenant vers elle, le poil tout hérissé par la
peur, les yeux révulsés. « Bridget ! viens ! » cria Adeline, et la chienne se précipita sur elle toute
tremblante, semblant lui demander protection tout en

jetant un regard en arrière sur les rochers les plus lointains, source évidente de sa panique. Effrayée elle-même, mais voulant savoir à quoi s'en tenir, Adeline se dirigea vers l'endroit d'où venait Bridget. Celle-ci refusa de l'y suivre et demeura immobile, les oreilles dressées, pendant qu'Adeline explorait ce désert où elle ne trouva rien d'autre, devant le grand vide du ciel et le grand vide de la mer, que des roches noires offrant une ressemblance grotesque avec des têtes humaines. Elle revint à Bridget et elles prirent ensemble le chemin du retour.

La réconciliation avec Maurice à laquelle Adeline s'était résolue lui fut facilitée du fait qu'en rentrant elle le trouva en compagnie de Pat Crawshay et de Finch. Les trois hommes la regardèrent avec inquiétude. De toute évidence, elle avait pleuré; des brins d'herbe étaient restés accrochés dans ses cheveux et l'un de ses bas était tourné. S'adressant à Pat Crawshay plutôt qu'aux deux autres, elle raconta l'histoire de la peur de Bridget.

Pat l'écouta avec gravité.

« Personne ne peut savoir ce qu'elle a vu, dit-il. Il s'est passé des choses étranges, dans ces montagnes.

— Voyons ! s'écria Finch. Vous ne croyez quand même pas que Bridget ait vraiment vu quelque chose ?

— Elle peut ne pas l'avoir vu comme nous voyons; elle peut l'avoir senti. Ce n'est pas la première fois que j'entends parler de terreurs étranges dans cette partie du pays.

— Oh ! rien d'étonnant alors, si j'ai eu peur moi aussi, dit Adeline.

— Vous avez bien fait de vous dépêcher de revenir, dit Pat, sans quoi nous aurions pu ne jamais vous revoir.

— Ne l'effraie pas, dit Maurice d'un ton protecteur.

— Je la mets simplement en garde », dit Pat.

Elle s'approcha de lui comme pour témoigner la confiance qu'il lui inspirait.

Maurice lui tendit un verre de xérès.

« Voilà qui te remettra d'aplomb, dit-il.

— Merci. » Leurs mains se frôlèrent et elle lui adressa un petit sourire.

Deux jours plus tard, elle et Finch traversaient la mer d'Irlande sur un paquebot tout neuf, plein de paysans irlandais uniquement occupés de leurs bagages et de leurs petites affaires. Finch était content d'éloigner Adeline de l'Irlande. Lorsqu'ils avaient quitté le Canada, il n'avait imaginé aucune des complications surgies par suite de leur liaison avec Fitzturgis. Il se reprochait de n'avoir pas tout de suite senti d'où soufflait le vent et de ne pas avoir empêché Adeline et Fitzturgis de rester tête à tête. Mais il lui aurait été odieux de faire acte d'autorité; il n'était pas dans sa nature de dominer les autres ou même de les guider. Il lui avait suffi d'avoir à se diriger lui-même. Maintenant, assise à côté de lui, elle observait les particularités de leurs compagnon de voyage et il se demandait à quel point la blessure avait été profonde.

Avant de se coucher, ils firent un petit tour sur le pont. La nuit était sombre, sans étoiles; on ne distinguait pas la mer noire du ciel noir.

« La seconde partie de notre voyage, dit-il.

— Oui. Bien différente de la première ! Il fait si sombre; et tout est tellement silencieux. »

Elle ne faisait pas seulement allusion à l'obscurité et au silence extérieurs.

D'un ton gai, Finch répondit :

« La mer d'Irlande est parfois très agitée. Ce paquebot est neuf, et il comporte un dispositif qui le maintient en équilibre.

— Oui, le stewart me l'a dit. »

Il y eut un silence, puis Adeline demanda :

« Oncle Finch, est-ce que ta femme a été ton premier amour ?

— Oh ! mais non ! J'ai aimé avant elle une bonne demi-douzaine de femmes. C'est ce qu'il y a de mieux, tu sais. On épanche ainsi son trop-plein d'ardeur. Cependant je ne me souviens même pas de leurs noms.

— Alors, tu as épousé la première femme que tu as réellement aimée ?

— Oui.

— Comme tu as eu de la chance !

— De la chance ! de la chance ! s'écria-t-il avec amertume. Si j'avais su d'avance ce que le mariage devait m'apporter, je me serais enfui à l'autre bout de la terre pour l'éviter. »

Il distinguait tout juste le disque pâle de son visage, mais il vit s'élargir les profondeurs sombres de ses yeux.

« Quel terrible malheur ! murmura-t-elle.

— Oui, ça n'a pas été drôle !

— As-tu été heureux longtemps ?

— Non; pas longtemps.

— Mais je ne comprends pas comment cela a pu se faire. Du moment que vous vous aimiez vraiment.

— Nous nous aimions, mais elle avait une façon de déformer notre amour, le sien et le mien. Elle en a fait une chose à laquelle je n'étais pas préparé.

— Crois-tu qu'elle en a souffert autant que toi ?

— Je ne le crois pas. Elle n'était pas une personne sans défense. Quand les choses n'allaient pas d'une certaine manière, elle en essayait une autre. Elle était aussi complète qu'un... » Il s'arrêta.

« Aussi complète que quoi ?

— Je ne peux pas me servir de ce mot en parlant de Sarah.

— Si je le devine, me le confirmeras-tu ?

— Non.

— Quand même, je ne crois pas que Sarah et toi vous vous soyez aimés comme Mait et moi nous nous aimons.

— Les gens amoureux se figurent toujours ça.

— Je ne t'aurais jamais cru aussi cynique, oncle Finch. Sans toi, je n'aurais pas pu supporter... tout ça. »

Elle regarda vers la terre et reprit :

« N'est-ce pas étrange ? On dirait qu'un rideau vient d'être baissé. C'est comme la fin d'une pièce... Non, simplement comme la fin d'un acte. »

Le lendemain, dans le train, pendant les longues heures du trajet à travers le Pays de Galles, avec ses champs de terre rouge, ses bois, ses fermes éparses, Finch s'absorba dans un livre tandis qu'Adeline regardait défiler le paysage et observait leurs compagnons de voyage. Le temps lui parut long. Mais enfin l'on atteignit Londres, et, parmi les premières personnes qui attendaient sur le quai de la gare de Paddington, ils aperçurent la haute et mince silhouette de Wakefield, son visage brun et animé. Il courut vers eux, serra le bras de Finch et embrassa Adeline.

XXIII

LONDRES

Pour une fois de sa vie, Wakefield Whiteoak était en
avance à un rendez-vous. Ou bien le train avait-il du
retard ? Il arpentait le quai avec nervosité, s'arrêtant
devant le kiosque aux journaux, il ouvrit un livre.
le referma et le remit en place sans en même avoir
remarqué le titre. Il s'éloigna et heurta une grosse
femme qui portait deux tasses de thé. Le choc lui fit
en renverser un peu et, avec un regard irrité, elle dit
ironiquement : « Merci, merci beaucoup. »

Wakefield souleva son chapeau et, prenant un accent
étranger :

« Madame, je vous demande mille pardons, dit-il.
Je suis dans un état d'extrême agitation. Je suis venu
ici pour accueillir la Contessa di Piccadillo et je vous
ai prise pour elle. La ressemblance est extraordinaire.

— Eh bien, dit-elle, amadouée, si je peux vous
rendre le moindre service...

— Vous êtes trop aimable. Ah ! Voici enfin la
Contessa ! » s'écria-t-il en voyant s'avancer Georgina
Lennox, jeune actrice dont il était l'ami. Il se hâta
vers elle et ils s'étreignirent affectueusement.

La grosse femme l'avait suivi des yeux avec un sourire satisfait.

« Qu'est-ce qui vous amène ici, Georgie ? demanda-
t-il.

— Je viens d'embarquer ma tante et mon oncle et
leurs deux pékinois. Quel mal j'ai eu à trouver un
compartiment à leur convenance ! Ma tante en voulait un où elle pût fumer. Mon oncle ne voulait pas
de fumeurs, et les pékinois ne voulaient pas être avec
des étrangers ! Eh bien, et vous ? Pourquoi êtes-vous
ici ?

— J'attends mon frère et ma nièce.

— D'où viennent-ils ?

— D'Irlande. Voulez-vous entrer au buffet prendre
un verre de xérès ?

— Il n'y a pas le temps : voilà le train qui arrive.

— Attendez avec moi et faites leur connaissance,
voulez-vous, Georgie ?

— Je veux bien. »

Avant que Finch et Adeline l'eussent aperçu, Wakefield les avait attentivement regardés. Finch lui parut
toujours le même, peut-être un peu plus fatigué, mais
il avait conservé son air d'être déconcerté par l'étran-
geté de la vie, la même expression qu'étant enfant.
Quant à Adeline, c'était une femme, à présent... et
quelle démarche ! Il avait vu les efforts de jeunes
actrices pour acquérir cette allure, mais Adeline marchait ainsi sans en avoir conscience. Elle aurait été
laide comme un pou que cette démarche de reine aurait
suffi à la faire remarquer.

Il l'embrassa et serra la main de Finch.

« C'est merveilleux de vous voir ici, dit-il. Je
n'avais pas vraiment cru que vous viendriez.

— Pourquoi ? dit Adeline. Est-ce que je ne fais pas
toujours ce que je dis que je ferai ? »

Wakefield présenta ensuite Adeline et Finch à Georgina Lennox. Tous quatre furent bientôt empilés

dans un taxi en route pour l'hôtel. Fascinée par le spectacle de la rue, Adeline ne prit aucune part à la conversation. Elle était suspendue à mi-chemin entre les plaisirs qu'elle avait en perspective et la douleur de s'être séparée de Fitzturgis.

« Je n'ai pas le droit de me mêler à cette réunion de famille, dit Georgina Lennox. Laissez-moi descendre à Hyde Park Corner, Wakefield.

— Non, vous allez prendre le thé avec nous.

— Je l'ai déjà pris. »

Elle sourit à Finch qui lui rendit son sourire, ses grands yeux bleu-gris clignotant un peu derrière les verres de ses lunettes, car il était fatigué. Leurs genoux se touchèrent et il chercha à reculer ses longues jambes.

« Ne bougez pas, dit-elle. J'ai bien assez de place.

— Georgie est une personne des plus accommodantes », dit Wakefield.

Georgina Lennox, dont le véritable nom de famille était Panks, avait pour père un riche bonnetier des Midlands. Il lui avait fait donner une bonne éducation, et quand elle avait manifesté le désir de faire du théâtre, il l'avait envoyée à l'Académie royale d'Art dramatique. Il lui allouait une pension qui lui permettait d'avoir à Londres un agréable petit appartement et d'ignorer l'existence difficile au jour le jour de la plupart des actrices débutantes. Elle avait fait un peu de cinéma et tenu un rôle peu important mais très remarqué dans un film à succès.

Pendant le trajet de la gare à l'hôtel, elle causa d'une façon animée avec les deux hommes, posant de temps à autre une question à Adeline, du ton d'une grande personne qui encourage un enfant timide.

« Pour qui me prend-elle ? se demanda Adeline. Je suis plus grande qu'elle. J'éprouve des sentiments qu'elle n'a jamais connus, car elle est superficielle et

trop pleine d'elle-même. » Et elle s'enferma dans une
réserve un peu distante.

« J'ai entendu dire que tu avais écrit une pièce »,
dit Finch à son frère.

Wakefield fit une grimace de désespoir.

« Oui, j'ai écrit une pièce; c'est facile. Le difficile
est de trouver un homme consentant à risquer d'y
perdre en la montant.

— C'est une pièce ravissante ! s'écria Lennox, et je
meurs d'envie d'y jouer le rôle principal.

— Vous avez certainement le physique de l'emploi.

— Cela veut-il dire que je ne saurais pas tenir le
rôle ?

— Je ne sais vraiment pas. »

Ils se mirent à discuter la pièce comme s'il ne leur
était pas possible de s'intéresser longtemps à autre
chose qu'à leur profession. En les écoutant, Finch se
rappela qu'il avait naguère songé au théâtre et il
se demanda ce qu'aurait été sa vie s'il s'y était consacré. Il n'enviait pas aux acteurs leurs querelles et
leurs jalousies, mais la chaleur de leur camaraderie et
de leurs amitiés. Par comparaison, sa vie était bien
solitaire.

Miss Lennox descendit du taxi à Hyde Park Corner
après avoir exprimé l'espoir de bientôt revoir Adeline
et Finch.

« Je suis contente qu'elle soit partie ! s'exclama Adeline.

— Elle ne te plaît pas ? demanda Wakefield, surpris.

— Non.

— Voilà qui est net. Puis-je te demander pourquoi ?

— Je ne peux pas l'expliquer. Je ne l'aime pas;
voilà tout.

— Tu ne lui trouves pas un visage assez remarquable ? dit Wakefield en s'adressant à Finch.

— J'y ai à peine fait attention », dit Finch.

Il regardait par la fenêtre en proie à l'émoi que lui faisait toujours éprouver Londres. Quelque chose de spécial émanait de ses pavés, de sa foule, de ses sobres et massifs bâtiments. C'était peut-être le souvenir du premier séjour qu'il y avait fait à vingt et un ans avec ses deux vieux oncles. Comme ils s'étaient amusés ensemble ! et combien il avait été jeune et vulnérable pour ses vingt et un ans !

A l'hôtel Brown, ils gravirent tous les trois, précédés du portier, l'escalier au tapis rouge jusqu'à la chambre d'Adeline. Elle regarda avec admiration le mobilier d'acajou de style victorien et dit : « Ça me plaît. » Puis elle franchit la porte-fenêtre qui donnait accès au balcon avec ses caisses de géraniums rouges. Des lumières commençaient à s'allumer çà et là. Elle eut conscience de la majesté et de l'immensité de Londres. Entendant Finch et Wakefield parler de Georgina Lennox, elle retourna dans la chambre pour dire :

« Je suppose qu'elle a été mariée une demi-douzaine de fois.

— Non, une seule, dit Wakefield.

— Je le plains, dit-elle. Qui est-ce ?

— Ils ont divorcé.

— Ça ne m'étonne pas. Qui était-il ?

— Un Irlandais. Ils se sont mariés pendant la guerre. Je crois qu'il devait avoir mauvais caractère. La pauvre fille a été très malheureuse.

— Un Irlandais ? répéta Adeline. J'aime les Irlandais. Comment s'appelait-il ? »

Wakefield fronça les sourcils :

« C'était Fitz — quelque chose.

— Viens dans ma chambre, Wake, dit Finch, pour rompre les chiens. Il est l'heure pour Adeline de s'habiller. »

Regardant Wakefield droit dans les yeux, Adeline demanda :

« Fitz ? répéta-t-elle... Tu ne te souviens plus du reste.

— Non. C'était un nom à coucher dehors.

— *Turgis ?* suggéra Adeline.

— C'est ça ! As-tu entendu parler de lui ?

— Oui. Nous l'avons rencontré, dit-elle tandis que son visage s'empourprait.

— Oui, dit Finch. Il nous a été sympathique.

— C'est vraiment une coïncidence extraordinaire ! s'écria Wakefield. Georgie est la première personne dont vous faites la connaissance à Londres, elle a été mariée à un homme que vous avez rencontré en Irlande !

— Ce n'est rien, ça, dit Finch, les yeux fixés sur Adeline. A San Francisco, j'ai rencontré un type qui avait passé la plus grande partie de sa vie à un kilomètre de Jalna et que je n'y avais jamais vu. »

Wakefield était trop occupé par ses propres affaires et trop heureux de revoir Finch et Adeline pour s'intéresser à un Irlandais inconnu. Finch l'emmena dans sa chambre, mais au bout d'un moment revint frapper à celle d'Adeline.

« Je suis revenu, lui dit-il, pour te dire que je ne parlerai pas à Wake de... toi et de Fitzturgis.

— Merci, oncle Finch, murmura-t-elle. Crois-tu qu'il ait vraiment été marié avec cette femme ?

— Je pense que c'est possible.

— Non, ce n'est pas possible, il me l'aurait dit.

— Les hommes ne racontent pas toujours tout leur passé, tu sais.

— Mais il me l'aurait raconté à *moi*. J'en suis sûre.

— Pourquoi ?

— Parce qu'il m'aime.

— C'est probablement la raison pour laquelle il ne
l'a pas fait.

— Oh ! fit Adeline en portant la main à son front.
Je suis fatiguée et j'ai un peu faim. »

Finch se rappela qu'elle n'avait presque rien mangé
au cours du voyage. « Elle a perdu l'appétit à cause
de ce type ! » s'était-il dit.

« Naturellement, tu as faim ! s'écria-t-il. Moi aussi,
d'ailleurs.

— Qu'est-ce que je dois mettre ? demanda Adeline.
Une robe du soir ?

— Non. Change-toi, simplement. Et ne voudrais-tu
pas un bain chaud ? »

Elle inclina la tête, incapable de parler et impa-
tiente d'être seule. Quand il fut parti, elle ferma la
porte à clef. L'appréhension, la colère, la douleur et la
rancune surgissaient en elle toutes à la fois. Mais elle
devait rester maîtresse d'elle-même, paraître calme et
ne pas montrer à Finch le tumulte de son âme. Elle
enfonça ses ongles dans ses paumes, serra les dents et
refoula ses larmes. Qu'était-elle donc devenue, elle qui
méprisait tant les pleurnicheuses, qui s'était sentie si
supérieure à la sensiblerie de Roma ? Mais ce qui lui
arrivait était tellement cruel, tellement inattendu. Si
seulement elle pouvait revoir Fitzturgis en tête à tête,
et lui faire raconter sa vie pour éviter désormais toute
surprise...

Les jours passèrent. Finch s'abandonna au plaisir
d'être de nouveau à Londres; il revoyait de vieux
amis de la famille, d'agréables connaissances apparte-
nant aux milieux musicaux. Il montrait à Adeline
les curiosités de la ville et l'emmenait au spectacle.
Ils allèrent voir ensemble la comédie dans laquelle
jouait Wakefield. Elle faisait salle pleine et, bien que
le rôle de Wakefield ne fût pas le plus important, il

parut l'être aux yeux d'Adeline. Elle était fière de lui
et aurait voulu que tout l'auditoire connût leur proche
parenté. Finch, en la voyant rire au théâtre et sembler prendre plaisir à leurs promenades, trouva qu'elle
prenait la révélation du mariage de Fitztugis avec
une force d'âme admirable. Si elle était fière de Wakefield, il était encore bien plus fier d'elle. Il se flattait
de l'espérance que son sentiment pour Fitzturgis était
moins profond qu'il l'avait craint.

Il ignorait la lettre passionnée qu'elle avait écrite,
exigeant de Fitzturgis qu'il expliquât son manque de
franchise. Avant même qu'il lui fût possible d'y recevoir une réponse, elle attendait fébrilement le courrier.
Puis, au bout d'un temps suffisant, une lettre d'Irlande arriva. Mais elle était de Pat Crawshay; il lui
disait combien elle lui manquait et sous-entendait qu'il
l'aimait. Tout d'abord, elle fut si désappointée qu'elle
ne fit que parcourir sa lettre avec impatience, mais,
plus tard dans la journée, elle la lut et y puisa
une certaine consolation; l'image du jeune visage in-
génu de Pat effaça un moment celui de Fitzturgis.

De son côté, Fitzturgis avait lu la lettre d'Adeline
avec une consternation que suivit une résignation
amère. Il n'en méritait pas davantage, se dit-il. Il
avait caché à Adeline les faits de son passé les plus
susceptibles de l'affecter. Maintenant, on l'en avait
instruite, avec les embellissements qu'il imaginait. Et
elle était blessée au vif de ce qu'elle devait prendre
pour une tromperie délibérée. Sa nature et les circonstances de sa vie ne l'avaient pas porté à parler
volontiers de lui-même. Il avait vécu pendant des
années parmi des étrangers auxquels il n'était pas disposé à ouvrir son cœur. Il était très sensible et enclin
à la mélancolie. Adeline avait, dès les premières heures
de leurs relations, éveillé sa sensualité et un senti-

ment passionné. Il désirait, comme il n'avait encore jamais rien désiré aussi vivement, lui demander de l'épouser. Mais il n'avait à lui offrir qu'une existence d'une pauvreté à laquelle ses devoirs envers sa mère et sa sœur ne lui permettaient guère de remédier. A quoi bon, alors, lui parler de l'union malheureuse qu'il avait rompue et qu'il ne cherchait qu'à oublier ?

Il avait fait la connaissance de Georgina Lennox pendant la guerre, au cours d'une permission, chez le commanditaire de la pièce dans laquelle elle jouait. Elle avait le même âge que lui, mais son expérience de la vie faisait d'elle son aînée de bien des années. Le jeune officier irlandais la séduisit et elle sut le charmer par sa flatterie et son savoir-faire. Pendant le week-end, ils passèrent ensemble le plus de temps possible. Avant la fin de sa permission, elle s'était donnée à lui. Après son retour au front, ils échangèrent un flot continu de lettres passionnées et, lors de sa permission suivante, ils se marièrent.

La sœur et le beau-frère de Fitzturgis, auxquels il l'avait présentée dès le début de leurs relations, avaient eux aussi été sous le charme de l'actrice, et tous quatre avaient passé ensemble beaucoup d'heures agréables, dans l'appartement de Sylvia, soit à danser après le théâtre, soit au cours des fiévreuses nuits de bombardement.

A son retour de la guerre, Fitzturgis trouva sa sœur tragiquement devenue veuve et sur le point de perdre la raison. Elle avait été mise dans une maison de santé. Avec sa tendance à idéaliser les femmes, il avait paré Georgina d'une foule de qualités qu'elle ne possédait pas. Bientôt, son égoïsme et sa vanité l'irritèrent. Puis il découvrit qu'elle était la maîtresse d'un homme très influent dans le monde du cinéma et

grâce auquel elle avait obtenu de tourner son premier
film. Des scènes violentes éclatèrent entre eux; elle
s'efforça de justifier son infidélité et lui affirma qu'elle
l'aimait toujours passionnément. Rendu à moitié fou
par les soucis qui l'accablaient, il avait menacé de
la tuer. Leur brève vie conjugale s'était terminée par
un divorce. Il avait retiré sa sœur de la clinique et
s'était fixé en Irlande avec elle et sa mère.

Bouleversé par la lettre d'Adeline, il souhaita, avec
une ferveur désespérée, la revoir encore une fois avant
qu'elle repartît pour le Canada afin de lui expliquer
le sentiment de pudeur qui l'avait empêché de raconter
à un être aussi jeune, aussi pur qu'elle, ce qu'il
considérait comme une histoire ignoble. Pendant sa
nuit d'insomnie, il revécut les brefs et divins instants
où il l'avait tenue dans ses bras et, au matin, il alla
trouver sa mère.

« Mère, dit-il, je vais à Londres. Il s'est passé quelque
chose qui m'y oblige. »

Elle était en train de balayer un vieux tapis turc
très usé et elle fit semblant de ne pas l'avoir entendu.
Elle ne manquait pas une occasion de lui montrer à
quelles dures besognes elle était astreinte. Haletante,
comme au prix d'un effort surhumain. Elle continua
à pousser le balai mécanique sur le tapis; mais déjà
trop plein de poussière, l'instrument se mit à la
recracher sous forme de moutons gris. Bouillant d'un
mélange d'exaspération et de pitié, il resta un moment
sans rien dire, se demandant pourquoi elle était si
incapable, pourquoi elle éprouvait le besoin de s'enve-
lopper ses cheveux de cette écharpe ridicule d'où sortaient en se balançant ses longues boucles d'oreilles ?

Comme si elle venait seulement de remarquer la
présence de son fils, elle cessa de balayer et dit :

« Oh ! bonjour, chéri. Tu es en retard, ce matin.

— Oui, j'ai passé une nuit blanche, je ne me suis assoupi que sur le matin... Ecoute, mère...

— Je comprends, je suis comme ça. Je n'arrive pas à m'endormir, je pense à toutes les choses étranges qui sont arrivées, et puis, juste à l'heure où je devrais me lever, je m'endors d'un profond sommeil et je rêve. Figure-toi que la nuit dernière j'ai rêvé que tu étais un petit garçon; nous étions dans cette pièce, mais le canapé n'était pas...

— Pardon, mère, je n'ai pas le temps d'écouter... »

Offensée, elle dit un peu sèchement :

« Vraiment, Maitland, tu as un façon de m'interrompre ! Je pense qu'après être resté au lit aussi longtemps, perdre une minute de plus ne peut avoir grande importance. Quoique, en vérité, ce rêve soit si compliqué qu'il me faudrait une bonne demi-heure pour t'en raconter tous les détails. Je te voyais aussi nettement qu'à cette minute même, mais tu avais une expression beaucoup plus douce, car, étant enfant, tu avais, comme Sylvia...

— Je sais, je sais », fit-il entre ses dents.

Elle le regarda fixement de ses limpides yeux bleus et il remarqua que sa tête branlait un peu.

« Je vais aller à Londres aujourd'hui en avion, dit-il.

— En avion ? s'écria-t-elle. Mais c'est tellement plus cher !

— Oui, mais il le faut.

— Est-ce pour voir Adeline Whiteoak ?

— Non... — mais il ne pouvait mentir. — Oui. Ne m'interroge pas, mère.

— Tes chemises ! gémit-elle. Je n'ai pas recousu les boutons !

— Peu importe. Il faut que je parte.

— Fais ce que tu crois devoir faire, mais n'oublie jamais qu'il te faut penser à Sylvia.

— Il y a peu de chance que je l'oublie, répondit-il assez sèchement.

— C'est très dur pour toi de nous avoir toutes deux à ta charge ! » dit-elle avec un profond soupir.

Il l'entoura de ses bras.

« Je ne veux pas que tu parles ainsi, mère chérie. »

Il pencha la tête vers elle et sentit sa boucle d'oreille s'appuyer contre sa joue.

La petite servante irlandaise lui avait fait cuire ses œufs et son bacon une heure auparavant et les avait laissés au chaud dans le four. Ils étaient immangeables. Il les expédia rapidement, puis se mit à la recherche de Sylvia qu'il trouva dans un coin du salon, assise la tête inclinée vers le sol, les mains pendantes entre ses genoux.

« Je pars pour Londres. J'ai retenu ma place en avion par téléphone, dit-il d'un ton naturel et gai comme si tout allait pour le mieux dans la maison.

— Je ne veux jamais revoir Londres, dit-elle sans lever les yeux.

— Bien sûr. Je ne m'y rendrais pas non plus volontiers sans une raison importante.

— Dans ma vie, il n'y a rien d'important. »

Il ignora cette phrase qu'il avait entendue trop souvent. La vue de sa sœur assise là, désœuvrée, et le souvenir de sa mère maniant le balai mécanique lui firent dire avec exaspération :

« Il y aurait quelque chose dans ta vie si tu aidais mère à faire le ménage. Tu sais combien cette maison est incommode. Mère se fatigue bien trop.

— Elle ne veut pas que je l'aide. Cela ne fait que l'agacer.

— Bon, reste là sans rien faire, mais n'oublie pas que d'autres ont eu aussi à subir des tragédies... »

Il s'arrêta et toucha les boucles blondes de sa sœur d'une main caressante.

« Je ne pars pas sans angoisse en te laissant aussi désolée. Je n'ai pas besoin de te dire, n'est-ce pas, tout ce que tu signifies pour moi ? »

Elle lui prit la main, la garda un instant, puis la repoussa brusquement.

« Tu es idiot, Mait, de te tourmenter à mon sujet. Laisse-moi broyer du noir dans mon coin; c'est tout ce dont j'ai envie pour le moment.

— Je ne peux pas accepter cette idée, et tu le sais. Promets-moi de faire non pas un petit mais un grand effort, en mon absence, pour maintenir mère en bonne humeur. »

Sylvia rit.

« Elle n'a pas besoin de moi pour cela. La gaieté fait partie de son caractère, et une partie rudement exaspérante, quelquefois.

— Tu ne le penserais pas si tu venais de la voir.

— Elle se plaît à t'émouvoir.

— Rien ne saurait me persuader que tu es aussi dure que tu prétends l'être.

— Au nom de Dieu ! va-t'en et laisse-moi tranquille ! s'écria-t-elle avec colère. Va retrouver ta chérie. J'espère que tu seras plus heureux avec elle qu'avec la précédente ! »

Il rougit, lui jeta un regard furibond, puis se contint. Sylvia était dans l'un de ses mauvais jours. Il savait qu'il ne devrait pas laisser sa mère seule avec elle. Mais il lui fallait absolument voir Adeline. Quoi qu'il arrivât, il lui fallait la voir.

« Très bien, dit-il, je m'en vais. »

Son désir de quitter cette maison, de respirer l'air de la liberté lui inspira une hâte fébrile. Il jeta ses objets de toilette dans une valise, dit rapidement au revoir à sa mère et à sa sœur et sauta dans sa voiture à côté de l'homme à tout faire qui devait la ramener.

D'abord le train, lent et sentant la suie; puis l'avion, propre et rapide. Il ne regarda pas ses compagnons de voyage, gardant les yeux fixés sur la vaste étendue du ciel et de la mer. Le bruit régulier du moteur engourdit sa pensée et il finit par se calmer.

XXIV

ENTREVUE

Adeline ne sortit pas avec Finch cet après-midi-là. Elle lui dit qu'elle avait des emplettes à faire et il la laissa seule, bien qu'il ne la crût pas, sachant qu'elle n'avait ni besoins à satisfaire ni argent.

Il était toujours content de circuler seul et librement à Londres. Il faisait un beau temps chaud et tout invitait à la flânerie.

Adeline descendit dans le hall, presque désert à cette heure-là et choisit un fauteuil d'où elle put voir la porte d'entrée. C'était par cette porte que le facteur entrerait et lui apporterait peut-être une lettre de Fitzturgis. Si elle avait compté les heures, elle aurait compris que ce n'était pas possible, mais son désir d'avoir de ses nouvelles était si intense qu'il lui faisait perdre toute notion des limites du temps et de l'espace.

Les mains croisées sur ses genoux, elle surveillait l'entrée. Devant le bureau du portier, il y avait un va-et-vient continuel de clients demandant des renseignements sur les trains, les autobus, les courriers, prenant ou déposant leurs clefs. Deux petits grooms aux joues roses, en livrée, se tenaient près de la porte qu'un troisième ouvrait et refermait de ses mains gantées de blanc et démesurément grandes. Au-delà

du hall, Adeline apercevait la salle à manger avec ses
tables aux nappes blanches parmi lesquelles s'affai-
rait un unique serveur. Les seuls autres occupants
du hall étaient une belle femme aux mains déformées
par l'arthrite et son mari. Ils regardèrent Adeline
comme s'ils se demandaient pourquoi elle s'était assise
auprès d'eux et comme s'ils redoutaient qu'elle leur
adressât la parole. A l'autre extrémité de la pièce, un
pasteur était absorbé par les mots croisés du *Times*.

Les gens entraient et sortaient; le portier accrochait
et décrochait des clefs, consultait des indicateurs et
répondait à tout le monde avec une expression d'indul-
gente bonne humeur. Les deux petits grooms bâillaient
en se couvrant la bouche de leurs gants de coton
blanc. L'un d'eux s'assit sur une chaise et se mit à
dodeliner de la tête. L'attention commençait à fatiguer
les yeux d'Adeline.

La porte s'ouvrit une fois de plus et deux personnes
entrèrent en même temps par le tourniquet. L'une
était un gros négociant belge qui se dirigea droit vers
le bureau et demanda sa clef. L'autre... L'autre... Adeline, le souffle coupé, se leva et, en un instant, fut
à ses côtés. Tout d'abord, elle ne put articuler un son,
tant elle avait la gorge serrée. Puis, elle prononça son
nom et il se retourna.

« Adeline ? »

Elle était si pâle qu'il craignit de la voir s'évanouir.
Elle porta la main à sa gorge sèche et douloureuse-
ment contractée. Il l'embrassa sur la joue et la conduisit à un canapé dans un coin isolé du hall.

« Vous êtes surprise, dit-il.

— Oui, murmura-t-elle.

— Il a fallu que je vienne après avoir reçu votre
lettre.

— Vous avez dû partir immédiatement, dit-elle.

— J'ai pris l'avion.

— Oh ! vous avez fait bon voyage ?

— Le temps n'aurait pu être meilleur.

— Tant mieux. » Un long soupir lui échappa. Elle respira plus facilement et son cœur cessa de bondir dans sa poitrine. Fitzturgis passa une main sur celles d'Adeline en disant :

« Je m'imagine ce que vous pensez de moi.

— Je ne pense pas... je ne fais que sentir... que vous êtes là.

— Je voudrais tant être seul avec vous. Comment m'expliquer ici ? »

Le pasteur avait levé les yeux de dessus ses mots croisés. Il les arrêta pensivement sur les mains jointes d'Adeline et de Fitzturgis, puis, sans avoir regardé leurs visages, il les abaissa de nouveau sur son problème.

« Je crois que rien de ce que vous pourriez dire ailleurs ne me ferait comprendre...

— Vous vous figurez sans doute que je vous ai délibérément trompée ?

— Eh bien, vous savez, Mait... je n'ai aucune expérience.

— C'est précisément pour cela que je n'ai pas eu le courage de vous le dire.

— Je ne vois pas pourquoi. Il n'y a rien de honteux à avoir été déjà marié.

— Non. Mais je n'ai pu me décider à vous en parler. Etre avec vous sur le pont, au soleil, était pour moi une aventure si belle, si nouvelle, que je ne pouvais supporter l'idée d'y mêler mon ignoble passé.

— Vous auriez dû m'en parler », dit-elle obstinément.

Avec une certaine vivacité, il répliqua :

« Je m'attendais à ce que votre arrivée en Irlande

mît fin à nos relations. Ce n'était pas comme si je
vous avais demandé de devenir ma femme. »

Elle retira sa main d'entre les siennes et, croisant
les bras, demanda, les yeux pleins de reproches :

« Pourquoi ? Vous saviez que je vous aimais.

— Vous savez très bien pourquoi. Je n'avais rien
à vous offrir.

— Mais la dernière fois que nous nous sommes vus,
vous m'avez dit que vous viendriez un jour au Canada
pour me demander... si vous le pouviez... oh ! vous
savez ce que je veux dire ! »

Elle avait parlé avec passion, élevant la voix, de
sorte que non seulement le pasteur mais le couple
installé à l'autre bout du hall l'entendirent et la regardèrent avec étonnement.

« Chut ! fit Fitzturgis en lui serrant le genou. Ces
gens nous dévisagent.

— Ça m'est égal », répondit-elle sans abaisser la
voix.

Le hall s'emplit soudain de mouvement et de bruit ;
les invités à une réception de mariage commençaient
à arriver en foule, femmes élégantes coiffées de grandes
capelines, hommes en chapeaux haut de forme avec
des fleurs à la boutonnière. D'autres personnes se grou-
pèrent autour des guéridons, et un garçon apparut
poussant une table roulante chargée de sandwiches,
de gâteaux et de tartes aux fraises. L'atmosphère était
devenue celle d'une réunion mondaine.

« Voulez-vous prendre le thé ? demanda Adeline.

— Merci », dit-il en regardant la foule sans la voir.

Une table basse fut apportée devant eux et ils passèrent leur commande. Adeline remarqua que la main
de Fitzturgis tremblait un peu tandis qu'il soulevait
sa tasse. Mais combien son visage était calme ! Elle
s'efforça de donner au sien la même sérénité. Elle

mangeait machinalement, mais les tartelettes elles-
mêmes n'avaient pour elle aucun goût. Elle l'entendit
dire :

« Allons-nous-en d'ici, au grand air.

— Oui, c'est ça. Je monte mettre mon chapeau. »

Il l'accompagna jusqu'au pied de l'escalier et, en
l'attendant, parcourut des yeux les livres exposés dans
une vitrine. Elle redescendit au bout de quelques
minutes et s'arrêta sur la dernière marche, un bref
instant remplie d'une joie folle en le voyant là, l'air
si naturel, comme si rien de fâcheux n'avait surgi entre
eux.

« Déjà prête ? » dit-il en se tournant vers elle avec
un sourire.

Sans le lui rendre, elle répondit :

« Oui.

— Allons au Green Park », dit-il, quand ils eurent
franchi la porte de la rue.

Les promeneurs commençaient à quitter le parc.
Heureuse de fouler de nouveau de l'herbe, Adeline
se dirigea vers l'ombrage d'un chêne qui se dressait
sur une pelouse et au sommet duquel une grive chantait. Elle se laissa tomber par terre, entre l'ombre
et le soleil, si bien qu'une moitié de son visage paraissait triste et pâle et que l'autre, où se jouait le soleil,
semblait presque sourire.

Fitzturgis s'assit à côté d'elle, étendit les jambes et
ferma les yeux comme s'il retardait le moment de
regarder dans ceux d'Adeline. Elle le contempla avec
un détachement nouveau, presque comme un inconnu
qui se serait introduit dans sa vie malgré elle, pour la
troubler jusqu'au fond du cœur. Néanmoins, sa
proximité lui apportait une joie qui soulevait en elle
un conflit.

Il leva les yeux et dit :

« Vous me faites faire tout ce que je m'étais juré
de ne pas faire.

— Quoi, par exemple ?

— M'éprendre de vous. Vous donner une fausse
idée de ce que je suis. Vous suivre ici. »

Elle réfléchit à ces trois aspects de Fitzturgis :
l'amoureux, le trompeur, le suiveur. Puis elle dit :

« Vous avez fait tout cela de par votre propre
volonté.

— Non, je vous jure que j'étais incapable de me
maîtriser.

— Vous m'étonnez bien. A quoi sert un visage s'il
ne révèle pas le caractère ?

— Si mon visage révélait mon caarctère, il me ferait
horreur, dit-il entre ses dents.

— Parler ainsi, répliqua-t-elle, sur le ton de son
grand-oncle Ernest, ne mène à rien. C'est une explication que je veux.

— Une explication de quoi ?

— De la raison pour laquelle vous avez épousé Georgina Je-ne-sais-quoi.

— Je croyais l'aimer.

— Eprouviez-vous pour elle la même chose que vous
croyez maintenant éprouver pour moi ?

— C'était entièrement différent.

— Pourquoi ?

— Parce qu'elle est entièrement différente.

— Vous voulez dire qu'elle a de l'expérience ?

— En partie. Et en partie que les circonstances ne
sont pas les mêmes. Les hommes en permission étaient
irréfléchis. Ils croyaient qu'ils n'avaient peut-être pas
longtemps à vivre et se jetaient sur les plaisirs.

— Et Georgina a été l'un des vôtres ?

— Pas longtemps... Je peux vous affirmer, ma chérie,

et je veux que vous le croyiez... le sentiment que j'ai
eu pour Georgina était... »

Il fit un geste rapide du poignet et rétrécit les yeux
en fronçant les sourcils, sans terminer sa phrase. Adeline qui, dans l'emportement de son premier amour,
grossissait l'importance de tout ce qu'il disait ou ne
disait pas, se pencha vers lui, les lèvres entrouvertes,
en murmurant :

« Oui ? Oui ?

— Les comparaisons sont une sottise, continua-t-il.
Ne vous suffit-il pas que je vous aime de tout mon
être ? Georgina n'est plus que dans mon passé.

— Oh ! comme je voudrais être plus âgée ! s'écria
Adeline. On est si bête à dix-huit ans; on n'a pas de
passé; on ne comprend pas !

— A votre égard, je n'ai pas de passé non plus. Mon
amour est présent; c'est vous, et vous seule.

— N'avons-nous pas d'avenir ?

— Vous en avez un.

— Pas sans vous », dit-elle, les lèvres tremblantes.

Un peu plus loin, Adeline vit un autre couple sur
l'herbe. Ils s'étaient échappés de quelque bureau ou
de quelque magasin pour être seuls ensemble au parc.
L'homme était couché à plat dos; la jeune fille assise
à son côté; elle lui touchait les cheveux, lui caressait
les joues, lui chatouillait le cou; il recevait ces attentions avec nonchalance.

« Marchons un peu, dit Adeline.

— Ce lieu ne vous plaît pas ?

— Ces gens... »

Il se releva et regarda le couple d'un air indifférent.

« Très bien, dit-il, mais nous ne trouverons guère
d'endroit plus tranquille. »

Ils s'avancèrent sous les arbres, la chanson de la grive
les suivant.

Le soleil s'abaissait maintenant, mais sans rien perdre de son éclat; les cimes des arbres étaient prises dans un filet d'or. Le bruit des rues ne parvenait qu'assourdi. De nouveau, ils s'assirent dans l'herbe, adossés à un tronc, cette fois, côte à côte. Comme si leur conversation n'avait pas été interrompue, Adeline répéta :

« Je n'ai pas d'avenir sans vous. »

Presque violemment, il répliqua :

« Si je disparaissais de la surface de la terre à cet instant, votre vie continuerait. D'ici quelques années, moi restant en Irlande et vous au Canada...

— Vous dites que vous m'aimez et vous parlez ainsi ! s'écria Adeline.

— Je veux vous faire comprendre que je n'ai été dans votre existence qu'un incident.

— Pourquoi êtes-vous venu à Londres ?

— Pour m'expliquer.

— Vous n'avez rien expliqué du tout. Je vous aime. Vous m'aimez. Je suis disposée à vous attendre. Est-ce clair ?

— Terriblement clair, dit-il en la regardant sans la voir. Vous offrez votre jeunesse en sacrifice.

— Le diable emporte ma jeunesse ! Je suis lasse d'en entendre parler. Est-ce que nous ne pouvons donc pas en tirer un peu de plaisir ?

— Que désirez-vous faire ?

— Je voudrais aller quelque part seule avec vous. Je voudrais boire du vin et faire comme si cela pouvait durer toujours. »

Il lui prit la main et ils demeurèrent ainsi un moment sans parler. La grive, sur la plus haute branche de l'arbre, la dernière que dorait encore le soleil, chantait toujours. A l'ombre, au pied de l'arbre, il commençait à faire frais.

Fitzturgis décrivit à Adeline sa première rencontre avec Georgina Lennox, l'attraction passionnée qu'ils avaient aussitôt ressentie l'un pour l'autre et leur mariage précipité.

« Il n'y avait pas d'amitié entre nous, dit-il. Je ne recherchais en elle que quelque chose d'assez excitant pour me faire oublier la guerre.

— Et l'avez-vous oubliée ? demanda Adeline, tourmentée par la jalousie.

— Dans une certaine mesure... comme un coup de sifflet strident tout près de l'oreille pourrait couvrir le bruit d'un clairon sonné au-dehors. »

Adeline rit.

« Comparez-moi à quelque chose, dit-elle.

— A quoi vous comparer ? A la harpe d'Eole ? C'est cela ! Ou peut-être à une épée qui m'aurait transpercé.

— Oh ! Mait ! mon arrière-grand-mère vous aurait aimé !

— Vraiment ? C'est intéressant. Comment le savez-vous ?

— Je le sais, parce que, par un phénomène étrange, elle vit en moi... Mais je suis quand même différente. J'ai été élevée d'une autre manière, avec plus de douceur. »

Il l'amena à parler d'elle-même, ce dont il ne se lassait jamais. Etendu, appuyé sur un coude, il regardait son visage; la tombée du jour assombrissait ses yeux, brunissait le cuivre de ses cheveux et prêtait à sa peau la pâleur du camélia.

Elle serait restée là indéfiniment si Fitzturgis, consultant sa montre, n'avait dit :

« Il est sept heures passées. Vos oncles ne vous attendent-ils pas ? »

Tranquillement, elle répondit :

« Wake doit être au théâtre. Oncle Finch, lui, se
demandera sans doute ce que je suis devenue.

— Que désirez-vous faire ?

— Ce que vous voudrez.

— Je voudrais vous emmener dîner quelque part.
Aimez-vous le Claridge ?... Non, je n'ai pas de vêtement de soirée.

— D'ailleurs, c'est trop cher, Mait. Allons à Soho,
dans un petit restaurant que je connais. Nous pourrons
téléphoner à oncle Finch que nous y sommes. »

Fitzturgis se sentait peu enclin à annoncer une pareille nouvelle à Finch par téléphone.

« Ne ferions-nous pas mieux d'aller lui demander sa
permission à l'hôtel Brown ?

— Non. Il pourrait nous la refuser. Je veux aller
directement à Soho. »

En traversant le parc sous les arbres, à la douce
lueur du crépuscule, Fitzturgis devint terre à terre.
Il inspecta Adeline et dit :

« Vous n'êtes pas très en ordre. Il y a un morceau
d'écorce dans vos cheveux. »

Elle s'arrêta; il le lui enleva et fit tomber les brins
d'herbe accrochés à sa jaquette. Elle le laissa faire,
droite et docile. Ils poursuivirent leur chemin et tombèrent sur le couple dont Adeline avait voulu s'éloigner. Les jeunes gens étaient toujours dans la même
position, la fille plus amoureuse encore et le garçon
encore plus passif.

Une brise fraîche balayait Piccadilly. On entendait
au loin le son d'un orchestre. Fitzturgis fit signe à un
taxi et ils y montèrent comme dans un refuge secret.

« Je vais ne me faire aucun souci ! s'écria Adeline.
Je suis heureuse que vous soyez ici, même si je n'aime
pas ce qui vous y a amené. »

Il l'entoura de son bras.

« Moi aussi, je suis heureux. C'est une heure de plus à passer ensemble avant notre séparation.

— Ne parlez pas de séparation.

— Non. Parlons d'être ensemble à tout jamais.

— Ensemble à tout jamais, répéta-t-elle. Paroles merveilleuses. Elles sont comme des ailes qui permettraient de s'envoler là où rien ne peut faire souffrir.

— Dans notre bibliothèque, j'ai trouvé un vieux livre qui donne la signification des noms, dit-il. Adeline veut dire « noble fille ».

— Oh ! ça me plaît !

— Et ce nom a un second sens.

— Lequel ?

— Noble serpent. »

Elle s'écarta de lui en s'écriant :

« Non !

— Si. Noble serpent. Le serpent qui me tente.

— Oh ! ça me plaît aussi ! » fit-elle avec un rire heureux en s'appuyant contre lui.

Il mit ses deux bras autour d'elle, la serra furieusement comme s'il défiait la tentation et tout ce qui la suit pour ceux qui y succombent. Ses lèvres cherchèrent celles d'Adeline et il l'embrassa comme il ne l'avait encore jamais fait. Ils n'échangèrent plus que des phrases entrecoupées jusqu'à ce que le taxi fît halte devant le restaurant italien et que la tête du chauffeur se retournât sur ses épaules tombantes.

Le maître d'hôtel finit par leur trouver une petite table dans la salle bondée. Les bruits, les lumières, la foule enchantaient Adeline. Elle rectifia l'inclinaison du petit chapeau qu'elle avait acheté à New York pendant que Fitzturgis, calme et détaché, étudiait le menu.

« Choisissez pour moi, s'il vous plaît, dit-elle. Je ne comprends rien à ces choses-là. »

Elle l'écouta avec admiration commander le repas.
Rien d'étonnant, songea-t-elle, si le garçon l'écoute
aussi attentivement et si un second serveur se tient
prêt à prendre ses ordres... Cet Irlandais sans fortune
se comportait comme un capitaliste. Quand on eut
apporté les hors-d'œuvre, il lui sourit par-dessus la
table, et, rejetant tout ce qui l'avait inquiétée ces derniers jours, elle lui rendit son sourire. Elle avait
faim; elle se délecta des plats italiens et sirota son
vin comme si elle en avait discuté l'arôme. Excitée,
elle joignit son rire à ceux qui s'élevaient autour d'elle.

Mais au moment du café, elle devint pensive. Elle
ne trouvait rien à dire. Ils avaient beau être un couple
d'amoureux, ils étaient étrangers l'un à l'autre. Ils ne
possédaient pas de passé commun, pas de souvenirs,
pas de vieilles plaisanteries à évoquer. Fitzturgis était
de ces hommes qui ne prennent pas la peine de parler
à moins d'en avoir envie. Il sentait maintenant l'ombre
de leur séparation s'avancer vers eux. Ses yeux fixaient
le verre de bénédictine qu'il tournait machinalement
entre ses doigts. Il faillit en briser le pied quand Adeline s'exclama tout à coup avec consternation :

« Oh ! Mait ! Vous avez oublié de téléphoner à oncle
Finch !

— Bon Dieu ! c'est vrai ! Cela m'est complètement
sorti de la tête. Je vais le faire immédiatement.

— Non, dit-elle avec un petit rire. Je serais perdue
de réputation.

— C'est ma faute. Finch sera-t-il très fâché, ou bien
inquiet ?

— Ne le seriez-vous pas à sa place ? dit-elle, ses
yeux grands ouverts pleins de reproches. Si vous aviez
emmené votre nièce à Londres, qu'elle ne rentre pas
pour dîner et ne vous envoie aucun message, qu'est-ce
que vous éprouveriez ?

— Je ne crois pas que je m'en préoccuperais.

— Mait, je me demande parfois si vous êtes capable des affections les plus naturelles.

— Je me le demande aussi.

— Cela veut-il dire que vous vous sentez intérieurement dur et froid ?

— Souvent... sauf à votre égard.

— Oh ! Mait chéri », dit-elle en se penchant vers lui, souriante.

Les yeux brûlants d'amour, il dit :

« A supposer que nous ne rentrions pas...

— Ne pas rentrer... jamais ?

— Je n'ai pas dit jamais.

— Vous voulez dire si nous nous sauvions pour nous marier ? »

Les conversations de la salle devenaient assourdissantes. Elle vit qu'il avait pâli, que ses lèvres remuaient, mais elle ne put saisir ses paroles. Elle répéta sa question. Il se leva et dit :

« Je vais téléphoner », et il se faufila vers la porte à travers les tables.

A peine fut-il sorti qu'Adeline vit entrer deux personnes. Elles se dirigèrent vers elle, puis, on leur indiqua une table à une courte distance de la sienne. Les théâtres ouvrant à sept heures, on venait, à présent, souper après le spectacle. Adeline entendit une voix dire : « Voici Georgina Lennox. »

Elle aperçut alors l'actrice et, avec elle, Wakefield. Elle aurait dû prévoir la possibilité d'une telle rencontre, car c'était Wakefield qui lui avait fait connaître ce restaurant, l'un de ceux qu'il préférait.

Elle eut d'abord l'impulsion d'appeler Fitzturgis à son secours, puis, de le suivre et de s'enfuir. Se cachant le visage derrière sa main, elle sentit trembler ses genoux; son coude tira sur la nappe, et le verre de

liqueur de Fitzturgis se renversa. Immédiatement, un
garçon surgit elle ne savait d'où, épongea la nappe et
étendit une serviette propre sur la table. Adeline continuait à se masquer de sa main. Au bout de quelques
minutes, Fitzturgis revint et se rassit à sa place, tournant le dos à Wakefield et à Georgina.

« Eh bien ? demanda Adeline en abaissant sa main.

— C'était exactement ce que je supposais, mais en
pire. Il avait téléphoné aux hôpitaux.

— Mon Dieu !

— Il m'a dit ce qu'il pense de moi.

— Mait ?

— Quoi ?

— Voulez-vous que je me sauve avec vous ?

— Non.

— Pourquoi ?

— Je ne saurais que faire de vous.

— Vous voulez dire qu'il n'y a pas de place pour
moi dans votre vie ?

— Je le suppose.

— Rappelez-vous ce que vous m'avez dit il y a un
instant.

— J'avais perdu la tête.

— Mais vous pourriez m'emmener chez vous... pour
un certain temps. En ensuite, je pourrais vous ramener
à Jalna. Daddy nous pardonnerait. Vous verrez.

— J'ai mon honneur, dit-il calmement. Je vous ai
dit ce que sont mes intentions. Quand les choses iront
meux pour moi, j'irai vous trouver, si vous voulez
encore de moi...

— Je voudrai toujours de vous. »

Il lui prit la main par-dessus la table.

« Vous me rendez honteux, dit-il.

— Pourquoi ?

— A cause de votre jeunesse. De ce que vous êtes. »

Adeline s'aperçut maintenant que Wakefield et sa compagne les regardaient.

« Cette actrice que vous avez épousée est derrière vous à une table avec Wake », dit-elle.

Tournant la tête, il regarda sans surprise le dos de Georgina et demanda :

« Quand sont-ils arrivés ?

— Pendant que vous téléphoniez. Je veux aller leur parler.

— Au nom du Ciel, pourquoi ?

— Je ne peux pas l'expliquer... Oui, je veux qu'ils sachent que nous... »

Elle ne fut pas capable de trouver les mots nécessaires, mais ce fut avec un sourire qu'elle répéta :

« Je veux qu'ils sachent...

— Je n'en vois pas la nécessité. Ce ne pourrait être que pénible.

— Avez-vous fini votre liqueur ? Alors, allons leur parler. »

Il se leva avec résignation et la suivit. Quand ils atteignirent sa table, Wakefield se leva et, tendant la main à Adeline, l'attira vers lui.

« Je te présente Maitland Fitzturgis, dit-elle avec dignité.

— Quelle bonne surprise ! dit Wakefield.

— Hello, Mait », dit Georgina en tendant la main d'un geste mi-enjoué, mi-caressant comme pour dire : « Tout cela est passé; soyons bons amis. »

Il retint sa main un instant, puis la lâcha avec un sang-froid qui déconcerta Adeline. Elle se demanda ce qu'il ressentait. Si c'était de la douleur il la cachait bien. Georgina, par contre, avait l'air émoustillée. Les yeux de Wakefield allaient de l'un à l'autre avec une curiosité amusée.

« Ne voulez-vous pas vous asseoir avec nous et

prendre encore un verre ? demanda-t-il. Nous avons
tant de choses à nous dire. »

Il ne demanda pas comment il se faisait que
Fitzturgis était à Londres.

« Il faut que nous nous en allions, dit Adeline.
Nous voulions simplement vous dire bonsoir. Mait est
venu d'Irlande en avion pour me voir. »

Wakefield et Georgina accueillirent cette informa-
tion comme une chose intéressante sinon très surpre-
nante. La pensée de Wakefield ne se détournait jamais
longtemps de ses propres affaires.

« J'ai reçu une lettre de mon agent de New York,
dit-il. Il a trouvé un directeur qui s'intéresse à ma
pièce.

— Et c'est maintenant que les véritables ennuis de
Wakefield vont commencer, ajouta Georgina en faisant
palpiter ses longs cils.

— La pièce où je joue cesse d'être représentée,
continua Wakefield. Je vais partir pour New York sans
tarder.

— Et alors, tu viendras à Jalna, dit Adeline.

— Naturellement.

— C'est Daddy qui sera content de te revoir ! Tu
sais que tu avais promis de me lire ta pièce et tu ne
l'as pas fait.

— Je te la lirai demain, dit Wakefield, puis se tournant vers Fitzturgis : serez-vous à Londres demain ?

— Oui.

— Eh bien, je vous aurai avec plaisir tous les deux
comme auditoire.

— C'est une pièce merveilleuse, murmura Georgina.
Il s'agit d'un amour malheureux. Ça vous va droit au
cœur.

— Quelle réussite ! dit Fitzturgis.

— Je ne plaisante pas, dit Georgina avec une petite moue. C'est vrai.

— Je vous la lirai ce soir ! s'écria Wakefield, si vous voulez venir à mon appartement.

— J'adorerais ça, dit Adeline, mais il faut que je rentre à l'hôtel Brown. Oncle Finch doit s'inquiéter.

— Pour l'amour de Dieu ! ne me dis pas que Finch en est réduit au rôle du pauvre vieil oncle qui s'inquiète !

— Eh bien, je lui ai donné pas mal de raisons de se tourmenter », dit Adeline.

Les lèvres figées en un sourire froid, Fitzturgis se tenait un peu à l'écart.

— Vraiment, Mait, dit Georgina, tu aimerais beaucoup cette pièce. Je connais si bien tes goûts.

— Mes goûts ont changé.

— Mais tu aimes toujours l'art quand il a de la valeur. »

D'un ton contrit, Adeline s'écria :

« Votre souper refroidit ! Venez, Maitland ! »

Quand ils sortirent du restaurant, il pleuvait et, dans le taxi qui se frayait lentement passage à travers la foule des véhicules, la pluie formait un mur qui les séparait du monde et resserrait leur intimité. Mais Fitzturgis ne pouvait pardonner à Adeline de lui avoir imposé cette rencontre avec Georgina Lennox. Il était ulcéré de s'être laissé diriger par celle qu'il tenait pour un être tendre et docile. Il se la rappela sous le chêne du parc, le corps ployé vers lui, et le souvenir du parfum de l'herbe chauffée par le soleil lui rendit intolérable l'air confiné du taxi. Il ouvrit une fenêtre, fit entrer l'odeur de la pluie, et garda la tête tournée du côté du dehors. Il se sentait maintenant le plus fort des deux.

« Fâché, Maitland ? demanda-t-elle d'une voix caressante.

— Oui, répondit-il d'un ton bref, et il lui étreignit la main, d'une poigne vigoureuse.

— Je n'ai pas pu m'en empêcher. J'avais trop envie qu'elle nous voie ensemble.

— C'est sans importance.

— Mais vous êtes fâché.

— Si vous voulez savoir la vérité, je trouve votre façon d'agir plutôt bête.

— Eh bien, vous êtes franc, dit-elle en essayant de dégager sa main, mais il la retint fermement.

— Je désire oublier le passé, dit-il.

— Mais... je viens d'en être instruite.

— Eh bien, maintenant que vous m'avez vu face à face avec elle, qu'est-ce que vous en pensez ?

— Je me demande ce que vous avez bien pu trouver à aimer en elle.

— Moi aussi.

— Est-elle une bonne actrice ?

— Très bonne — dans les limites de son talent. »

Un encombrement avait arrêté la voiture. Les piétons passaient, sous leurs parapluies. Autour du taxi, la pluie tendait son rideau gris.

« Oh ! qu'on est bien, ici ! s'écria Adeline. Je voudrais que ce trajet ne prenne jamais fin !

— Voulez-vous que je dise au chauffeur de faire un petit détour ?

— Oui... Mait, le désirez-vous vous-même ?

— Je ne sais pas au juste ce que je veux, Adeline », dit-il, mais il se pencha en avant et, tapant sur la vitre, ordonna au chauffeur de faire un tour dans le parc.

Ils passèrent sous Marble Arch et s'engagèrent dans Bayswater Road; à leur gauche, les arbres s'élevaient en masses serrées sous les lumières brouillées.

Fitzturgis était tellement silencieux qu'Adeline demanda :

« Est-ce que vous vous ennuyez ?

— Ma vie m'ennuie, oui.

— Je ne pourrai jamais m'ennuyer.

— Vous avez de la chance.

— Mais je suis susceptible de souffrir et d'être malheureuse. En ce moment, je suis heureuse et aventureuse. M'avez-vous pardonné ce que j'ai fait ?

— Non.

— Etes-vous d'un caractère rancunier ?

— Je le crois.

— Avez-vous toujours envie d'aller quelque part avec moi et de ne pas revenir ?

— Non.

— Oh ! Mait ! » fit-elle en reculant dans son coin sombre.

Ils gardèrent quelque temps le silence. Il était assailli par des souvenirs de son passé. Elle n'avait pas d'autre passé que son enfance. Il revoyait une foule de gens rencontrés autrefois à Londres, en Irlande, à la guerre. Elle ne revoyait que sa famille.

Puis, il se mit à parler à bâtons rompus de Georgina, de Sylvia et de son défunt mari. Certaines des choses qu'il racontait étaient insignifiantes, mais il ne les lui avait pas encore dites et il éprouvait un soulagement à les évoquer. De celles qui avaient de l'importance, il ne parlait qu'en phrases entrecoupées qu'il complétait par des gestes expressifs.

« Mais, dit Adeline en l'interrompant, c'est drôle, vous parlez un peu comme un Français.

— L'une de mes grand-mères était Française.

— Vous vous en souvenez ?

— Parfaitement. »

Il ne pleuvait plus, mais les arbres étaient si lourds

de pluie qu'à chaque bouffée de vent ils faisaient
tomber une petite averse. Le dos du chauffeur se voû-
tait avec résignation. On voyait luire, sous les réver-
bères, les trottoirs inondés d'eau et surgir de l'obscurité les minables clôtures de bois, qui avaient, depuis
la guerre, remplacé les grilles de fer forgé.

Au fur et à mesure qu'il parlait, Fitzturgis s'apai-
sait, et Adeline gravait dans sa mémoire tout ce qu'il
disait afin d'y réfléchir dans l'avenir qui s'étendait,
mystérieux, devant elle. Quand ils eurent, pour la troisième fois, traversé un petit pont et contourné Hyde
Park Corner, Fitzturgis donna enfin au chauffeur
l'adresse de l'hôtel Brown.

Finch n'était pas dans le hall.

« Je crois que je devrais le voir et m'expliquer, dit
Fitzturgis. Je vais l'appeler au téléphone. »

Pendant qu'ils attendaient, elle demanda :

« Vous allez rester quelques jours à Londres, maintenant que vous y êtes, n'est-ce pas ? »

Il inclina la tête, les yeux fixés sur Finch qui s'avançait vers eux. Il était pâle et avait les cheveux en
désordre. Sans regarder Fitzturgis, il dit :

« J'ai reçu un câble de Renny. Oncle Ernest est
mort la nuit dernière. Il faut que nous rentrions pour
l'enterrement. J'ai pu avoir des places dans l'avion
de demain. »

XXV

RETOUR A JALNA

RENNY WHITEOAK et son fils attendaient l'avion à
l'aéroport de Montréal. Il était en retard, et ils arpen-
taient nerveusement la bande de gazon devant la salle
d'attente, scrutant le ciel, incapables de rester stoï-
quement assis comme les autres. Physiquement, aucune
ressemblance n'existait entre Archer et son père, mais
ils étaient vêtus tous les deux de complets gris avec
un brassard de crêpe sur la manche gauche. Ce signe
de deuil était devenu si inusité qu'on se retournait
pour les regarder, tantôt avec curiosité, tantôt avec
un peu d'amusement comme on regarde ceux qui ne
sont pas à la page.

« Est-ce que je pourrai annoncer la nouvelle à Adeline ? demanda Archer.

— Ne sois pas stupide. Si elle ne la connaissait pas,
pourquoi reviendrait-elle ?

— Je croyais simplement qu'oncle Finch la ramenait.

— Il a été obligé de lui dire pourquoi.

— Si j'étais dans une université à l'étranger et
qu'oncle Nicolas mourait, est-ce que tu me ferais revenir ?

— Je pense que oui.

— Et si tante Meg mourait, si oncle Piers mourait

et si tante Pheasant mourait, est-ce que tu me ferais revenir à chaque occasion ?

— Je serais probablement déjà mort moi aussi. »

Pendant qu'Archer réfléchissait à ces possibilités de voyages aériens, l'avion étincelant apparut dans le bleu pâle du ciel.

« Le voici ! » s'écria-t-il en s'élançant en avant.

L'avion descendit et atteignit la voie d'atterrissage. L'oiseau fabuleux n'était plus qu'une mécanique sans dignité à la démarche lourde, hésitante, qui finit par s'arrêter et se vider de son contenu. Les voyageurs, un instant plus tôt ficelés comme des saucissons, devinrent soudain aussi actifs que des fourmis, et, saisissant leurs bagages, se mirent en marche sans jeter un regard en arrière, se hâtant vers les plaisirs ou les souffrances qui les attendaient.

Adeline prit Renny par le bras :

« Oh ! Daddy ! comme je suis contente de te revoir !

— Oncle Ernest est mort », dit Archer.

Adeline l'embrassa, mais il se dégagea aussitôt et dit, les yeux fixés sur Finch :

« L'enterrement a lieu demain.

— Déjà ! s'écria Finch.

— Ce n'est pas trop tôt. Il y a plusieurs jours qu'il est mort. »

Prenant Finch à part, Renny lui dit :

« Ce coup a été très dur après ce que nous venions de subir. Je regrette de t'avoir fait revenir, mais... tu comprends.

— Oui. Comment est oncle Nick ? »

Le visage de Renny s'éclaira de fierté :

« Il tient le coup merveilleusement. Beaucoup mieux que je m'y attendais.

— Je suis heureux de l'apprendre. Dis-moi comment c'est arrivé.

— Eh bien, il a absolument voulu voir les ruines...

— Quelles ruines?

— Celles de Vaughanlands. La maison a été entièrement brûlée.

— Vaughanlands brûlé! s'écria Finch presque en hurlant.

— Oui. Et Clapperton avec. Comme je te le disais, oncle Ernest a insisté...

— Mais pourquoi ne l'as-tu pas dit dans ta dépêche?

— Je n'y ai mis que le plus important.

— Alors, tu disais qu'il a insisté?

— Oui. Il a insisté pour y aller et l'émotion a été trop forte. Il est mort dans son sommeil, la même nuit. »

Dans la voiture, tout en conduisant, Renny parla des arrangements qu'il avait pris pour les obsèques. Le soir vert et or allongeait les ombres dans la campagne rafraîchie par la pluie. Le soleil jouait à cache-cache derrière de petits nuages dorés, projetant ses rayons tantôt ici, tantôt là. Quand ils atteignirent Jalna, toutes les fenêtres de la maison flamboyaient, et Adeline crut un instant qu'il y avait le feu.

Renny ouvrit la porte avec une prudence calculée. Les stores baissés obscurcissaient le hall, mais les vitraux de couleur tachetaient presque brutalement le demi-jour de violet et de rouge. Un fort parfum de fleurs alourdissait l'air. Piers sortit du salon et s'avança du même air solennel qu'il prenait le dimanche en quêtant à l'église. Ses joues étaient si roses que les deux nouveaux venus y arrêtèrent leurs regards avec soulagement. Il leur prit les mains.

« Vous avez fait un bon voyage?

— Excellent, répondit Finch; pas le moindre accroc. »

Un murmure de voix leur parvenait du salon.

« Qui est là ? demanda Renny.

— Les X..., de vieux amis d'Ernest. Alayne est avec eux.

— Pouvons-nous monter, Adeline et moi ? » demanda Finch.

Renny hocha la tête et ils montèrent l'escalier sur la pointe des pieds. Dans le couloir, ils rencontrèrent Roma. Finch embrassa la joue de fleur pâle qu'elle lui tendit puis, par longues enjambées, il gagna sa chambre, au dernier étage. Il en referma la porte derrière lui et retrouva, inchangé depuis sa prime jeunesse, le décor familier qui lui avait si souvent servi de refuge. Il s'approcha de la fenêtre. Au-delà des arbres, il apercevait les toits des écuries dont le dernier rayon du soleil touchait la girouette. Il parcourut des yeux le verger et les champs riches de blé mûrissant. Sur tout le paysage semblait peser une immobilité définitive, comme si tout mouvement y avait cessé depuis la mort d'Ernest. Non qu'Ernest eût jamais fait beaucoup d'efforts au cours de sa vie; il avait joui de l'existence d'une façon plaisante et aimable. Quarante ans auparavant, il avait commencé un livre sur Shakespeare. Il en avait rédigé quelques chapitres, fruit de ses lectures sur ce sujet; quelques souvenirs sur les acteurs qu'il avait vus interpréter les rôles les plus connus formaient la seule partie originale de son manuscrit. Jusqu'à sa dernière année, Ernest s'était promis d'achever son ouvrage, bien qu'un quart de siècle plus tôt, sa mère l'en eût défié. Maintenant, l'histoire de sa vie était terminée. Il avait été le premier à naître sous ce toit où il avait passé la plupart de ses années.

« J'aurais voulu l'y retrouver toujours, chaque fois que j'y reviens », dit Finch, tout haut.

Soudain, la peur le prit d'être obligé d'aller regarder

le mort. Si on l'y forçait, il ne dormirait pas de la nuit. Non, il ne voulait pas, il ne pouvait pas supporter de le voir !

On tambourina doucement sur sa porte; il sut aussitôt à qui appartenaient ces petits doigts déliés. Il revit par la pensée Sarah frappant ainsi, et il demeura immobile, fixant défensivement la porte. Les petits doigts accélérèrent le rythme de leurs battements. Une voix aiguë demanda :

« Est-ce que je peux entrer ?

— Pas maintenant, dit Finch; je vais descendre.

— Bientôt ?

— Oui, bientôt.

— J'attendrai au pied de l'escalier.

— Bon. »

Mais il n'y eut que le silence; aucun bruit de pas. Finch écouta un instant, puis ouvrit brusquement la porte. Dennis était là, debout, pâle, blond, les mains croisées, devant lui comme pour les empêcher de tambouriner.

« Pourquoi n'es-tu pas descendu comme je t'ai dit de le faire ? demanda Finch.

— Tu ne me l'as pas dit.

— Si.

— Comment l'as-tu dit ?

— Tu m'as dit que tu descendais et j'ai répondu « bon ».

— Est-ce que je fais du mal en attendant là ?

— Non, pas exactement. Mais quand tu dis que tu vas faire une chose, il faut que tu la fasses. »

Gêné par le ton dictatorial qu'il surprit dans sa voix, Finch tapota l'épaule du petit garçon et continua :

« Ce que je veux dire est qu'il n'est pas convenable d'écouter aux portes des gens. »

Avec son petit sourire discret, Dennis répliqua :

« Mais j'aime faire ça. J'aime imaginer ce qu'ils font. Est-ce que tu m'as rapporté un cadeau d'Irlande ?

— Non.

— D'Angleterre ?

— J'en avais l'intention, mais je suis parti trop brusquement.

— Qu'est-ce que ç'aurait été si tu l'avais acheté ?

— Vas-tu t'en aller, à la fin ? dit Finch en élevant la voix. Ce n'est pas le moment de parler de cadeaux. »

Dennis commença à descendre l'escalier. Sur la deuxième marche, il se retourna et dit :

« Nous sommes supposés ne pas parler fort. »

Tremblant de rage et de fatigue, Finch versa de l'eau dans sa cuvette, se lava les mains et la figure, se brossa les cheveux et se nettoya les ongles.

Plus calme, maintenant, il descendit à la bibliothèque où l'on se réunissait avant le repas du soir. Le soleil s'était couché, mais il faisait encore clair. La pièce lui parut pleine de monde : Renny et Alayne, Piers et Pheasant, Meg et sa fille Patience, Adeline, Roma et Dennis. Et puis, oui, là, dans le fauteuil du coin, ses épais cheveux gris descendant jusqu'à son col, sa main serrée sur son menton, il y avait Nicolas. Finch crut voir gravée sur son visage toute l'histoire de sa longue vie : sa jeunesse insouciante de fils de parents riches, les orages et les passions de son âge mûr, la sérénité de sa vieillesse. Il avait dû recevoir un grand choc. Le frère auquel l'attachait une affection si vive, malgré la diversité de leurs goûts, dont il s'était parfois moqué, mais toujours avec indulgence, et auquel il n'avait, bien que plus robuste que lui, jamais pensé survivre, n'était plus. Et Nicolas, qui n'avait guère réfléchi à la mort, venait de la voir de si près qu'il sentait passer sur son front le vent glacé de l'éternité. Sa crête de cheveux gris se soulevait comme pour protester.

Finch posa les mains sur ses épaules, se pencha vers lui et l'embrassa.

« Oncle Nick... » fut tout ce qu'il fut capable de dire.

Sa sœur l'entoura de ses bras.

« Oh ! Finch, mon chéri, quels terribles jours nous avons vécus ! Ils l'ont été pour tout le monde, mais pour *moi*... imagine ce que ça a pu être pour *moi*. J'ai commencé à Vaughanlands ma vie de femme et maintenant tout est brûlé !

— Tu en as reçu un bon prix », dit Piers.

Elle lui jeta un regard plein de reproches.

« C'est bien toi, Piers, de penser à l'argent en un moment pareil !

— J'y pense tout le temps, répliqua-t-il. J'y suis obligé. »

A cet instant, la porte donnant sur la salle à manger fut ouverte par Wragge, extrêmement important dans un habit d'un noir verdâtre avec une grande cravate démodée. Il annonça le dîner à voix basse.

« Où est Wakefield ? demanda Nicolas.

— Il n'a pas pu se libérer, oncle Nick. Il espère venir d'ici peu. »

Renny souleva le vieillard et le mit debout d'aplomb. Il resta ainsi, remuant légèrement, comme un vieux chêne toujours tenu par ses racines mais qu'agite l'ouragan, et il regarda les visages pleins de sollicitude qui l'entouraient. Puis, cramponné au bras de Renny, il dit :

« Je vais très bien. » Et il clopina jusqu'à la salle à magner. C'était la première fois qu'il y entrait depuis la mort d'Ernest. Il s'arrêta derrière la chaise de son frère.

« Oncle Nick, dit Renny, on a mis là le couvert de

Finch, mais si vous préférez que cette place soit laissée vacante...

— Non, non, non, grommela Nicolas. Serrons les rangs.

— En avant marche ! fit la voix enfantine de Dennis.

— Pour ces paroles, tu vas monter te coucher immédiatement, dit Renny.

— Sans dîner ?

— Tu peux prendre du pain.

— Je n'en veux pas ! » dit le petit en se sauvant à toutes jambes.

Finch se demanda pourquoi c'était lui qui avait été choisi pour occuper la place du mort. « Moi, je ne pourrai pas manger, à cette place; Piers s'y serait assis sans émotion. » Il sentit peser sur lui le regard de Piers, se redressa et regarda ce que contenait son assiette. Soudain, il se rendit compte qu'il avait faim.

« Prenez de la sauce au raifort avec votre bœuf, oncle Nick, dit Renny.

— Merci, oui, je veux bien. J'ai toujours aimé le raifort. mais Ernest préférait la moutarde.

— Il les aimait l'un et l'autre. Les deux à la fois, dit Renny heureux d'entendre Nicolas parler aussi naturellement d'Ernest.

— Et pourtant, continua Nicolas, il se serait mieux porté en se passant des deux. Sa digestion a toujours été difficile. Je me rappelle... »

Il oublia ce qu'il se rappelait et mit un morceau de bœuf dans sa bouche.

Quand le repas fut terminé, il décida d'aller se coucher. Renny l'aida à monter, l'aida à se déshabiller et resta à son chevet jusqu'à ce qu'il s'endormît sous l'influence calmante d'un verre de whisky à l'eau. Il se pencha sur lui, regardant son haleine faire trembler

sa moustache, redoutant, à cause de la manière dont
Ernest était mort, de voir à tout instant, s'arrêter
ce souffle. Mais non, il continuait résolument, augmen-
tant de volume et s'accompagnant d'un ronflement
sonore.

Renny sortit de la chambre sur la pointe des pieds.
Dans le couloir, il tomba sur Adeline.

« Je voudrais que tu ailles de temps en temps dans
la chambre d'oncle Nick voir s'il va bien. J'ai différentes choses à faire. »

Elle s'assit sur l'appui de la fenêtre du palier, écar-
tant les rideaux pour regarder au-dehors. La nouvelle
lune, nettement découpée, ressemblait à un poignard
posé en équilibre au-dessus des arbres. Adeline était
en proïe à une fatigue telle qu'elle n'en avait encore
jamais éprouvée. Elle n'avait pas pu dormir en avion,
et ses paupières lui pesaient comme du plomb. Une
indescriptible tristesse lui serrait le cœur. Elle avait
l'impression qu'elle ne reverrait plus jamais Fitzturgis.
Elle se rappela son expression stupéfaite, incrédule,
à l'idée de traverser l'océan pour assister aux obsèques
d'un grand-oncle. Finch avait brusquement suggéré
qu'ils se fissent leurs adieux sur-le-champ. Ils l'avaient
fait sans protester. Il l'avait prise dans ses bras, leurs
lèvres s'étaient jointes, il avait murmuré quelques mots
qu'elle n'avait pas entendus et il était parti.

Il avait disparu de sa vie. Comme oncle Ernest, sa
vie était finie. De la chambre du défunt lui parvint
le son cristallin d'une pendule qui sonnait l'heure;
c'était la petite pendulette de voyage, en verre, aux
mouvements visibles, qui l'avait toujours charmée. Elle
se demanda qui la remonterait désormais. Elle savait où était rangée la clef : dans le petit tiroir du
bureau en bois d'if... Avec un sursaut, elle se rappela
l'injonction de son père et se hâta vers la chambre

de Nicolas. La porte en était ouverte et le vieillard ronflait. La douce lueur de la lune frôlait les objets de toilette alignés sur la coiffeuse; le reste de la pièce était très sombre.

Elle regagna le palier au moment où Alayne atteignait le sommet de l'escalier du pas silencieux auquel tous se contraignaient dans la maison. C'était la première expérience qu'Adeline faisait de la mort. Une soudaine envie lui vint de chercher refuge dans les bras de sa mère.

« Il est encore venu des visites, dit Alayne avec un sourire las. J'espère que ce sont les dernières.

— Je voudrais pouvoir t'aider. »

Alayne la regarda avec curiosité et demanda :

« Qu'est-ce que tu fais ici ?

— Daddy m'a dit d'avoir l'œil sur oncle Nicolas.

— Vraiment, ce n'est pas nécessaire. Ton père exagère les précautions. D'ailleurs, je serai tout près, dans ma chambre. Il faut que tu ailles te coucher, Adeline; tu as l'air terriblement fatiguée.

— Bien; je vais y aller », répondit Adeline d'une voix étranglée. Elle mit ses bras autour du cou de sa mère et elles s'étreignirent plus affectueusement qu'elles ne l'avaient jamais fait.

« Il ne faut pas que tu aies tant de peine, ma chérie, dit Alayne. Disons-nous, avec gratitude, qu'oncle Ernest n'a pas souffert. »

Adeline ne pouvait pas lui avouer que c'était la pensée de Fitzturgis qui la faisait pleurer.

Quand les derniers visiteurs furent partis, Renny et Piers restèrent un moment sur le perron dans la fraîcheur de la nuit; la lune avait disparu depuis longtemps et il faisait très noir. La lumière d'une fenêtre touchait les feuilles des arbres les plus proches, y mettant des reflets contrastant avec les ténèbres

opaques du reste du jardin. Finch sortit du hall et
vint rejoindre ses frères. Dans toutes les circonstances
malheureuses, il avait toujours l'air plus affligé que
les autres. Renny et Piers regardèrent son visage défait
avec un mélange d'ironie et d'indulgence.

« Tu ferais mieux d'aller te coucher, dit Renny.

— Je n'irai pas me coucher.

— Alors, veux-tu veiller oncle Ernest ?

— Je ne le pourrais pas, répondit Finch; ce ne me
serait pas possible.

— Bien sûr que non, dit Piers; tu es éreinté. Nous
le sommes tous... Je serai content quand tout ça sera
terminé.

— Il ne peut pas oublier ses foins, dit Renny.

— C'est une chose étrange à penser, dit Finch d'une
voix basse et rauque, qu'on rentre les récoltes et qu'à
notre tour nous soyons ramassés.

— C'est le premier enterrement à Jalna depuis celui
de Gran, dit Renny.

— Je n'oublierai jamais ce jour-là, dit Piers. Le
temps était merveilleux. Tout le pays est venu. Demain,
il n'y aura pas autant de monde.

— Je crains que non, dit Renny. Oncle Ernest était
d'un caractère réservé. Il n'impressionnait pas les gens
comme le faisait Gran. Et puis, il n'a pas vécu jusqu'à
cent ans. »

Piers bâilla et dit :

« Je rentre chez moi, mes amis.

— Sois ici à l'heure, demain matin », dit Renny.
Piers monta dans sa voiture. Les rayons des phares
balayèrent un buisson de seringa en fleur; le mouvement de l'air en apporta le doux parfum aux deux
frères demeurés debout dans l'obscurité.

« Tu dis que tu ne vas pas te coucher ? demanda
Renny.

— Je ne pourrais pas dormir.

— Viens prendre un verre. »

Devant le buffet de la salle à manger, ils burent en silence. Le portrait de leur grand-mère dans sa robe de satin jaune et celui de leur grand-père en uniforme de hussard exprimaient un bien-être indiscutable que ne reflétaient pas les visages de leurs descendants.

« Ils ont vécu à une meilleure époque », dit Renny.

Finch inclina la tête tandis que la chaleur de l'alcool le parcourait tout entier.

« C'est drôle, poursuivit Renny. J'ai fait deux guerres, j'ai souvent vu mourir, mais j'ai toujours la même crainte, la même horreur de la mort. Ne le répète pas à Piers, mais je voudrais pouvoir me cacher dans les bois jusqu'à ce que tout cela soit terminé. C'est une sorte d'instinct physique que je ne saurais expliquer.

— Et cependant, c'est toi qui t'occupes de tout, qui tiens à ce que les choses se passent convenablement.

— Naturellement.

— Et c'est toi aussi qui suggères que je passe la nuit dans cette chambre... dit Finch en élevant un peu la voix.

— Oui. »

Finch avait avalé son second verre beaucoup trop vite. Ses pensées devenaient confuses; il entendait dans ses oreilles le bruit de la mer. Le visage de Renny prenait à ses yeux l'air cruel de celui d'un faucon.

« Si tu allais te coucher maintenant, dit Renny, tu dormirais comme un plomb. Allons, viens. »

Il prit Finch par le bras. Celui-ci, tout en disant : « Non ! » se laissa entraîner vers la porte.

Dans le hall, Renny s'arrêta soudain en voyant un rai de lumière filtrer sous la porte de la chambre d'Adeline qui avait été autrefois celle de son arrière-grand-mère.

« Bon Dieu ! s'écria-t-il, elle ne devrait pas coucher là toute seule ! »

Il frappa à la porte. Pas de réponse. Il ouvrit doucement. Dans sa chemise de nuit blanche, Adeline était étendue, par-dessus les couvertures, les pieds réunis, et un bras devant les yeux.

« Comme elle a grandi ! s'exclama Renny. Comme elle est grande ! »

Elle abaissa son bras et les regarda sans surprise.

« Tu ne devrais pas être toute seule, dit Renny. Tu aurais dû prendre la chambre d'amis.

— Mummy m'a proposé de coucher dans sa chambre mais j'ai préféré rester ici.

— Il faut que tu montes, dit Renny en la soulevant et en la mettant sur son séant.

— Daddy, dit-elle, je veux voir oncle Ernest. Maintenant, je ne pourrais pas m'endormir sans l'avoir vu. »

Suivi de Finch, Renny la conduisit de l'autre côté du hall où se trouvait la chambre mortuaire. Il en ouvrit la porte. Au premier moment, Adeline ne vit que des fleurs : des gerbes et des croix s'amoncelaient sur les tables, sur le cercueil, remplissant la pièce du parfum amoureux de leurs roses et de leurs lis. Puis, elle aperçut Ernest, les cheveux bien peignés, les vêtements immaculés comme de son vivant, mais son teint rose devenu d'une pâleur de cire. Il souriait d'un petit sourire secret qu'elle ne lui avait jamais vu.

Elle le contempla très calmement. Ce n'était pas le cher vieil homme sur les genoux duquel elle avait sauté dans son enfance, ce n'était pas l'oncle Ernest si désireux de lui voir épouser Maurice. C'était un étranger. Aussi irréel que les fleurs irréelles qui l'entouraient.

« Il a l'air extraordinairement naturel, n'est-ce pas ? dit Renny.

— Oui », murmura-t-elle. Puis, au bout d'un instant : « Je voudrais m'en aller maintenant.

— Quel beau vieux visage, dit Finch, et se penchant, il baisa Ernest sur le front.

— Oui, dit Renny, et il avait une belle nature. Aucun Whiteoak n'a jamais eu un caractère d'une telle douceur. »

Ils passèrent dans le hall et refermèrent la porte derrière eux.

« Te sens-tu mieux ? demanda Renny.

— Oui, j'irai coucher dans la chambre que tu voudras. »

Il la fit monter à la chambre d'amis pendant que Finch gagnait, d'un pas mal assuré, le dernier étage.

Alayne, en robe de chambre, parut à la porte de sa chambre.

« Cette enfant a décidé de coucher, après tout, dans la chambre d'amis, dit Renny.

— C'est ce que je lui avais demandé de faire, mais elle avait refusé, dit Alayne du ton détaché de l'extrême lassitude.

— Eh bien, elle voit maintenant que tu avais raison. »

Docile, entre ses deux parents, dans sa longue chemise de nuit blanche, Adeline les regarda faire la couverture, taper l'oreiller et lui préparer un nid. Quand elle s'y fut blottie, elle les regarda avec confiance, avec amour, comme lorsqu'elle était toute petite.

XXVI

LE GLAS SONNE POUR ERNEST

Bien qu'il eût maintenant soixante-dix-huit ans, Noah Binns insista non seulement pour sonner le glas mais aussi pour creuser lui-même la tombe d'Ernest. Il avait déjà bien avancé la veille sa besogne de fossoyeur, par un temps d'une agréable fraîcheur, de sorte que ce matin, il ne lui restait qu'à approfondir un peu la tombe et à lui donner une forme.

Debout dans la cavité qui sentait bon la terre, il se dit combien il était remarquable qu'en dépit de toutes les inventions modernes, on n'eût rien trouvé de mieux qu'une tombe pour les restes d'un homme. Il en fit l'observation au jeune Elmer Chalk qui lui avait succédé en qualité de fossoyeur.

« Il n'y a rien de mieux qu'une tombe, dit-il. C'est très supérieur à l'incinération.

— Moi, j'en tiens pour l'incinération, dit Chalk; c'est plus propre.

— A mon avis, les cendres, c'est sale. Qui est-ce qui a envie de n'être qu'une poignée de cendres ? Je veux qu'on me laisse conserver ma forme aussi longtemps que possible.

— Combien de temps pensez-vous qu'elle puisse se conserver ? »

D'un geste de son pouce noir de terre, Noah indiqua les autres tombes de la concession en disant :

« Si vous ouvriez celles-ci, vous seriez étonné. Vous trouveriez le capitaine Whiteoak, la vieille dame, sa femme; leur fils Philip et ses deux femmes; son fils Eden et trois bébés, tous tout habillés. »

Impressionné malgré lui, Chalk dit néanmoins :

« Je préfère l'incinération. Que dites-vous du risque d'être enterré vivant ?

— Sauf les bébés, j'ai vu tous ces gens-là, et ils étaient bien morts, je vous le garantis. »

Son travail achevé, le vieux Binns s'appuya sur sa bêche, à bout de forces. Le jeune Chalk était parti, et seuls les battements d'ailes des oiseaux, en quête de nourriture pour leurs petits, troublaient le grand silence du cimetière. Il fallait se dépêcher de rentrer, manger un morceau, se laver et revenir pour sonner le glas. Noah jeta sa bêche, posa les mains sur les deux côtés de la tombe et se prépara à en sortir. Mais il n'y réussit pas. Le trou était trop profond et ses bras trop fatigués. A maintes reprises, il se souleva et à chaque effort, son corps lui paraissait plus lourd et ses bras plus faibles. Il commença à se sentir pris au piège. Désespérément, mais d'une voix débile, sa bouche grande ouverte laissant voir son unique dent noire, il se mit à appeler au secours. Au début, ses cris effrayèrent les oiseaux, mais ils s'y habituèrent et un rouge-gorge femelle vint tranquillement chercher des vers dans la terre amoncelée à côté de la tombe.

Noah était prêt à s'effondrer d'épuisement quand la peur lui fit lancer un fort et rauque dernier appel. Il entendit des pas, d'abord sur le gravier, puis sur l'herbe, et, levant les yeux, il vit avec un soulagement mêlé de contrariété, approcher Renny Whiteoak. Il aurait préféré être sauvé par n'importe quelle autre personne.

Une fois tiré de la fosse, sans dire merci, il ramassa sa bêche et sa veste et prit en clopinant le chemin de sa demeure.

Par une étrange coïncidence, le veston noir qu'il revêtit pour l'enterrement lui avait été donné par Ernest Whiteoak. Noah trouvait qu'il avait très bon air avec cet habit-là, et quand il se fut lavé et restauré, il se regarda avec complaisance dans le petit miroir de sa cuisine. Le temps était redevenu chaud, et le vieux sacristain fut aussi reconnaissant qu'il lui était possible de l'être à l'obligeant voisin qui se rendait à l'église en voiture et qui l'y emmena avec lui. Il se sentait très en forme quand ils y arrivèrent. Déposant son chapeau noir sur un banc du vestibule, il examina attentivement la corde de la cloche comme s'il craignait qu'elle ne fût pas assez résistante pour supporter l'énergique traction dont il se sentait capable. Tout en haut du clocher, il voyait la cloche de bronze qui l'attendait pour sonner le glas.

Les relations entre Noah Binns et cette cloche étaient particulières. Il lui attribuait un caractère fier, hautain et obstiné que lui seul savait vaincre. Lui seul pouvait, à volonté, la faire parler, lui imposer la joie ou la tristesse. Il leva vers elle un regard autoritaire et dur.

« Quatre-vingt-quinze coups que je vais sonner pour le vieux monsieur. Quatre-vingt-quinze, même si ça doit me tuer. Pour sa vieille mère, j'en ai sonné cent un et j'en ai eu du lumbago pendant une semaine. Trente et un que j'en ai sonné pour son neveu Eden. Et un seul pour chaque bébé. Heureusement qu'ils n'ont pas tous vécu. Il y en a déjà bien trop, de ces gens-là. »

Il se redressa, cracha dans ses paumes et saisit la corde. Il tira fort, mais la cloche ne fit entendre qu'un grognement indistinct. Noah découvrit sa dent de colère et apostropha la cloche en tirant sur la corde de toutes ses forces :

« Veux-tu marcher, saleté ! veux-tu marcher ! »

Il dut avoir tiré trop fort, car la cloche se mit à osciller violemment dans le clocher, son battant semblable à une langue insolente. A la fin, il réussit pourtant à lui faire chanter les lentes notes sonores du glas, chacune mourant au-dessus des champs avant que fût frappée la suivante. Noah les comptait tout haut, bien qu'il ne pût entendre sa propre voix.

Le glas était si lent que de petits oiseaux, effrayés par une note, avaient le temps de s'envoler du toit de l'église, d'en faire le tour et de revenir se poser, avant que retentît une autre note.

Vêtu de ses habits du dimanche, le jeune Chalk vint demander :

« Ça va ?

— Très bien.

— Voulez-vous que je vous donne un coup de main ?

— Taisez-vous. Vous me faites perdre mon compte. »

L'église commençait à se remplir de monde, quand le corbillard et les voitures de deuil apparurent. Renny, Piers, Finch et Nooky soulevèrent le cercueil, gravirent le sentier escarpé et s'approchèrent lentement de l'église, la cloche rythmant leurs pas. Dans le vestibule, Renny tourna la tête pour regarder Noah qui accélérait la cadence de ses tractions afin d'atteindre le chiffre de quatre-vingt-quinze coups qu'il s'était promis. Il obéit à contre-cœur au signe de tête par lequel Renny lui enjoignit de s'arrêter.

La procession passa devant le bénitier installé pour le baptême d'Ernest. Il y avait presque un siècle que son petit corps d'enfant avait été aspergé, dans les bras du pasteur, que ses parrain et marraine avaient en son nom renoncé au diable et à ses œuvres, aux vanités de ce monde et aux appétits de la chair. Maintenant, il reposait dans son cercueil devant les marches de l'autel.

Mr. Fennel était d'aspect âgé et fragile, mais ce fut d'une voix claire et forte qu'il prononça :

« Je suis la résurrection et la vie, dit le Seigneur; celui qui croit en moi, même s'il est mort, vivra, et quiconque vit et croit en moi ne mourra jamais ! »

Nicolas s'était avancé très lentement dans la travée, soutenu par le bras robuste du fils de Piers, Philip. Il s'était assis d'un mouvement prudent sur le banc et avait appuyé sa tête grise sur la main où la lumière faisait chatoyer la lourde chevalière qu'il portait toujours. Alayne, assise à côté de lui, posa la main sur son bras et au bout d'un moment, il la prit dans la sienne. On chanta l'hymne préféré d'Ernest : « Conduis-moi, ô lumière », et les assistants défilèrent par deux ou trois devant la bière ouverte. Nicolas qui avait regardé une dernière fois son frère avant de quitter la maison, tendit le cou pour jeter un ultime regard sur son profil.

Les porteurs soulevèrent le lourd cercueil et le service religieux continua auprès de la tombe.

XXVII

DANS LA CUISINE UNE FOIS ENCORE

L'ÉTÉ était passé et, réalisant les prédictions de Noah
Binns, il avait été chaud. Faute de pluie, la terre était
dure et l'herbe sèche. Il fallait donner aux bestiaux
des aliments supplémentaires, tant les pâturages étaient
brûlés. Les grains du blé étaient petits, les pommes
moins grosses que de coutume, mais, dans l'ensemble,
les récoltes étaient bonnes et le soleil avait favorisé le
développement des jeunes animaux. Wright, en train
de prendre le thé dans la cuisine avec les Wragge,
se déclarait très content de l'état des poulains de
l'année.

« Je n'en ai jamais vu d'aussi beaux que ces
quatre-là. Cela m'étonnerait si le patron ne les vendait
pas un très bon prix.

— Ils ont, en effet, l'air florissants, dit Mrs. Wragge.

— Vous êtes allée les voir ? demanda-t-il, surpris, sa
tasse à mi-chemin de sa bouche.

— Pourquoi pas ? je suis capable de marcher, n'est-ce
pas ?

— Eh bien, ce n'est pas souvent que vous sortez de
la maison

— Miss Adeline l'a traînée les voir, intervint Wragge, sans cela, elle n'y serait jamais allée.

— Je regrette de ne pas avoir été là, dit Wright. J'aurais aimé vous faire les honneurs de l'écurie. Avez-vous vu notre jolie petite pouliche de deux ans ?

— Oui.

— Elle doit être entraînée pour la course de King's Plate.

— C'est comme ça que l'argent file.

— Qui ne risque rien n'a rien. »

L'air sceptique, Mrs. Wragge dit :

« Si le patron a envie d'élever des chevaux de concours, qu'il le fasse. S'il veut élever des grands sauteurs, je veux bien. Mais des chevaux de course... jamais ! C'est bon pour les gens riches.

— Vous ne le tenez pas pour un homme riche ? demanda Wright.

— Pas avec ce que l'argent vaut de nos jours.

— Mais voyez tous les employés qu'il a !

— Oui. Regardez-nous. C'est ce que je dis à mon mari. Nous pourrions être payés bien davantage ailleurs. Et vous aussi.

— Je suis content comme je suis, dit Wright.

Du ton d'un homme qui se place à un point de vue intellectuel élevé, Wragge dit :

« Nous sommes des gens routiniers. Ma femme serait perdue dans une cuisine moderne. Pourrais-je me passer des incommodités dont j'ai l'habitude ? Non. L'habitude, c'est tout. » Il cligna de l'œil à Wright. « Qu'est-ce que je ferais si je me trouvais tout à coup en possession d'une femme svelte ? Rien. J'en serais stupéfié. »

Le double menton de la cuisinière fut secoué de son rire :

« Et ce serait bien fait », dit-elle.

On entendit frapper à la porte extérieure. Elle
s'ouvrit aussitôt et la tête de gargouille de Noah Binns
se montra. L'hospitalière Mrs. Wragge lui cria d'entrer,
ce qu'il fit en descendant l'escalier avec une difficulté
simulée.

« Des escaliers, ronchonnait-il, partout des escaliers.
On dit qu'il y en a un tout en or pour monter au
Ciel. Pourquoi pas un trottoir roulant ? ça éviterait de
la peine aux gens.

— C'est comme ça qu'on descend en Enfer, dit
Rags, pendant que le vieux se laissait tomber sur une
chaise. On s'assied tout bonnement sur son derrière et
on y arrive en glissant tout doucement. »

Mrs. Wragge versa une tasse de thé à Noah en
disant :

« C'est la première fois que je vous vois depuis
l'enterrement. »

Il prit une épaisse tartine beurrée avant de répondre :

« Je ne suis plus l'homme que j'étais. Quarante-neuf
fois que j'ai tiré sur cette corde sans qu'elle m'obéisse.
On aurait dit qu'elle le faisait par méchanceté. Je
commençais à en avoir raison quand le colonel
Whiteoak m'a ordonné de cesser. Bon sang ! ce que cet
homme peut avoir l'air mauvais !

— Je ne veux pas entendre dire du mal de lui »,
dit Wright.

Ignorant cette interruption, Noah continua :

« Alors, je me suis arrêté tout en me sentant la
force de sonner autant de coups qu'il avait d'années.

— Ça vous aurait probablement tué, dit la cuisinière. Prenez encore une tasse de thé. »

Il poussa sa tasse vers elle à travers la table et jeta
un œil concupiscent sur son abondante poitrine.

« Ne croyez pas que j'en serais mort, dit-il en s'em-

parant d'une tranche de gâteau. Ça me fatigue beaucoup, mais je mange du germe de blé et des carottes
crues, et je suis de nouveau d'attaque pour le prochain
enterrement.

— Des carottes crues avec une seule dent ! s'écria
Rags.

— Je vous croyais à la retraite, dit Wright.

— Je le suis, sauf quand il s'agit de gens de plus de
quatre-vingt-dix ans. »

Mrs. Wragge se tapota les cheveux, balaya les
miettes de la table du plat de la main et dit :

« J'ai invité Mr. Raikes à venir nous voir.

— Je voudrais bien savoir où tu l'as rencontré ? dit
son mari.

— Ah ! ça t'intéresse ? répliqua-t-elle avec un regard
plein d'audace.

— Je doute qu'il vienne, dit Wright. Il commence
à beaucoup se gober, ce coco-là.

— Et pourquoi, bon Dieu ? demanda-t-elle.

— Eh bien, il paraît qu'il passe la plus grande partie
de son temps dans le bungalow avec Mrs. Clapperton.

— Voyons ; ne soyez pas mauvaise langue. Il travaille pour elle à déblayer les décombres.

— *Lui,* travailler ! Ah ! laissez-moi rire !

— Vous autres hommes, vous êtes tous jaloux de lui
parce qu'il est beau garçon, dit Mrs. Wragge.

— Je peux ne pas être beau, dit Wright, mais je
n'aimerais pas changer de figure avec ce type-là.

— Les femmes ne font attention qu'au physique,
dit Rags... c'est pour le mien que Mrs. Wragge m'a
épousé, ajouta-t-il en plaisantant.

— Il m'a fait sa demande dans l'obscurité, riposta
sa femme.

— On dit que Tom Raikes a l'intention de prendre
la suite de Mr. Clapperton, dit Wright.

— En voilà un culot ! » dit Rags avec envie.

Une ombre tomba sur la fenêtre et la compagnie, levant les yeux, aperçut les jambes de Raikes. Un instant après, on entendit frapper doucement à la porte.

« Entrez ! » cria la cuisinière en se tapotant de nouveau les cheveux.

Il dit aimablement bonjour et s'assit à la table. Mrs. Wragge jeta un morceau de sucre supplémentaire dans sa tasse, ce que voyant, Noah tendit aussitôt sa mains noueuse vers le sucrier.

« Et comment va le vieux monsieur ? demanda Raikes à Mrs. Wragge.

— Il se porte très bien, répondit-elle. Je pensais que le choc allait le tuer, mais il mange bien, il dort, et il fait ses petites plaisanteries presque comme avant.

— Il est toujours le même, ajouta Rags. Mr. Ernest lui manque, il nous manque à tous. Je ne lui ai jamais entendu dire un mot plus fort que l'autre.

— Ils sont morts tous les deux, lui et Clapperton, dit Wright, mais je ne crois pas me tromper en disant que Mr. Ernest est allé au Ciel et Clapperton en Enfer.

— Ah ! il ne faut pas dire ça, objecta Raikes. Nous avons tous nos défauts.

— Cet homme, dit Wright en tapant sur la table, a bouleversé le pays comme personne d'autre ne l'a fait.

— Vous voulez dire bouleversé cette maison. Il n'y a que les gens d'ici que ses bungalows ont gênés. Et j'ai une nouvelle à vous annoncer. Mrs. Clapperton a vendu la ferme Black à quelqu'un qui va bâtir soixante petites maisons, toutes pareilles.

— Le diable l'emporte ! s'écria Wright. Et que va devenir Vaughanlands ?

— Mrs. Clapperton ne l'a pas encore décidé, dit Raikes. On lui a fait plusieurs offres.

— Encore toute une poussée de bungalows, je parie.

— Ça ne m'étonnerait pas.

— Cette propriété-ci deviendra inhabitable, dit Wright d'un air sombre.

— Je doute que Mrs. Clapperton veuille reconstruire une grande maison, bien que beaucoup de bons matériaux puissent être sauvés, dit Raikes en remuant pensivement le sucre dans sa tasse.

— Comment ça lui plaît-il de vivre dans ce petit pavillon à côté des Barker ? demanda Mrs. Wragge.

— Ah ! elle s'y plaît beaucoup.

— Et sa sœur ?

— Je n'en suis pas aussi sûr. C'est une étrange fille », dit Raikes avec un sourire énigmatique.

Dennis apparut, descendant lentement l'escalier qui communiquait avec le hall.

« Eh bien, mon bonhomme, qu'est-ce que tu veux ? demanda la cuisinière.

— Quelque chose à manger, répondit-il.

— Tu mangeras quand ce sera l'heure, dit-elle d'un ton peu encourageant.

— J'ai faim maintenant.

— Je suis trop occupée. File. »

Il s'assit sur une marche. A voix basse, Mrs. Wragge dit :

« Il n'a pas son pareil pour rôder et écouter ce qu'on dit. Je ne le comprends pas bien, ce gosse-là. »

Rags apporta sur un plat un gâteau au petit garçon et dit :

« Tiens, prends-en un morceau et va-t'en. »

Dennis regarda le gâteau et dit :

« Je n'aime pas celui-là.

— Tu dis ça rien que pour nous ennuyer.

— Non. Franchement. J'aime le gâteau au chocolat.

— Il n'y en a pas, dit la cuisinière d'une voix forte. Alors, remonte et ferme la porte du hall.

— Je ne vous écoutais pas.

— Hohoh ! dit-elle en se tournant vers lui. Eh bien, si tu me répètes une phrase que nous avons dite, tu auras un morceau de gâteau au chocolat.

— Et alors vous me traiteriez de menteur, n'est-ce pas ? »

Tous les témoins de ce dialogue se mirent à glousser de rire.

« Pas moyen de te prendre au piège, hein, Dennis ? » dit Wright.

Dennis remonta l'escalier à quatre pattes et, parvenu en haut, claqua la porte.

« Il a quelque chose de sournois, dit Rags.

— Je n'ai jamais aimé les enfants », dit Noah; il s'essuya la bouche sur sa manche et ajouta : « Il en faut; on ne peut pas les éviter, mais qu'on les tienne à l'écart, que je dis.

— J'aime ce qui est jeune », dit Raikes avec son doux sourire.

Au bout d'un moment, il se leva, remercia Mistress Wragge et partit. Il se rendit tout droit au bungalow où habitaient les deux sœurs. En voyant le visage de Gem à la fenêtre, le sien s'éclaira. Il lui fit signe de la main; elle y répondit et vint lui ouvrir.

« Althea est sortie pour une heure », murmura-t-elle tout contre sa joue.

Il verrouilla quand même la porte.

« Pourquoi fais-tu cela ? demanda-t-elle, comme contrariée.

— Je n'aime pas qu'elle entre sans frapper.

— Nous ne ferons rien de spécial. Que pensera-t-elle en trouvant la porte verrouillée ?

— Je me fiche pas mal de ce qu'elle pense.

— Moi, je suis obligée de vivre avec elle.

— Bon, dit-il, je vais rouvrir le verrou. »

Il le fit, après quoi il s'assit.

« Tu ne t'asseyais pas, avant, devant une dame debout. »

Il appuya sur elle un regard qui fit vibrer tous ses nerfs.

« Tu n'es plus une dame, à présent.

— Qu'est-ce que je suis ?

— La femme que j'aime le plus au monde.

Elle vint s'appuyer contre lui, languissante. Il l'enveloppa de ses bras et leva sur son visage des yeux remplis d'adoration.

« Oh ! j'aime cette petite pièce ! s'exclama-t-elle. Tu ne te figures pas, Tom, ce que c'est pour moi que de me sentir libre. Cette maison a beau être petite, j'y respire. Je suffoquais tellement dans la grande maison que je suis contente qu'elle ait brûlé. »

Elle se mit à arpenter la chambre qu'encombraient les meubles volumineux de Vaughanlands. Le visage d'Eugène avait soudain surgi entre eux et, un instant, la pitié lui serra le cœur.

« Ne crois pas que je ne le regrette pas, dit-elle d'une voix enrouée.

— Bien sûr. Moi aussi. C'était un homme estimable.

— Et je lui suis reconnaissante.

— Naturellement. Moi aussi. Ah ! il avait de la bonté !

— Il m'appelait « Fifille » et moi je l'appelais... non, je ne peux pas le dire.

— Vas-y ; dis-le-moi.

— Non », dit-elle d'un ton bref.

Un sourire malicieux éclaira le visage sombre de l'Irlandais.

« Je parie que je le sais, dit-il.

— Tu le chercherais toute la nuit que tu ne le trouverais pas. Ce nom a été enterré avec lui.

— Pauvre homme, il avait ses ennuis...

— Mieux vaut sans doute qu'il soit mort. Je n'aurais pas pu continuer à vivre avec lui.

— C'était une vieille perruque », dit Raikes avec sérieux.

Elle éclata de rire, oubliant sa tristesse.

« Qu'est-ce qu'il y a de drôle ? demanda-t-il.

— Ta façon de parler !... Tu es irrésistible. »

La sonnette tinta faiblement dans la cuisine. Surpris, ils regardèrent la porte d'entrée. Raikes se leva et l'interrogea des yeux.

« Non », fit-elle tout bas.

Raikes éteignit la cigarette qu'il venait d'allumer, la poussa sous le divan et prit son chapeau. La sonnette tinta de nouveau. Gem alla ouvrir.

Finch Whiteoak, tête nue, se tenait, grand, mince, dans le jardinet du devant fleuri de pétunias roses. Ce n'était pas la première fois qu'ils se rencontraient depuis la mort d'Eugène Clapperton. Ils s'étaient déjà vus parmi les ruines de la maison brûlée; il lui avait brièvement exprimé sa sympathie et s'était échappé, trop conscient des bruits qui couraient sur elle. Maintenant, il entra d'un air décidé. Raikes, son chapeau à la main, attendait avec déférence d'être congédié.

« Je suppose que vous connaissez Tom, dit Gem après avoir salué Finch. Il s'occupe pour moi de la propriété.

— Oui, je le sais. Ce doit être une rude tâche que de tout remettre en ordre.

— Ah ! je n'ai pas trop de mal, dit Raikes. La terre est louée à un très bon fermier. La difficulté est de se débarrasser des décombres .

— Asseyez-vous donc, dit Gem à Finch, agitée de recevoir une visite dans ce minuscule logis. Il me semble être un paysanne dans sa chaumière. dit-elle en riant. Je devrais essuyer votre chaise avec mon tablier. »

Finch s'assit et regarda autour de lui. Il se demanda comment les deux sœurs pouvaient vivre dans un espace aussi restreint avec une telle quantité de grands meubles. Gem suivit son regard et dit :

« Je vais vendre tout ce mobilier et acheter des choses convenant à de petites pièces.

— Vous allez donc rester ici ? demanda-t-il avec étonnement.

— Oui; un certain temps. Après cela, je voudrais voyager... retourner au Pays de Galles. Mais je garderai cette maisonnette. Depuis la construction des bungalows, j'ai toujours eu envie d'en habiter un au lieu de cette grande maison.

— Allez-vous garder toute la propriété ? demanda Finch, étonné qu'elle pût demeurer aussi près de l'endroit où son mari avait péri si tragiquement.

— Sans doute la ferme et le terrain où Eugène projetait d'élever son village modèle. Mais je ne construirai plus. Je déteste ça.

— Alors, pourquoi, demanda Finch avec reproche, avez-vous vendu la ferme des Black à un entrepreneur de construction ? Cette nouvelle nous a donné un rude coup, à Jalna, vous savez. »

Elle se tourna vivement vers Raikes, resté debout, comme pour lui demander de répondre à sa place.

Il le fit, d'un ton conciliant :

« Mrs. Clapperton a pensé, monsieur, que construire sur le terrain des Black ne pouvait vous gêner vu qu'il y a plusieurs champs et un boqueteau qui le séparent de Jalna. »

Ignorant Raikes, Finch demanda à Gem :

« Pourquoi n'avez-vous pas donné à mon frère la première chance d'acheter ce terrain ? »

Elle fit, de nouveau, des yeux, appel à Raikes qui répondit :

« Mrs. Clapperton avait besoin d'argent comptant, monsieur. »

Les joues de Finch s'empourprèrent. S'adressant toujours à Gem :

« Qu'est-ce qui vous a fait croire que mon frère ne pourrait pas vous payer comptant ?

— Je ne sais pas », dit-elle, puis, comme pour cacher son embarras, elle dit à Raikes :

« Asseyez-vous, Tom. » Et elle ajouta en s'adressant à Finch : « Tom Raikes m'a été d'un grand secours dans tous mes ennuis. »

Raikes eut un sourire plutôt niais, s'assit au bord d'une chaise et posa son chapeau sur ses genoux. Gem reprit :

« Tout est très difficile pour une femme seule. Althea n'a aucun sens des affaires.

— Eh bien, dit Finch, c'est au sujet d'une affaire que je suis venu, et j'aurais préféré vous parler en tête à tête, mais, naturellement, si vous... »

Il hésita.

« Vous pouvez parler, dit-elle avec un coup d'œil effronté. Tom comprend tout.

— Je suis venu vous demander si vous me vendriez ce qui reste de la maison et toute la terre.

— Mais qu'est-ce que vous en feriez ? » demanda-t-elle, étonnée.

Avec un rire juvénile, Finch répondit :

« Oh ! je louerais la ferme, comme vous, et je me servirais des matériaux de l'ancienne maison pour en bâtir une nouvelle.

— Et vous y habiteriez ?

— Oui.

— Mais vous êtes absent la plus grande partie de l'année ?

— Je désire faire moins de tournées et posséder une maison à moi où je puisse composer de la musique. J'en ai assez de jouer en public.

— Seigneur ! comment pouvez-vous dire cela ! Je donnerais mon âme pour avoir un talent quelconque qui me vaudrait la moindre célébrité ! Il me semble injuste que deux de mes sœurs soient douées — Molly pour le théâtre et Althea pour la peinture — et moi, pour rien du tout ! Si j'avais du talent, je voudrais autant de publicité que possible !

— Probablement, dit Finch. Ne croyez pas que je n'aie pas joui de mes succès. Mais il vient un moment où l'on a envie d'indépendance.

— Et vous vivriez seul à Vaughanlands ?

— Oui.

— Et Humphrey Bell dans sa petite maison, et moi seule dans la mienne ! »

Elle rit. Soudain grave, Finch demanda :

« Avez-vous fixé un prix pour la propriété ? Je veux dire la propriété tout entière : la ferme, les terres, les bungalows, la maison et les jardins ?

— Je vendrais le tout, sauf ce bungalow-ci, pour... »

Elle regarda Raikes.

Les lèvres de l'homme se durcirent et formèrent un chiffre supérieur à celui qu'ils avaient précédemment envisagé. Ce dialogue muet n'échappa pas à Finch.

« Trente mille dollars, dit-elle presque agressivement.

— Si je vous payais comptant, vous contenteriez-vous de vingt-cinq mille ? »

De nouveau, elle interrogea Raikes du regard. Il inclina la tête.

« Oui », dit-elle.

En quelques minutes, le marché fut conclu, et Finch

quitta le bungalow enchanté. Comme la porte se refermait sur lui, Raikes lança son chapeau au plafond et le rattrapa sur sa tête. Coiffé tout de travers, il sourit à Gem avec satisfaction :

« Bon travail ! dit-il comme en se félicitant.

— Oh ! Tom ! s'écriait-elle en lui jetant les deux bras autour du cou. Quelle masse d'argent nous avons !

— Ce que je voudrais savoir, dit-il d'un ton maussade, est quand nous allons nous marier.

— Pas avant un an.

— Je ne patienterai pas au-delà du printemps prochain.

— Que diront les gens ?

— Rien de pire que si nous attendions un an. Allons, dis que tu m'épouseras au printemps. »

Elle venait de sceller leur accord par un baiser, quand ils entendirent Althea et son chien s'approcher de la porte. Raikes lâcha Gem et se glissa dans la cuisine. Quand la porte s'ouvrit, Gem vit la lune briller au-dessus de l'épaule d'Althea. Le grand danois réclama son souper par un aboiement énergique.

« Il fait une soirée divine, dit Althea. J'ai croisé Finch Whiteoak et il m'a dit que tu lui avais vendu la propriété. Es-tu contente qu'il l'achète ?

— Eh bien, il me plaît de faire quelque chose qui donne satisfaction à la famille Whiteoak.

— Que supposes-tu qu'ils penseront quand tu épouseras Tom ? Tu vas le faire, n'est-ce pas ? »

La stupeur figea Gem. Althea mentionnait si rarement le nom de Raikes, et quand elle le prononçait, c'était d'habitude d'une voix contractée et tremblante. Maintenant, elle posait cette question du ton le plus naturel.

Ce fut Gem dont la voix trembla quand elle dit :
« Qu'est-ce qui te le fait croire ?

— Eh bien, si j'aimais assez cet homme pour lui faire passer la nuit dans ma chambre, je l'épouserais. »

Elles se regardèrent l'une l'autre avec une soudaine antipathie.

« Comment sais-tu qu'il vient la nuit dans ma chambre ?

— Ne me demande pas d'entrer dans les détails, dit Althea avec un petit sourire.

— Une chose est certaine, dit Gem d'un ton furieux, il n'est jamais entré dans ma chambre qu'après la mort d'Eugène.

— Mais il faisait l'amour avec toi.

— Je suis de chair et de sang, et je serais devenue folle si je n'avais rien eu pour me faire oublier Eugène... Je l'aime. Tu ne sais pas ce que c'est que d'aimer un homme.

— Oh ! vraiment ? »

D'un ton plus doux, Gem dit :

« Je ne veux pas te chasser en me mariant, Althea. Il faut que tu restes ici. »

Les yeux bleu clair d'Althea se dilatèrent d'horreur.

« Moi, rester ici ? avec cet homme ? Jamais ! »

Les joues de Gem s'empourprèrent.

« Où iras-tu ? demanda-t-elle. Tu es incapable de gagner ta vie.

— J'en serai bientôt capable. Je vais aller à New York vivre avec Molly. Je m'occuperai du ménage dans son appartement et j'irai à une école de dessin. C'est tout arrangé.

— As-tu dit à Molly tout ce que tu sais ?

— Oui.

— Quel sale tour !

— Je ne le considère pas ainsi, dit Althea calmement. Il fallait la préparer.

— Qu'est-ce qu'en pense Molly? demanda Gem au bout d'un moment.

— Elle dit que rien de ce que tu feras ne la sur-prendra. »

Le grand danois revint de la cuisine et regarda Althea.

« Et ton chien? interrogèa Gem.

— Finch Whiteoak va me le garder.

— Comment? tu t'es entendue avec lui pendant ces quelques minutes?

— Oh! non; il y a un mois que tout est arrangé. »

Elle passa dans la cuisine et se mit à préparer le souper du chien. Gem sortit de la maison et courut à l'endroit où l'automobile était garée. Elle avait vendu l'autre, la plus grande. Raikes fumait, adossé à la voiture.

« Oh! Tom! fit-elle, hors d'haleine, Althea s'en va. Elle va chez notre sœur Molly, à New York. N'est-ce pas merveilleux? Nous serons seuls! »

XXVIII

FINCH ET SES PROJETS

En dépit de la peine qu'il ressentait de la mort d'Ernest ou peut-être à cause d'elle, Finch éprouvait un nouvel intérêt à vivre. L'automne, sa saison favorite, arrivait. Il n'avait pas d'engagements de concerts avant l'hiver. Il allait posséder Vaughanlands, à côté de Jalna. Bientôt, les maçons seraient à l'œuvre; il se ferait construire une maison du même style que celle qui avait été détruite, afin de conserver son caractère à la propriété. Des mois de liberté s'étendaient devant lui et il pourrait, pendant ce temps, vivre à sa guise.

A l'ouest, les derniers reflets du couchant embrasaient le ciel. Il dirigea ses pas vers la ruine qui, pour lui, n'était plus une ruine, mais la base de son nouveau genre de vie. Une rangée de peupliers s'élevait entre les bungalows et les jardins. Le feu ne les avait pas atteints, mais les premiers d'entre eux faisaient déjà pleuvoir des averses de feuilles jaunes en forme de cœur. Finch aspira profondément l'air auquel elles ajoutaient une senteur nouvelle. Un lapin se tenait devant lui, sur le chemin, figé dans une incroyable immobilité. Puis, quand Finch avança d'un pas, il

bondit et disparut parmi les mauvaises herbes qui
commençaient à envahir le jardin. Les solidages
qu'Eugène Clapperton avait tant détestées épanouissaient maintenant avec insolence leurs lueurs d'or; le
duvet pâle du coton sauvage voletait dans l'air, et une
floraison tardive de pissenlits piquetait de jaune les
pelouses négligées. Même au milieu des décombres,
les graines jetées par les oiseaux avaient pris racine
et se dépêchaient de répandre une verdure délicate
qui rappelait le printemps plutôt que la lassitude de
l'été mourant.

En contemplation devant la ruine, Finch aperçut la
silhouette de Humphrey Bell. Il ne l'avait pas rencontré depuis son retour d'Angleterre. Heureux de le
revoir, il s'approcha de lui et lui serra la main.

« Il se dégage de cette ruine une paix étrange, dit
Bell. Mr. Clapperton n'inspirait guère d'idées paisibles;
de son vivant j'ai souvent eu envie de le tuer.

— Je ne peux guère vous imaginer ayant des idées
pareilles, dit Finch.

— Vous ne vous doutez pas des colères dans lesquelles me mettaient les visites de Mr. Clapperton.
Maintenant, devant cette ruine, je m'en repens, mais
je continue à détester son souvenir.

— A l'exception du bungalow où habite sa veuve,
j'achète toute sa propriété, annonça Finch.

— Vous ? s'écria Bell avec une joie incrédule. C'est
une si bonne nouvelle que j'ai peine à y croire !

— Pourtant, elle est vraie. Les fondations de la maison sont intactes; j'en ferai construire une nouvelle
dessus.

— Vous allez cesser de donner des concerts ?

— Pas entièrement, mais je passerai ici la plus grande
partie de mon temps.

— Je crois connaître la raison pour laquelle vous

achetez cette propriété, dit Bell dont les cils blancs palpitèrent.

— Que croyez-vous ? demanda Finch.

— Que vous voulez empêcher le lotissement. Vous le faites par amour pour votre frère aîné dont ces petites maisons sont le cauchemar.

— Vous êtes décidément trop malin, Humphrey. » C'était la première fois que Finch appelait le jeune homme par son prénom. Ce fait, combiné à son ton presque affectueux, déclencha ce qui, de la part de Bell, était un élan exceptionnel. Saisissant la main de Finch, il s'écria :

« C'est trop beau pour être vrai ! c'est merveilleux ! Et il m'est arrivé encore un autre bonheur : j'ai vendu une nouvelle.

— Bravo ! j'en suis vraiment heureux !

— C'est la première qui ait trouvé acquéreur et j'en ai écrit je ne sais combien. L'ombre au tableau est que celle-ci est, à mon avis, la plus médiocre de toutes et que je déteste le magazine féminin qui me l'a achetée. J'ai horreur de tous les magazines féminins.

— Ça ne fait rien, dit Finch, c'est toujours un commencement. » Et il ajouta : « Je crois que vous détestez toutes les femmes.

— Non, non, pas toutes. Néanmoins, j'ai plaisir à penser que vous serez sans femme dans votre future maison... mais vous n'y serez peut-être pas longtemps seul.

— Oh ! si.

— Votre petit garçon habitera avec vous ?

— Oui.

— Il est très gentil. Il vient parfois me voir.

— Ne vous laissez pas ennuyer par lui.

— Il ne m'ennuie pas. Il est très avancé pour son âge.

— Vous trouvez ? Il me paraît plutôt bébé; on le gâte, à Jalna. »

Ils firent ensemble le tour de la ruine, discutant des difficultés de la démolition, des plans de la nouvelle demeure. Seule la nuit les sépara. Au moment où ils se serraient la main, Bell demanda :

« Comment va votre nièce ?

— Adeline ? Oh ! elle va bien, répondit Finch, puis, après une hésitation, il ajouta : en confidence, je vous dirai que la pauvre fille a eu le malheur de s'éprendre d'un Irlandais sans le sou dont nous avons fait la connaissance à bord du bateau. Cette histoire sera naturellement sans suite, mais je crois qu'elle en a été très affectée.

— Oh ! Seigneur ! fit Bell comme en proie à une vive souffrance.

— Ça lui passera, dit Finch d'un ton rassurant.

— Je ne peux pas me l'imaginer s'éprenant de quelqu'un, dit Bell, très vite, elle est si... réservée. »

Finch eut un rire bref.

« Vous ne l'auriez pas jugée ainsi si vous l'aviez... Ça lui passera. »

« Pas à moi », se dit Bell en s'engageant presque en courant dans la direction de la Ferme aux Renards.

Quand il atteignit Jalna, Finch entendit siffler avec une certaine mélancolie, d'une façon distraite l'air des *Cent Cornemusiers*, et il vit son frère aîné debout, dans le rayon lumineux provenant d'une fenêtre éclairée. Finch l'aborda par derrière et lui posa une main sur l'épaule, en disant :

« Je viens de conclure un marché.

— Je ne t'ai pas entendu venir, dit Renny en se tournant vers lui... Quel est ce marché ?

— Je viens de chez Mrs. Clapperton; j'ai acheté Vaughanlands, ruine, ferme, terres et tout. »

Le maître de Jalna poussa un cri de surprise.

« Qu'est-ce que tu dis ? Répète-le !

— J'ai acheté Vaughanlands.

— Comment as-tu pu le faire ?

— Comment j'ai pu le faire ?

— Oui... enfin, combien le payes-tu ?

— Vingt-cinq mille dollars comptant.

— Comptant ! s'écria Renny. Où diable pourras-tu trouver une somme pareille comptant ?

— Supposes-tu que j'aie travaillé pour rien toutes ces années ?

— Mais gagner tant d'argent avec de la *musique* ! à jouer du piano ! Ça me renverse ! Comment as-tu pu le faire ?

— Eh bien, je l'ai fait... et j'ai acheté Vaughanlands.

— Toi ! fit Renny en regardant son frère avec un mélange de stupéfaction et de joie. Parbleu ! tu n'aurais pas pu faire un meilleur emploi de ton argent ! Combien t'en reste-t-il ? »

Prudemment, Finch répondit qu'il ne le savait pas au juste.

Renny l'étreignit, le serra contre lui.

« Je ne peux pas te dire combien je suis content. Tu n'aurais pourtant jamais dû conclure un tel marché sans me consulter. Tu aurais pu être horriblement volé. Mais il se trouve que tu fais une bonne affaire. Vaughanlands vaut considérablement plus que cela. Un notaire était-il présent ?

— Non. Simplement Tom Raikes.

— Pourquoi y était-il ?

— Tu as bien entendu les bruits qui courent.

— Cette fripouille ! Il va lui manger toute sa fortune ! Demain, je ferai venir mon notaire et nous ferons un accord en règle.

— Gem Clapperton désire garder le bungalow dans lequel elle habite.

— Eh bien, nous pouvons le lui permettre. »

« Ma parole, songea Finch, il m'enlève déjà l'affaire des mains. »

Contemplant de nouveau son frère avec un étonnement heureux, Renny s'exclama :

« Tout cet argent, mis de côté et prêt à servir au moment voulu ! c'est épatant ! et tu n'aurais pu en faire un meilleur usage ! Viens, il faut le raconter aux oncles... » Il porta la main à sa tête et, se reprenant : « ... je veux dire à oncle Nick, il sera presque aussi content que moi. »

Ils trouvèrent le vieillard devant un bon feu, dans le salon, avec Alayne qui lui faisait la lecture. A la vue de ce tableau, les deux frères hésitèrent un moment sur le seuil, mais Nicolas avait aperçu le reflet de ses neveux dans la glace.

« Entrez ! cria-t-il. Alayne est en train de me lire un vieux livre de ma mère, plutôt bête par endroits, mais qui me plaît mieux que les romans modernes.

— Le garçon que voilà, dit Renny en désignant Finch comme s'il exhibait une curiosité, a fait une chose admirable : il a acheté Vaughanlands. »

Alayne jeta sur son beau-frère un regard qui semblait dire : « Te voilà qui jettes de nouveau ton argent par les fenêtres. »

Interceptant ce regard, Renny s'écria :

« Mais il l'a eu pour un prix fantastiquement avantageux. Il ne pourrait faire un meilleur placement. »

Une vive satisfaction se dessina sur le visage de Nicolas. Au même instant, Meg, Piers et Pheasant entrèrent dans le salon. Ils revenaient de la chambre d'Ernest où ils avaient fait leur choix parmi les objets qu'elle renfermait. Ernest avait, avec une grande impartialité, légué son argent et ses meubles personnels à ses neveux et nièces par parts égales. La somme divisée par cinq n'était pas bien importante, mais elle représentait, spécialement pour Piers et Renny, une agréable aubaine.

Les signes d'une certaine friction que portaient les trois visages en entrant dans le salon furent effacés comme par une éponge magique à l'audition de la nouvelle.

« Oh ! quel bonheur ! s'écria Pheasant. Tu n'aurais rien pu faire de mieux pour nous *tous* !

— Et un rudement bon placement, dit Piers. Je suis ravi !

— Et j'espère, dit Nicolas, que nous ne reverrons plus ces horribles Clapperton.

— Que vas-tu faire de la maison, Finch ? demanda Meg.

— Je vais utiliser les matériaux qui restent pour reconstruire.

— Pas pour la revendre, j'espère ?

— Non, pour y habiter moi-même.

— Oh ! Finch ! quelle merveille ! s'écria-t-elle, les larmes aux yeux, en lui jetant les deux bras autour du cou. Et voilà résolu pour moi un terrible problème. Ma maison m'est devenue odieuse, si près de la route, avec la circulation qui s'accroît de jour en jour ! Maintenant, je vais pouvoir la vendre, et Patience, Roma et moi pourrons venir vivre avec toi et te tenir ton ménage. Comme nous serons heureux, tous ensemble à Vaughanlands ! »

Finch aimait beaucoup sa sœur... mais l'existence qu'elle évoquait n'était nullement celle qu'il avait projetée. Il lutterait, oui, il saurait lutter...

« C'est ça, intervint Piers, arrange tout, Meggie.

Ne lui donne pas une chance de le faire lui-même. »
Et il échangea avec Alayne un regard amusé.

« Cela me semble une excellente idée, dit Renny.

— Pauvre diable, dit Piers avec commisération,
vivre avec trois femme !

— Nous le gâterons terriblement, dit Meg en tapotant le dos de Finch. S'il y a une chose au monde que
j'aime par-dessus tout, c'est de dorloter un homme.

— Nous aurons le temps de parler de cela plus
tard, dit Renny. En attendant, nous allons boire à la
santé du nouveau propriétaire de Vaughanlands. »

A voix basse, Meg dit à Finch :

« Nous avons pensé, là-haut, dans la chambre
d'oncle Ernest, que tu aimerais avoir le manuscrit de
son livre sur Shakespeare. Il a toujours tellement
apprécié l'intérêt que tu y prenais. Non que je ne
m'y sois pas intéressée moi aussi; je l'écoutais me le
lire durant des heures, tout en me rendant compte à
quel point c'était une perte de temps.

— Pour lui ou pour toi ? » demanda Piers en échan-
geant de nouveau un coup d'œil avec Alayne.

Meg dédaigna de répondre à cette question et
continua :

« Piers aimerait avoir les boutons de chemise et
de manchettes en perles, mais je trouve que c'est
être assez gourmand; Renny pourrait avoir les aqua-
relles qu'oncle Ernest a peintes, à l'exception de celle
qu'il a faite à Rome que je voudrais prendre moi-
même. Mais par-dessus tout, j'aimerais avoir les deux
candélabres en porcelaine de Saxe que j'ai admirés
depuis mon enfance. Patience aurait envie des objets
de toilette en argent et de la pendulette de voyage,
et j'ai pensé que les livres conviendraient à Wakefield. Vous pourrez toujours arranger cela entre
vous. »

Renny revint avec un plateau supportant une carafe de xérès, une bouteille de whisky et des verres. Sa démarche et ses yeux pétillants témoignaient de sa joie.

« Bravo ! s'écria Nicolas. Bravo ! Exactement ce que je souhaitais ! »

On remplit les verres.

« A la santé de Finch ! dit Renny. Et puisse-t-il passer à Vanghanlands bien des années heureuses !

— Seul, ajouta Piers.

— Non qu'il y ait pour lui une raison de vouloir s'établir à son compte. Il est toujours le bienvenu à Jalna, dit Renny quand il eut vidé son verre.

— Il y a déjà quelque temps, dit Finch, que je désire avoir une maison à moi. Cela m'amusera de la construire et de la meubler.

— Je devine ce qui va se passer ! s'écria Pheasant. Il va se marier !

— Avec Althea Griffith ! dit Piers en riant. Je m'y suis toujours attendu.

— Vous ne pourriez vous tromper davantage, dit Finch. Je veux composer de la musique. »

Le visage de Meg s'était rembruni en entendant parler de mariage. Maintenant, il s'éclaira d'un doux sourire.

« Finch n'a pas besoin d'une femme, dit-elle. Je m'occuperai de lui. »

Avec un de ses éclats de rire particulièrement irritants Piers se tourna vers Finch et dit :

« Trois femmes et ton gosse dès le début ! Ta famille fait boule de neige ! »

D'une voix tonnante, Nicolas dit :

« Je voudrais qu'on me raconte toute l'affaire depuis le commencement. Dieu ! ce que je suis content que nous finissions par l'emporter sur ce vieux Clapperton !

« — Ne dites rien contre lui, oncle Nick, intervint Renny. Il est mort en héros.

— Et il a vécu la vie d'un individu détestable, répliqua Nicolas. Encore une goutte de whisky, s'il te plaît. »

Tout en sirotant son xérès, Meg dit :

« Gem Clapperton a fait chez elle une vente de certains objets. J'y suis allée et vous ne devinerez jamais ce que j'ai acheté... J'ai acheté ce merveilleux tableau à l'huile représentant un naufrage. Il n'a subi aucun dommage et je l'ai eu presque pour rien. Cela fait plaisir de penser qu'il sera suspendu dans la nouvelle maison de Vaughanlands comme il l'était dans l'ancienne.

— Non, non ! » s'écria Finch. Et, déposant son verre, il quitta la pièce. Il entendit rire Piers et monta en courant l'escalier. Dans sa chambre, il s'assit sur le lit et, les doigts appuyés sur son front, ferma les yeux, maudissant ses nerfs qui le rendaient, comme toujours, ridicule devant toute sa famille, atterré par la perspective de trois femmes, un enfant et ce tableau dans sa maison. Quand il rouvrit les yeux, il vit Dennis debout sur le seuil.

« Est-ce que tu vas vraiment construire une maison ? demanda le petit garçon.

— Oui.

— J'habiterai avec toi ?»

Finch n'y avait pas encore réfléchi, mais il répondit :

« Oui, je le suppose.

— Alors, j'aurai une maison, comme Archer. »

Il vint, d'un air de propriétaire, mettre son bras autour du cou de son père.

« Cela ne te ferait rien de t'en aller ? dit Finch. J'aimerais être seul.

— Pour penser ?

— Oui.

— Moi aussi, je veux être seul. Je vais aller dans ma chambre et nous penserons tous les deux à notre maison. »

En bas, auprès du feu, il ne restait plus que Nicolas et Alayne.

« Alayne, dit le vieillard.

— Oui, oncle Nicolas.

— Je ne vous ai peut-être pas toujours montré combien je vous suis reconnaissant de votre bonté envers Ernest et moi. Mais je vous aime et vous estime beaucoup et... je vous suis très reconnaissant. Voilà ce que je tenais à vous dire. »

Elle se leva, le baisa au front et dit :

« Vous m'avez tous les deux été très chers. »

En dépit des moments où la présence constante des deux vieillards lui avait paru un fardeau et l'avait agacée, il était vrai qu'ils lui avaient été très chers. Sans eux, la vie dans cette maison lui aurait été insupportable, à certaines époques, car ils lui avaient fourni par leur conversation et leurs souvenirs quelque chose de l'atmosphère de l'Ancien Monde dont son esprit avait besoin. Ils avaient su apprécier sa culture et sa personne. Maintenant que l'un d'eux avait disparu, elle éprouvait, pour le survivant, une tendresse accrue.

Elle continua à causer doucement un moment avec lui, puis elle le laissa sommeiller, enfoncé dans son fauteuil, et sortit pour se rafraîchir le visage à l'air du soir. Le ciel s'assombrissait; un roi doré se montrait à l'Occident, sans l'éclairer. Les lumières du hall et du salon mettaient en valeur la teinte rouge de la vigne vierge qui couvrait la maison. Bientôt, les feuilles tomberaient, mais à présent, le manteau qu'elles formaient était d'une richesse, d'une permanence apparente qui semblait susceptible de défier les gelées. Alayne ramassa une feuille, en tâta la surface lisse et en admira la couleur. « Même quand les feuilles seront tombées, se dit-elle, les fortes branches de la vigne envelopperont la maison; elles resteront accrochées à ses murs et attendront que le retour éternel du printemps les fasse refleurir. »

XXIX

DENNIS TOUT SEUL

Les feuilles tombaient de plus en plus vite. Les ormes
avaient perdu presque toutes les leurs; sous les érables
s'étendait un tapis bigarré auquel chaque coup de vent
ajoutait des taches jaunes, rousses, vertes ou rouges.
Sur la pelouse, devant la maison, le vieux bouleau
argenté élevait son tronc blanc au-dessus des arbustes
à feuilles persistantes.

Dennis trottait avec résolution en direction de
Vaughanlands, et bien que la nuit fût proche et qu'un
hibou fît entendre son hululement dans le ravin, le
petit garçon n'avait pas peur. Parvenu devant la ruine
dont les murs sans toit se détachaient en noir sur
le crépuscule, il sentit un sentiment de fierté lui
dilater le cœur. Il savait que les hommes de loi étaient
venus et que cette maison avec ses terres appartenaient maintenant à son père. Par conséquent, elles
lui appartenaient aussi. « C'est à moi, dit-il tout haut.
Archer ne pourra venir ici que si je le veux. J'invi-
terai les gens quand j'aurai envie de les voir et
quand je n'en voudrai pas, ils n'oseront pas venir. »

Ces murs carbonisés paraissaient magnifiques aux
yeux de Dennis. Il se les figura se transformant d'un
coup de baguette en une belle maison. Sa chambre

serait à côté de celle de son père, et ils auraient de
longues conversations. Ils feraient des promenades
dans leur propre voiture, comme deux hommes cir-
culant et causant ensemble. Il serait aussi important
qu'Archer; davantage, puisqu'à Jalna, il y avait Adeline pour donner des ordres à Archer.

Les marches du perron étaient restées debout, de
même que la porte avec son heurtoir. Il saisit le
heurtoir et frappa vigoureusement. Le bruit fort et
creux de ses coups sur cette porte qui ne menait nulle
part le surprit. La nuit tombait. Si cette porte allait
s'ouvrir et livrer passage à quelque chose d'horrible ?
Il regretta d'avoir frappé. Derrière la porte s'élevait
la menace d'une maison fantôme. Il s'imagina les êtres
affreux cachés parmi les décombres et qui s'avançaient en rampant pour répondre à ses coups.

Il aurait voulu s'enfuit, courir plus vite qu'il ne
l'avait jamais fait, mais il n'osait tourner le dos à la
porte de crainte qu'elle s'ouvrît et que des mains de
squelettes le saisissent par-derrière. Les yeux fixés sur
les panneaux de bois noirci, le cœur prêt à bondir
hors de sa poitrine, il entendait maintenant non plus
l'écho des coups du heurtoir, mais un bruit de gouttes
de pluie tombant sur quelque chose qui n'était pas
un toit... qui était quoi ?...

Tom Raikes, de complicité avec Barker, chez lequel
il logeait, avait acheté plusieurs bouteilles de whisky
et les avait cachées dans la cave de la ruine pour y
boire à l'insu de Mrs. Barker. Celle-ci étant sortie ce
soir-là, ils projetaient une bonne petite beuverie à la
maison, et Raikes était venu chercher une bouteille.

Les coups frappés par Dennis le surprirent dans
cette occupation. Au premier moment, effrayé, il se
demanda qui pouvait l'avoir suivi et pour quelle
raison. Il remonta avec une prudence d'Indien l'esca-

lier de la cave encore tout encombré de débris et fit
à pas feutrés le tour du mur. Quand il aperçut le
petit garçon devant la porte, son visage exprima un
soulagement presque comique. Ce gosse paraissait, lui
aussi, avoir peur, eh bien, il lui fallait lui coller une
frousse qui lui enseignerait à ne plus rôder dans ces
parages. Il retourna à l'intérieur de la ruine, et, trop
subtil pour ouvrir brusquement la porte, il se contenta
de tourner la poignée en la secouant un peu, comme
agitée par la colère.

Dennis avait entendu ses pas de loup; maintenant,
il vit avec terreur remuer la poignée de la porte.
Quelle créature horrible apparaîtrait quand la porte
s'ouvrirait ? Il aurait voulu fuir, mais ses jambes demeuraient rigides; seul son cœur bondissait.

La poignée continua à tourner; à la fin, avec d'in-
finies précautions, la porte s'ouvrit, mais seulement
juste assez pour que, par l'étroite fente, un œil abominable fixât l'enfant. Il poussa un petit cri, semblable
à celui d'un lapin pris au piège, ses nerfs se déten-
dirent, et il se sauva à toutes jambes. Dans le ravin
sombre, des buissons épineux cherchèrent à le retenir;
il s'en arracha, pleurnichant de douleur et de crainte.
Au bord du ruisseau, le chemin était moins difficile,
mais en abordant la pente escarpée, Dennis se prit le
pied dans une racine, tomba, roula en arrière et
échoua dans l'eau. D'un mouvement frénétique, il se
remit debout. Il avait de l'eau jusqu'aux aisselles; il
pataugea bravement et finit par atteindre le sentier
de l'autre rive. Trempé comme un barbet, saignant
de ses écorchures, il vit enfin devant lui les fenêtres
éclairées de Jalna. Les chiens qui l'avaient entendu se
mirent à aboyer mais se turent quand il entra dans le
hall. Le son du piano emplissait la maison. Dennis
ouvrit la porte du salon et y pénétra doucement.

Finch était seul; la lumière de la lampe tombait
sur les doigts souples qui voltigeaient sur le clavier
et sur le long visage sensible empreint d'une calme
joie. Il jeta un regard par-dessus son épaule, vit son
fils et continua à jouer. Dennis se laissa glisser par
terre, le dos contre la porte. Les rideaux des fenêtres
masquaient la nuit tombée soudain avec la pluie; la
douceur, la puissance, la gaieté de la musique s'élevaient comme un mur protecteur, infranchissable aux
mauvais esprits. « Je suis sauvé. murmura Dennis. je
suis sauvé. »

XXX

LECTURE DE LA PIECE

AVANT la première chute de neige, Wakefield arriva
de New York. Il était à la fois déprimé et exalté par
le séjour qu'il y avait fait. Son agent avait manifesté
de l'admiration pour sa pièce et affirmé connaître un
directeur qu'elle intéresserait. C'était une comédie, et
les bonnes comédies sont rares. Le public new-yorkais
allait beaucoup rire; Wakefield se le figurait s'enthou-
siasmant pour cette œuvre d'un jeune acteur déjà
réputé au théâtre. Naturellement, il tiendrait lui-même
le premier rôle de sa pièce. Le directeur avait exprimé
le vif désir de faire sa connaissance. Leurs premières
entrevues avaient donné à Wakefield l'impression que
tout allait pour le mieux. Puis un changement était
survenu que ni lui ni son agent ne s'expliquaient. Le
directeur avait évité de le revoir et il s'avéra qu'il montait une autre pièce.

Wakefield et son agent, habitués aux caprices des
gens de théâtre, ne se découragèrent pas. Il y avait
d'autres directeurs. Wakefield s'amusait à New York;
le legs de son oncle Ernest le mettait assez à l'aise;
il s'était attendu à ce que seuls les membres les plus
âgés de la famille héritassent du vieillard, et sa part
avait été pour lui une merveilleuse surprise. Il proje-

tait maintenant de passer un certain temps à Jalna
d'où il pouvait facilement gagner New York en cas
de besoin.

La société de Wakefield représentait pour Finch un
plaisir nouveau. Comme adolescent, son jeune frère
l'avait irrité par son outrecuidance. Peut-être était-il
envieux de ce que Wakefield eût toujours été le préféré de toute la famille, tandis que lui-même, à cause
de son malheureux mélange de maladresse et de vul-
nérabilité était souvent en butte aux taquineries. Il
ne les avait jamais bien supportées, et aujourd'hui
encore, il souffrait au souvenir de certaines des
saillies auxquelles Piers et Eden s'étaient plus à ses
dépens. Renny avait été un père pour lui, mais souvent très sévère en comparaison de sa constante indulgence à l'égard de Wakefield.

Enfin, tout cela était le passé, et il se réjouissait
fort de la venue de son cadet. Wakefield, de son côté,
avait été ravi d'apprendre que son frère avait acheté
Vaughanlands. Ils en avaient, ensemble, exploré tous
les coins. Ils connaissaient naturellement cette propriété presque aussi bien que Jalna, mais elle offrait
à leurs yeux un nouvel aspect depuis que Finch en
était le maître.

La maison qu'il faisait construire commençait à s'élever. Extérieurement, elle devait être pareille à l'ancienne, mais, à l'intérieur, les pièces seraient moins
nombreuses et plus vastes. La plus spacieuse, le salon
de musique, serait éclairée par une grande baie en
rotonde.

Ses consultations avec l'architecte et l'entrepreneur
apportaient à Finch des plaisirs et des inquiétudes d'un
genre imprévu. Il s'étonnait, sans toutefois s'alarmer,
de la façon dont l'argent filait. Ses ressources étaient,
pour Renny, l'objet d'un constant émerveillement.

Intrigué, ravi et curieux, il aurait voulu savoir à un dollar près combien Finch avait accumulé. Mais celui-ci, ouvert et franc de nature, avait appris par expérience que malgré les meilleures intentions du monde, son aîné était susceptible d'emprunter sans être capable de rendre ou de conseiller aux autres de placer leur argent dans les écuries qui avaient si souvent englouti ses propres moyens. Il avait déjà employé le legs d'Ernest à des améliorations et à l'achat d'une jument de prix. Piers, lui, avait mis sa part de l'héritage en titres, sauf la somme nécessaire pour offrir à Pheasant un manteau de fourrure.

Toute la famille s'intéressait à la comédie de Wakefield, mais seules Alayne et Pheasant y attachaient plus d'importance qu'à la construction de la maison de Finch. Un soir, peu après son arrivée, on décida qu'il ferait la lecture de sa pièce à haute voix. Nicolas, Renny, Alayne, Piers, Pheasant, Meg, Patience, Finch et Adeline s'étaient rassemblés pour l'entendre.

Nicolas, dans son confortable fauteuil, s'était installé tout près de Wakefield afin de ne pas perdre un mot. Finch, au piano, se tenait prêt à jouer certains morceaux de musique, car l'un des personnages de la pièce était un musicien. En voyant Renny s'asseoir sur l'appui de la fenêtre, il se rappela qu'il avait occupé cette même place quand la famille s'était réunie après la lecture du testament de la grand-mère — souvenir très peu agréable.

Wakefield, lui, se trouvait dans son élément : il jouait la comédie; comme disaient ses frères, il posait. C'était le soir; la lampe qui éclairait le manuscrit projetait sa lumière sur son visage mobile. Il n'aurait pu souhaiter public plus attentif. Alayne, sa faculté critique en éveil, se penchait légèrement en avant. Meg aussi, mais pour encourager le lecteur, et son

sourire était tout prêt à se muer en rire, parce qu'elle
savait que ce serait une pièce amusante. Nicolas, sa
main en cornet devant sa meilleure oreille, observait
les préliminaires avec la plus grande attention. Il
avait été, dans son jeune temps, fervent amateur de
théâtre. Pour cette occasion, il s'était soigneusement
brossé les cheveux, s'était fait raser de frais par Renny
et avait revêtu son plus beau costume. Le prestige du
théâtre, où il n'était pas allé depuis tant d'années, lui
inspira de dire à Finch :

« Il faut commencer correctement. Joue *God Save
the King*. »

Enchanté de voir le vieillard aussi animé, Finch
joua l'hymne sans se faire prier. A la première note,
Nicolas se leva difficilement et resta debout sans
vaciller, jusqu'au bout. Puis, tout le monde se rassit.
Wakefield ouvrit son manuscrit et s'éclaircit la voix.
A cet instant, les chiens décidèrent qu'ils avaient
envie d'entrer dans le salon. Le terrier écossais, habitué à gratter aux portes, se mit à griffer de ses ongles
acérés celle qui donnait sur le hall; le bouledogue
aboya, l'épagneul gémit. Alayne qu'avait amusée le
retard causé par l'hymne, trouva cette seconde interruption gênante. Elle n'avait jamais aimé les chiens et
maintenant, elle s'écria :

« Quels fléaux que ces animaux ! L'un de vous ne
peut-il pas les chasser ? »

Une main invisible ouvrit la porte dans le hall et
les trois chiens entrèrent. Le bouledogue se dirigea
droit vers le feu et s'installa sur le devant de foyer,
face à la société, avec l'air de dire : « Ce que j'ai, je le
garde. » Le terrier trotta vers Renny qui le prit sur
ses genoux. L'épagneul, le seul des trois qui craignait
Alayne, crainte à laquelle se mêlait une étrange
ironie qui le faisait lui obéir tout en fronçant le nez

et en soulevant sa lèvre supérieure, la voyant lui désigner la porte, lui adressa cette grimace de dérision et se prépara à partir. Tout le monde, sauf Alayne, éclata de rire.

« Laisse-les rester, dit Renny. Ils seront sages.

— On devrait les faire sortir, grommela Nicolas.

— Ici, mon garçon ! » cria Piers à l'épagneul.

Wakefield referma son manuscrit.

« Je commencerai, dit-il, quand ces bêtes seront maîtrisées. »

Il n'était pas irrité mais tendu. Adeline se laissa glisser par terre à côté de l'épagneul, le prit sur ses genoux et murmura :

« Sois sage, mon amour. »

Renny enleva un gratteron de la queue du terrier qui poussa un fort aboiement. Avec un grand calme, Wakefield alluma une cigarette.

« Gardez votre sang-froid », dit Renny, s'adressant à la fois à Wakefield et au terrier, et il déposa le gratteron dans un pot de fougère.

La main invisible referma la porte du hall. Il y eut un silence attentif. Wakefield se racla la gorge et commença à lire. Il lisait bien, incarnant les divers personnages avec art et entrain. Son public, suspendu à ses lèvres, garda un silence absolu jusqu'au moment de la scène d'amour où, dans le rôle de la femme, il prit une voix basse et séduisante. Alors, Nicolas l'interrompit :

« Parle plus fort. Je ne t'entends pas. »

Wakefield éleva un peu la voix.

« Je ne t'entends toujours pas.

— Mon Dieu ! s'écria Wake, je ne peux pas en même temps gueuler et être subtil.

— Je ne vois aucune subtilité là-dedans, dit Piers. Elle roucoule tout bonnement : « Oh ! Bill, je t'aime « terriblement ! »

— Eh bien, mettons que je ne sache pas roucouler.

— Qu'est-ce qu'il dit ? » demanda Nicolas.

Meg vint à son secours.

« Oncle Nick chéri, c'est une scène d'amour. Wakefield, dans le rôle de la femme, veut roucouler.

— Bon, alors, qu'il roucoule et en finisse, grommela Nicolas.

— Ecoutez, mon oncle, reprit Meg. La jeune fille est éprise d'un plombier. Sa famille s'oppose au mariage, mais je ne trouve pas que Wakefield ait bien fait comprendre si c'est parce que ce jeune homme est tellement prétentieux ou parce qu'il est plombier. »

Wakefield lui jeta le manuscrit sur les genoux en disant :

« Prends-le et lis.

— Voyons, Wakefield, dit Meg, ne te fâche pas.

— Je voudrais l'entendre lire sa pièce, dit Nicolas; s'il chuchote je n'entends rien. J'ai compris l'intrigue jusqu'ici, mais dis-moi, est-ce que cette pièce est une farce ?

— Non, oncle Nick, répondit Wakefield, c'est une franche comédie sous laquelle se cache cette vérité qu'en dépit de tout ce socialisme, les distinctions de classe subsistent. Quant à mon plombier, il n'est pas prétentieux. C'est un intellectuel conscient de sa valeur.

— Il est très bavard pour un plombier, dit Meg. Les plombiers sont généralement très taciturnes.

— Je t'accorde qu'il n'est pas un plombier typique, dit Wakefield en reprenant son manuscrit. Il est extrêmement intelligent, et sans lui, toute la famille tomberait pour ainsi dire au ruisseau. »

Un rire nerveux échappa à Finch.

« Continue ta lecture », dit Nicolas.

Wakefield n'eut plus à se plaindre de son auditoire.

ll fut nécessaire à plusieurs reprises d'expliquer certaines plaisanteries à Nicolas, mais quand il les eut
comprises, il rit de bon cœur et alla jusqu'à se taper
la cuisse de plaisir. A la fin, des applaudissements
éclatèrent auxquels les trois chiens joignirent leurs
aboiements. A l'unanimité, on déclara que si la pièce
trouvait un commanditaire, son succès serait formi-
dable.

XXXI

ADELINE

Seule, dans sa chambre, Adeline se déshabillait. Elle
pensait à la pièce et plus spécialement aux scènes
entre les deux amants. Elles l'avaient émue sans cependant lui donner satisfaction. Wakefield savait-il vraiment ce que sont les peines d'amour ? Elle avait
vaguement entendu parler d'une déception qu'il avait
éprouvée. Mais connaissait-il la souffrance ?...

Tandis qu'elle se brossait les cheveux, elle remarqua,
dans le miroir qui avait si longtemps réfléchi les cheveux mordorés et les yeux noirs de son arrière-grand-
mère, combien ses propres yeux étaient devenus
grands et lumineux et combien ses joues avaient pâli.
« Rien d'étonnant, se dit-elle, à souffrir comme je
le fais !... Mais je suis bien sotte. Il ne languit pas
après moi, sinon ses lettres seraient plus tendres.
Elles ne m'apportent aucun réconfort; elles me tor-
turent. Qu'est-ce qu'il essaie de faire ? Me refroidir
avec les récits de ses occupations quotidiennes, de
celles de sa mère, des ennuis que lui cause Sylvia...
alors qu'il sait si bien ce que je voudrais qu'il me
dise ? »

Elle s'efforça de penser en femme amoureuse et non
comme une enfant nostalgique. Ses coups de brosse

se firent plus énergiques. Elle ferma les yeux afin
de ne plus voir son image. Au lieu de son propre
visage, ce fut celui de Fitzturgis qui surgit devant elle
si nettement, qu'elle s'arrêta, pétrifiée, la brosse en
l'air, dévorant ces traits bien-aimés. Mais le son de
sa voix, qu'elle trouvait la plus belle du monde, lui
échappait, et, comme elle cherchait désespérément à
l'évoquer, le souvenir de son visage s'estompa. Puis,
quand il réapparut, il portait une expression d'un
mépris si· moqueur qu'elle écarquilla les yeux d'étonnement et de chagrin. Elle ne possédait aucune
photographie de lui, pas même un instantané qui lui
eût rafraîchi la mémoire. « Ce serait affreux, songea-
t-elle, si je devais conserver dans mon esprit ce visage
méprisant. »

Délibérément, elle se retraça leurs étreintes, les
quelques occasions où ils s'étaient perdus mutuellement dans les profondeurs de leurs yeux. Mais quand
elle voulut revoir ses yeux par la pensée, ils la fou-
droyèrent d'un regard furibond.

Emportant sa serviette, elle monta au premier étage.
Les ronflements de Nicolas remplissaient le palier
obscur. Elle entra dans la salle de bain et alluma
la lumière. Quelqu'un avait laissé la fenêtre ouverte
et l'air de la nuit y avait pénétré, lourd de l'odeur
de la neige. Elle tombait par gros flocons humides
qui se collaient à tout ce qu'ils touchaient. Les oiseaux
allaient commencer à être malheureux. Cette blancheur n'offrait rien encore de la gaieté vive de
l'hiver; ce n'en était que la mélancolique préface. Elle
frissonna en se levant et redescendit bien vite dans
sa chambre. Agenouillée auprès de son lit, elle dépêcha
ses prières à mi-voix, les mêmes qu'elle disait étant
enfant, à une époque qui lui semblait à présent très
lointaine. Elle avait hâte d'être sous ses couvertures,

tout entière, y compris la tête, seule avec la douce
chaleur de son corps.

Pourtant, même dans cet abri, les bruits nocturnes
lui parvenaient : un craquement de l'escalier, un
bruit de mouvement dans les murs ou sur le toit. La
vieille maison lui parlait; elle lui disait : « J'ai connu
des larmes et des soupirs avant les tiens. Tu n'es ni
la première ni la dernière à souffrir. Ton chagrin ne
me pèse pas plus que la neige sur mon toit, j'en ai vu
d'aussi déchirants que les glaçons qui pendent de
mes gouttières au milieu de l'hiver. »

« Oh ! si seulement je pouvais me rappeler sa voix ! »

Soudain, comme un cri dans la nuit, l'idée lui vint
de lui parler au téléphone. Elle se rappela que
Pheasant avait téléphoné à Mooey pour son anniversaire. Si Pheasant avait pu téléphoner en Irlande,
pourquoi ne le ferait-elle pas aussi ?... Elle le ferait,
dès demain matin... Mais cela coûtera douze dollars
et elle ne possédait pas cette somme. A qui la demander ? A oncle Nicolas; il la lui donnerait sûrement...
Non, elle la ferait porter au compte de son père et,
avant que la poste le lui envoie, elle lui avouerait
ce qu'elle avait fait. C'était une décision effrayante,
mais elle l'avait prise résolument.

Elle se mit à imaginer sa conversation avec Fitzturgis, les yeux grands ouverts dans l'obscurité. Elle
s'endormit au beau milieu, et elle y rêvait quand elle
s'éveilla.

Ce fut tout de suite après le déjeuner qu'elle put
exécuter son dessein. Nicolas faisait sa sieste et Alayne
elle aussi se reposait dans sa chambre. Finch et
Wakefield étaient allés voir les progrès de la construction. Renny était en ville pour prendre ses dernières
dispositions en vue du proche Concours Hippique.

Tout d'abord, son émoi fut tel qu'elle ne put expli-

quer clairement à la téléphoniste ce qu'elle désirait;
quand enfin celle-ci l'eut comprise, elle lui dit d'attendre la sonnerie. En l'attendant, elle arpenta la
pièce. Wragge ouvrit la porte et demanda :

« Vous avez besoin de quelque chose, mademoiselle ?

— Non, merci, répondit-elle sèchement, puis, elle
ajouta : j'ai demandé une communication interur-
baine et je ne veux pas être dérangée.

— J'y veillerai, mademoiselle », dit-il en lui lançant
un regard curieux.

Un moment après qu'il l'eut quittée, elle ouvrit la
porte, vérifia qu'il n'y avait personne dans le hall,
referma la porte et donna un tour de clef.

Sa bouche était sèche, ses paumes moites, et son
cœur battait si fort qu'elle en avait conscience à travers tout son corps. Le temps s'écoula. Il lui parut
interminable. Sa mère redescendrait, son père revien-
drait de la ville. Que dirait-elle s'ils essayaient d'ouvrir la porte ? Avaient-ils l'un ou l'autre jamais rien
vécu de pareil ? Et son arrière-grand-mère ? Ils avaient
tranquillement épousé qui ils avaient voulu et voilà
tout !

La sonnerie du téléphone la fit sursauter. Elle prit
le récepteur.

« Allô !

— Vous avez demandé un numéro en Eire ?

— Oui.

— Voici votre communication. »

Elle attendit, entendit des bruits, dit plusieurs fois
« allô ». Le silence. Puis :

« Voici votre numéro, dit la voix, allez-y.

— Allô, dit-elle d'une voix tremblante.

— Allô, répondit la voix de Fitzturgis, aussi nette
que s'il avait été dans la pièce.

— Oh ! Mait ! c'est vraiment vous ?

— Qu'est-ce qu'il y a ? demanda-t-il.

— Je... oh ! qu'elle avait donc la bouche sèche ! — Il fallait que je vous parle...

— Il vous est arrivé malheur ?

— Non... non. Il *fallait* simplement que je vous parle.

— Mais pourquoi ?

— Parce que je... vous aime tellement et que je veux vous entendre dire que vous m'aimez... c'est tout. »

Il resta silencieux. Sûrement, il devait entendre battre son cœur. Oui, d'un bout de l'océan à l'autre !...

« Maitland ! cria-t-elle. Etes-vous là ? »

Non plus nette, mais dure et brisée, sa voix lui parvint :

« Ma chérie...

— Regrettez-vous que je vous aie appelé ?

— Non... non... j'en suis content. Entendre votre voix... c'est tellement inattendu.. tellement incroyable... »

Sa voix tremblait. Bouleversée, elle se mit à sangloter dans le téléphone.

« Adeline, ma chérie... si je pouvais vous prendre dans mes bras...

— Oh. Mait !... » Elle ne put en dire davantage.

« Si vous vouliez m'entendre le dire, écoutez-moi : je vous aime, je n'aime que vous et je vous aimerai toujours. »

Elle ne put prononcer un mot.

« Adeline, êtes-vous là ? »

Il n'arriva pas à comprendre les mots incohérents qu'elle balbutia.

« Ecoutez, dit-il sévèrement. Vous m'avez appelé. Vous vouliez me parler. Allez-vous perdre tout votre temps à pleurer ?

— Non.

— Alors, dites-moi que vous allez être courageuse et heureuse. Vous savez quels sont mes sentiments. Même si mes lettres...

— Vos lettres sont si... » Elle ne put continuer.

« Elles sont si quoi ?

— Oh ! ça ne fait rien... Maitland chéri, est-ce que vous pleurez, en Irlande ?

— Non... pas tout à fait.

— Oh ! dites que vous pleurez. Je pourrai surpporter n'importe quoi si je sais que vous pleurez aussi. »

Il eut un rire bref, hésitant.

« Eh bien, je pleure, moi aussi.

— Non... vous riez ! Il ne faut pas vous moquer de moi, Mait. »

Avec une grande tendresse, il répliqua :

« Je ris seulement parce que... Oh ! chérie, comme l'océan me semble étroit ! J'ai l'impression de pouvoir vous toucher... »

Le signal avertisseur tinta. Elle tenta de parler... de crier : « Continuez... ne vous arrêtez pas... » Elle entendit son adieu assourdi.

« Au revoir ! » cria-t-elle en inclinant son front vers l'appareil.

C'était fini.

Elle sortit dans le monde nouveau qu'avait créé la neige. Elle traversa la pelouse et gagna le verger. Les arbres avaient conservé leurs feuilles, et sur un vieux pommier dont les fruits n'avaient pas été récoltés, les pommes montraient leurs joues rouges, chacune coiffée d'un capuchon de neige. Sur le chemin menant aux écuries, on avait laissé tomber des grains de blé et les pigeons les picoraient. Elle étendit la main et un pigeon blanc, son préféré, vint se poser sur son

épaule. Les autres se mirent à voler autour de sa tête,
leurs pattes de corail serrées, leurs yeux luisants
comme des pierres précieuses.

Elle vit son père en costume de cheval rentrant des
écuries à la maison. Il l'aperçut aussi et se dirigea vers
elle. A son approche, les oiseaux, avec un lourd bruis-
sement d'ailes, s'envolèrent et retournèrent à leurs
grains.

Avant longtemps, elle allait être obligée de confesser
qu'elle avait téléphoné en Irlande. Mieux valait le dire
tout de suite à son père. Il lui était pénible de le
tromper et il saurait la comprendre.

« Hello, Daddy ! Je ne t'attendais pas d'aussi bonne
heure.

— Non ? Eh bien, tout est arrangé. Ça va être un
Concours magnifique. A quoi t'es-tu occupée ? »

Ah ! s'il le savait ! que dirait-il ?... C'était le moment
de le lui avouer.

Il l'entoura de son bras. Le pigeon blanc s'éleva en
l'air et plana, solitaire, au-dessus du ravin. Le soleil
se montra et des paquets de neige molle commencèrent
à tomber des arbres. Bientôt, l'hiver battait en
retraite.

« Pourquoi es-tu dehors aussi peu couverte ? demanda-t-il.

— Je n'ai pas froid. »

Elle leva les yeux vers lui. Jamais elle n'aimerait
aucun homme plus que lui. S'il lui fallait choisir entre
les deux, lequel choisirait-elle ? Elle mourrait, songea-
t-elle, avant de faire son choix. Mais rien ne l'obli-
geait à le faire. Un peu de courage, et dis-lui tout...
il comprendra. Elle n'avait jamais fait en vain appel
à sa compréhension. Oui, elle allait lui raconter l'histoire de son amour. Elle chercha, parmi le tumulte
de son esprit, les mots qu'il fallait, mais elle ne les

trouva pas. Elle se mit à tourner entre ses doigts l'un
des boutons de son veston. Il répéta, avec une curiosité nonchalante :

« Dis-moi ce que tu as fait ?

— Rien. »

Elle se tenait si près de lui que le fin damier de son
veston lui parut grossi, semblable à un paysage en
miniature de petits champs verts, bruns et mauves.
Il devina qu'elle avait une préoccupation, et pour
l'encourager, la serra contre lui en demandant :

« Voyons, qu'est-ce qu'il y a ?

— J'ai téléphoné, dit-elle avec difficulté.

— Oui ?

— En Irlande. »

Ses genoux tremblaient et elle s'accrocha à lui pour
se soutenir.

« A un homme que j'aime... »

Elle leva sur le visage de son père des yeux si
pareils aux siens.

« Oui ? fit-il, et qu'est-ce qu'il t'a dit ? »

Il sentit le corps d'Adeline se raidir.

« Oh ! Daddy ! s'écria-t-elle, tu *sais* ! Et j'avais fait
promettre à oncle Finch de ne pas te le dire ! Il m'a
donné sa parole.

— C'est par Wakefield que je l'ai appris.

— Est-ce que tu es fâché ? »

« Je devrais l'être, se dit-il. Je devrais être un père
outragé, ordonnant à sa fille de ne plus jamais penser
à ce scélérat. Mais... » Il regarda le visage de marbre
rosé et retrouva dans ses contours ceux du portrait de
la fière vieille Adeline. Il avait attendu ce moment.
Maintenant qu'il était arrivé, il en était heureux.

« Non, dit-il, je ne suis pas fâché, et il l'entraîna
vers la maison. J'ai été amoureux moi aussi.

— Je le suppose. De Mummy.

— Oui, répondit-il, et il porta la main à sa bouche comme pour dissimuler un sourire. Oui, de ta mère. Et il m'a fallu attendre, tu sais.

— Oh ! je suis prête à attendre. Des années, s'il le faut. Quoique l'attente me soit pénible... Je n'aimerai jamais personne d'autre... de cette façon.

— Bien sûr que non, dit-il en lui touchant les cheveux; on n'aime jamais deux personnes de la même manière. C'est toujours très différent. »

Elle lui posa les mains sur la poitrine et s'écria :

« Oh ! si seulement tu pouvais le voir, tu comprendrais tout. Il est si sensible, si fier et... elle hésita et ajouta très bas : si *pauvre*.

— Oui, je le sais.

— Mais il est très intelligent, dit-elle les yeux étincelants; il pourra tout changer si l'occasion lui en est donnée... Ce que je voudrais est que vous fassiez connaissance. Je suis sûre que vous vous plairiez. »

Tirant de sa poche un paquet de cigarettes, il en alluma une et dit d'un ton tout à fait naturel :

« Il faut que je voie ce garçon. Et le plus tôt possible. Si nous allions toi et moi en Irlande au printemps prochain ? »

Adeline le regarda, muette de joie. Se soulevant sur la pointe des pieds, elle leva les bras en un geste d'envol.

La porte de la maison s'ouvrit, Finch apparut, l'air interrogateur.

« As-tu envie d'attraper froid, Adeline ? Rentres-tu ou veux-tu que je t'apporte un tricot ? demanda-t-il.

— Je ne pourrais prendre froid ! s'écria-t-elle. Aucun malheur ne pourrait m'arriver. Je viens d'apprendre la nouvelle la plus merveilleuse qui soit. Viens, que je te la dise. »

Elle le prit par le bras et l'attira sous la véranda. Les trois chiens le suivirent dehors pour voir s'il se passait une chose digne d'attention. Voyant qu'il ne se passait rien, ils retournèrent dans la chaleur du hall.

LEXIQUE ÉLÉMENTAIRE

à l'usage des amis de

JALNA

ADA (Leigh), sœur d'Arthur Leigh, amie de Finch I.

ADELINE Iʳᵉ (Court), la célèbre « Gran » (1825-1927), animatrice principale du roman, épouse de Philippe Iᵉʳ Whiteoak. De ce mariage descend toute la famille de Jalna.

ADELINE II (Whiteoak), fille de Renny et d'Alayne. Cf. le volume à elle consacré : *La Fille de Renny*. Elle épousera Mooey.

ALAYNE (Archer), née en 1896, d'abord femme d'Eden, divorcée en 1928, épouse la même année Renny, dont elle a Adeline II et Archer.

AMY (Stroud), inquiétante voisine.

ARCHER (Whiteoak), fils de Renny et d'Alayne, né en 1935.

ARTHUR (Leigh), premier époux de Sarah Court, qui épousera ensuite Finch I.

AUGUSTA (Whiteoak), 1851-1939, fille de Philippe et d'Adeline Iʳᵉ, épouse Sir Edwin Buckley.

BONEY, l'éloquent perroquet de « Gran », à qui il survivra.

CHALK, maréchal ferrant.

CHRIS (Dayborn), amie de Renny, mère de Molly.

CLAPPERTON (Eugène), voisin et adversaire de Renny.

CLINCH (Miss), gouvernante de Pheasant.

DAYBORN, famille de voisins : Garda, Althea, Gemmel.

DENIS-ARTHUR (Whiteoak), né en 1939, fils de Finch I et de Sarah.

DERMOT (Court), cousin irlandais d'Adeline Iʳᵉ, fait de Mooey l'héritier de ses biens.

EDEN (1901-1932), poète, épouse Alayne Archer, divorce en 1928. De sa liaison avec Minny Ware il a eu une fille : Roma.

I

EDWIN (Sir Edwin Buckley), épouse Augusta, meurt en 1917.

ELISA, femme de chambre d'Adeline Ire.

ERNEST (1854-1949), fils cadet d'Adeline Ire, veuf d'Harriet Archer.

FENNEL (Mr.), pasteur de Jalna.

FINCH I, né en 1908, troisième fils de Philippe II et Mary Wakefield, frère de Renny, pianiste, héritier de sa grand-mère. Cf. *L'Héritage des Whiteoaks*. Epouse Sarah Court, dont il a Denis-Arthur.

FINCH II (Whiteoak), dit Nooky, fils de Piers et de Pheasant.

GEORGES (Fennel), fils du pasteur, ami de Finch I.

HARRIET (Archer), femme d'Ernest, meurt en 1940.

HODGE, le vieux cocher de Jalna.

JOHNNY THE BIRD, le cheval vainqueur du Grand National.

LACEY (famille), voisins de Jalna.

LAUNCETON, fameux cheval de course, sa fin tragique.

LEBRAUX (Clara), éleveuse de renards, amie de Renny.

LEBRAUX (Pauline), un moment fiancée à Wakefield.

MALAHIDE, cousin irlandais d'Adeline Ire. Cf. *Jeunesse de Renny*.

MARGARET (Ramsay), fille du docteur Ramsay, épouse Philippe II, dont elle a Meg et Renny, meurt d'une maladie de langueur.

MARY (Wakefield), de Londres, institutrice des enfants du premier lit de Philippe II. Elle devient sa femme. De ce mariage, naissent plusieurs enfants morts en bas âge, puis Eden, Piers Finch et Wakefield. Mary meurt en 1915. Cf. le volume : *Mary Wakefield*.

MAURICE (Vaughan), né en 1884, fils de Robert Vaughan, fiancé en 1906 à Meg. Après la longue interruption de ces fiançailles, il l'épouse en 1926. Père naturel de Pheasant.

MAURICE II, dit Mooey, né en 1926, fils de Piers et de Pheasant. Epousera-t-il Adeline II?

MEG, née en 1884, fille du premier lit de Philippe II et de Margaret Ramsay. De son mariage avec Maurice Vaughan, naît en 1926 une fille : Patience.

MERLIN, l'épagneul.

MILLICENT (Hume), femme, depuis divorcée, de Nicolas.

MINNY (Ware), mère de Roma, dont Eden est le père.

MOLLY (Griffith), amie de Wakefield, fille naturelle de Renny et de Chrys Dayborn.

NICOLAS, né en 1852, fils aîné d'Adeline Iʳᵉ, époux divorcé de Millicent Hume.

NOAH BINNS, fossoyeur et sonneur de cloches.

PARIS (Court), fils de Malahide.

PATIENCE, née en 1926, fille de Maurice Vaughan et de Meg.

PHEASANT, née en 1906, fille naturelle de Maurice I et d'Elvira, épouse de Piers, mère de Mooey, de Finch II et de Philippe III.

PHILIPPE Iᵉʳ, né en 1815, officier des Hussards de la Reine, époux de la grande Adeline. Fondateur de Jalna. Cf. *La Naissance de Jalna*.

PHILIPPE II, né en 1862, troisième fils des précédents. Héritier de Jalna. De ses deux mariages avec Margaret, puis avec Mary, il a une fille et cinq fils.

PHILIPPE III, né en 1933, troisième fils de Piers et de Pheasant.

PIERS (Whiteoak), fils de Philippe II et de Mary, époux de Pheasant, agriculteur.

RENNY (Court), dit Renny le Rouge, père irlandais de la grande Adeline.

RENNY (Whiteoak), « le Maître de Jalna », personnage central du roman, né en 1886, épouse en 1928 Alayne, femme divorcée d'Eden.

ROMA, fille naturelle d'Eden et de Minny Ware.

SARAH (Court), cousine éloignée et femme de Finch. De ce mariage naît en 1939 Denis-Arthur.

WAKEFIELD (Whiteoak), né en 1915, dernier fils de Philippe II et de Mary. Entre au couvent avant de devenir homme de théâtre, se couvre de gloire pendant la guerre de 1939-1944. Cf. *Le Destin de Wakefield*.

WRAGGE, dit Rags, ancienne ordonnance de Renny, factotum de Jalna.

WRAGGE (Mrs.), épouse du précédent, cuisinière de Jalna.

LA FAMILLE WHITEOAK

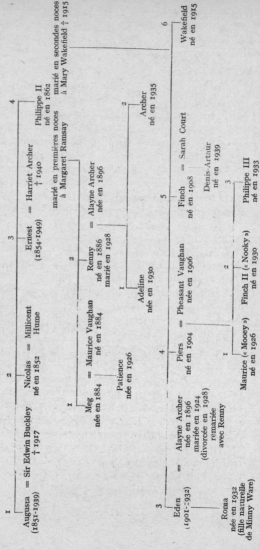

Capitaine Philippe Whiteoak = Adeline Court
né en 1815   (1825-1927)

1
Augusta = Sir Edwin Buckley
(1851-1939)   † 1917

2
Nicolas = Millicent
né en 1852   Hume

3
Ernest = Harriet Archer
(1854-1949)   † 1940
marié en premières noces
à Margaret Ramsay

4
Philippe II
né en 1862
marié en secondes noces
à Mary Wakefield † 1915

6
Wakefield
né en 1915

1
Meg = Maurice Vaughan
née en 1884   né en 1884

Patience
née en 1926

2
Renny = Alayne Archer
né en 1886   née en 1896
marié en 1928

1
Adeline
née en 1930

2
Archer
né en 1935

5
Finch = Sarah Court
né en 1908

Denis-Arthur
né en 1939

3
Philippe III
né en 1933

3
Eden = Alayne Archer
(1901-1932)   née en 1896
marié en 1924
(divorcée en 1928)
remariée
avec Renny

Roma
née en 1932
(fille naturelle
de Minny Ware)

4
Piers = Pheasant Vaughan
né en 1904   née en 1906

1
Maurice (« Mooey »)
né en 1926

2
Finch II (« Nooky »)
né en 1930

TABLE

IMPRIMÉ EN FRANCE PAR BRODARD ET TAUPIN
6, place d'Alleray - Paris.
Usine de La Flèche, le 10-06-1974.
1514-5 - Dépôt légal n° 3434, 2ᵉ trimestre 1974.
1ᵉʳ Dépôt : 3ᵉ trimestre 1967.
LE LIVRE DE POCHE - 22, avenue Pierre 1ᵉʳ de Serbie - Paris.
30 - 21 - 2269 - 08   ISBN : 2 - 253 - 00472 - 3
*

30/2269/6